Bauch, Gustav

Die Universitaet Erfurt im Zeitalter des Fruehhumanismus

Bauch, Gustav

Die Universitaet Erfurt im Zeitalter des Fruehhumanismus

Inktank publishing, 2018

www.inktank-publishing.com

ISBN/EAN: 9783750105973

Die Universität Erfurt

im Zeitalter des Frühhumanismus

von

Gustav Bauch

Breslau

Verlag von M. & H. Marcus

1904

4

Meinen lieben Göttinger Commilitonen

bei Georg Waitz

PROFESSOR DR. PAUL HASSE
Direktor des Staatsarchivs in Lübeck

weil. unserem würdigen Senior in den Historischen Übungen

und

PROFESSOR DR. MAX PERLBACH
Oberbibliothekar in Berlin

meinem Sodalen bei der Krakaner Akademie d. W.

in alter Freundschaft

gewidmet

Begleitwort

Ich weiß sehr wohl, daß L. Geiger in seiner Vierteljahrsschrift für Kultur und Litteratur der Renaissance (I, 252) bei der
Anzeige einer Arbeit von A. Stenger über die Anfänge des
Humanismus in Erfurt die Meinung ausgesprochen hat, daß es
nach Kampschultes ausgezeichnetem Werke für die Geschichte
der Universität während der Zeit des Humanismus weiterer Dar-
stellungen nun kaum noch bedürfe. Ob deshalb auch meine hier
folgende Darstellung als eine unnötige Ilias post Homerum auf-
gefaßt werden muß, überlasse ich dem Urteile der Leser.

Es war nicht meine Absicht, damit Kampschulte zu ver-
drängen, denn sein Buch wird stets lesenswert bleiben, und das
Verdienst wird ihm niemals abzustreiten sein, daß er in das
Dunkel der Geschichte der Universität zuerst Licht gebracht und
mancherlei Gesichtspunkte aufgestellt hat, die für die Dauer
Bürgerrecht in der Litteratur erworben haben.

Das Bestrickende seiner geistvollen und feinsinnigen Darstellung hat auch seinen Reiz auf mich geltend gemacht, als ich
mich vor einem Vierteljahrhundert der Geschichte des Humanismus
zuwandte, meine erste Arbeit beschäftigte sich mit einem Freunde
des Eobanus Hessus, und immer wieder habe ich im Verlaufe
meiner Studien das Buch zur Hand genommen und mich daran
erfreut und erfrischt. Aber gerade diese eingehende Beschäftigung
führte mich auf die Punkte, wo die stark subjektive und daher

bisweilen halbwahre oder unwahre Weise Kampschultes zu
Tage liegt, und auf das gewaltige Material, das er noch nicht
herangezogen hat oder auch noch nicht hatte heranziehen können.
So sammelte sich allmählich der Stoff an, dessen Fülle mich
endlich veranlaßte, mit einer eigenen Darstellung der Periode
des Frühhumanismus, die bei Kampschulte am kürzesten
und unzureichendsten ausgefallen ist, an die Öffentlichkeit zu
treten.

Prinzipiell bin ich dabei auch von der Behandlungsweise
Kampschultes, der, wenn heut sein Buch erschiene, als eine
Zierde der „Modernen" begrüßt werden würde, abgewichen, indem
ich mich bemühte, ohne Haschen nach romantischer Verklärung
und glänzenden Effekten nur die objektive Forschung zum Worte
kommen zu lassen. Die geschichtliche Wahrheit ist ein recht
einfaches, schmuckloses Ding, und deshalb wird meine Arbeit
vielleicht unscheinbarer als die Kampschultes ansehen, aber
eben dadurch wird sich, wie ich hoffe, die Darstellung um so
besser in die allgemeine Geschichte des Frühhumanismus, besonders an den deutschen Universitäten, eingliedern. Geschieht
das, so ist der Zweck meiner mühsamen Arbeit erreicht, und
vielleicht wird dann auch noch die Spezialforschung kleine Anregungen darin vorfinden.

Bei der Verfolgung der auftretenden Persönlichkeiten ist der
Umstand recht hinderlich gewesen, daß eine ganze Reihe von
nicht unbedeutenden, ja sehr interessanten und wichtigen Männern,
z. B. Spalatin und Crotus, noch ganz abschließender Biographien
oder lichtvoller Würdigungen ihrer Tätigkeit entbehren. Dort hat
die Spezialforschung noch viel zu tun übrig.

Die Quellen zur Geschichte der Universität sind leider bis
auf die von H. Weißenborn vorzüglich herausgegebene Matrikel
und die dabei mit aufgenommenen Statuten noch nicht zum Druck
gelangt. Der Registerband zur Matrikel läßt manches zu wünschen
übrig. Bei der im XV. und im Anfange des XVI. Jahrhunderts
immer noch sehr freien Namensbehandlung lassen sich z. B. die in
Briefen, Gedichten und anderen Quellen nur nach Ortsnamen genannten Männer, z. B. Jakob von Jüterbock, in der Matrikel kaum

auffinden, da im Index keine Übersicht der Ortsnamen mit Hinzunahme der dazu gehörenden Scholaren gegeben ist. Ebenso störend ist, daß nicht immer alle Stellen verzeichnet sind, wo dieselbe Persönlichkeit, z. B. als Rektorwähler, erwähnt wird, und selbst Doppelnamen sucht man vergeblich, wie z. B. Heinrich Bruning nur als Heinrich Sickte vorkommt, obgleich er seinen Doppelnamen als Rektor selbst angibt. Oder ist zufällig derselbe Name zwiefach geschrieben, z. B. Symon Fere und Simon Phere, dann steht er wohl an zwei geschiedenen Stellen. Bisweilen fehlt auch ein Name, z. B. Ludwig Christiani, ganz.

Ein anderer Übelstand liegt in der Datierung der so wichtigen Briefe des Mutianus Rufus. Da bei vielen der Briefe ein Datum gänzlich fehlt, so hatten die Herausgeber K. Krause und K. Gillert eine wegen des intimen Charakters der Briefe doppeltgroße und schwierige Arbeit zu erledigen, und diese hat offenbar darunter gelitten, daß beide sich nicht einigen konnten und einander mit ihren Ausgaben zuvorzukommen suchten. Hier war eine eingehende Kenntnis des Stoffes, wie sie mein Freund Krause besaß und Gillert teilweise abging, mit sehr zeitraubenden, Scharfsinn verlangenden kleinen Untersuchungen zu verbinden. Weder Krause noch Gillert hat diese Aufgabe ganz gut gelöst, und eine Neudatierung wäre deshalb eine sehr verdienstliche Sache. Aber es kann sich nur jemand daran heranwagen, der die Verhältnisse bis in die kleinsten Einzelheiten genau kennt, um die Verwirrung nicht noch größer zu machen, als sie durch die Konkurrenz der beiden Editionen schon geworden ist.

Für die Vorgeschichte der Universität, für ihre eigentümliche latente Existenz als altes Generalstudium, wären noch die bedeutsamen Ausführungen G. Kaufmanns in L. Quiddes Deutscher Zeitschrift für Geschichtswissenschaft (I, 146 f.) heranzuziehen gewesen, die ich nur, um meine Einleitung nicht zu weit auszudehnen, beiseite gelassen habe, und weil humanistische Züge darin nicht zum Vorschein kommen. Für die Geschichte des späteren Erfurter Humanismus sei hier noch besonders auf die zahlreichen Arbeiten G. Oergels in den Erfurter Mitteilungen hingewiesen.

VIII

Zum Schlusse möchte ich nur noch auf eine Beobachtung hinweisen, die sich mir während meiner Arbeit unwillkürlich aufgedrängt hat, daß nämlich die Entwicklung des Humanismus an der Erfurter Universität wie das Verhalten der Scholastiker zu ihm in merkwürdiger Weise an ähnliche Vorgänge an der Krakauer Universität erinnern, während eine Parallele in Deutschland schwieriger zu finden sein würde.

Breslau, am 3. Juni 1904

Gustav Bauch

Inhaltsübersicht

11

Erstes Kapitel

Vorbedingungen für den Humanismus in Erfurt

Einleitendes. Vorhumanistische Anthologie ans dem Carmen satiricum des Occultus Erfordensis Nicolaus von Bibra 1281—1283. Weiterleben des Poeta Occultus in der Erfurter Erinnerung bis 1515. Eröffnung der Universität am 29. April 1392. Ihr scholastischer Charakter. Die sogenannte kirchliche Freisinnigkeit der Erfurter Modernen keine Basis für die Entwicklung des Humanismus. Vorzeichen für den Humanismus in den älteren Statuten 1412, 1430, 1433, 1449. Die Universität nicht die Führerin in der deutschen humanistischen Bewegung.

Selten oder vielmehr bloß anscheinend geschieht es, daß etwas Neues unvermittelt und fertig wie Athene aus dem Haupte des Zeus in die Welt eintritt, es lassen sich vielmehr bei tieferem Eindringen in die geschichtlichen Vorgänge, wenn ein gütiges Geschick die notwendigen Unterlagen für die Forschung, zeitgenössische Quellen, aufbewahrt hat, überall Vorzeichen, Vorbedingungen, Vorstufen oder sonstige günstige Verhältnisse allgemeiner oder spezieller Art auffinden, die dem Neuen, auch wenn es später als oppositionelles Ferment erscheint, die Möglichkeit gewähren, sich zuerst unter Wahrung der Kontinuität der Entwicklung friedlich dem Alten einzufügen oder etwa wie eine ursprünglich nur morphologische, organische Knospung daraus hervorzusprossen.

So lassen sich auch günstige Vorbedingungen für den Humanismus und selbst die ersten Anzeichen humanistischer Regungen in Erfurt lange vor der Eröffnung der Universität, die am

Bauch, Die Universität Erfurt

1

29. April 1392 vor sich ging[1]), ja, was nur dem auffällig erscheinen mag, der da glaubt, das klassische Altertum sei im
deutschen Mittelalter mit Stumpf und Stiel unter Schutt und
Barbarei verrottet gewesen, auch noch vor der Geburt des ersten
Chorführers der wissenschaftlichen Renaissance, vor der Francesco
Petrarcas, der am 20. Juli 1304 sein irdisches Leben begann,
deutlich spüren.

Erfurt, das seit der Christianisierung der Deutschen, auch
nachdem es von Mainz abhängig geworden war, als die Haupt-
stadt von Thüringen betrachtet wurde und als solche auch geachtet
sein wollte, nahm durch die Konzentration des Waidhandels wie
durch die glückliche Lage im Herzen Deutschlands, die es zum
Vermittler der Handelsbeziehungen zwischen dem Süden und dem
Norden prädestinierte, wirtschaftlich eine bevorzugte Stellung
ein. Es ist ein ehrendes Zeugnis für die Stadt, daß sie zu ihrer
materiellen Bedeutung auch noch die als des geistigen Mittel-
punktes nicht bloß der heimatlichen Landschaft, sondern weiterer
Gaue erstrebte, und das schon im XIV. Jahrhundert, das Deutschland
die ersten Universitäten brachte: Prag 1348, Wien 1364, Köln 1385,
Heidelberg 1386, Erfurt 1392.

Die mächtige Stadt nahm den Plan der Errichtung eines
Generalstudiums in ihren Mauern in die Hand, nachdem sie eben,
gesichert durch diese Mauern, bei zwiespältiger Besetzung des
Mainzer erzbischöflichen Stuhles der Acht des Kaisers Karl IV.
wie dem Banne des Papstes Gregor XI. mit Glück getrotzt hatte[2]).
Aber nicht allein jetzt stolz schwellendes Selbstgefühl gab ihr den
Plan, den bis dahin von Städten nur Köln ausgeführt hatte.
Schon hundert Jahre früher hegte sie ein reich entwickeltes
Schulenleben, das im Verein mit den gebildeten Elementen der
geistlichen Korporationen bereits lebensfähige Keime für die Er-
stehung einer Universität in sich trug, an 1000 Schüler wurden

---

[1]) H. Weißenborn, Acten der Erfurter Universität (Geschichts-
quellen der Provinz Sachsen, VIII, I), I, XIV. Eine gedruckte, vollständige
Geschichte der Universität gibt es noch nicht, eine handschriftliche von
H. A. Erhard liegt im Erfurter Stadtarchive. Weißenborn, a. a. O.,
Anm. I.

[2]) H. Weißenborn, a. a. O., VI. J. C. Motschmann, Erfordia
litterata, erste Sammlung, 16 f.

um 1280 an der Gera gezählt[1]), von denen die meisten natürlich nach geistlichen Stellungen ausschauten, Anwartschaft auf solche hatten oder sie schon besaßen:

Restat adhuc nona res: ibi sunt puto mille scolares.

Ein merkwürdiges Buch[2]), dessen Angaben zu bezweifeln kein Grund vorliegt, eröffnet uns einen Einblick, wenn auch nicht in die Kenntnis der einzelnen Schulen, so doch in den Umfang der wissenschaftlichen Bestrebungen in der Stadt zu damaliger Zeit[3]) und führt selbst bis in Einzelheiten von dem, was man sich in dem Betriebe der Schulen oder bei freiwilligen Lehrern aneignete oder wenigstens aneignen konnte, und das alles zusammengenommen war keineswegs verächtlich oder unbedeutend.

Bei einer der vielen Streitigkeiten[4]) zwischen der Stadt und der geistlichen wie zugleich landesherrlichen Mainzer Oberhand hatte Erzbischof Werner von Falkenstein 1279 über die Stadt das Interdikt verhängt und der Erfurter Ratskonsulent oder Syndikus Dr. decretorum Heinrich von Kirchberg hatte in den dadurch veranlaßten Verhandlungen als Rabulist und Hetzer zwischen der Stadt und der Geistlichkeit, die, Saeculare und Religiosen, mit einziger Ausnahme der Plebane zum Erzbischof hielt und nach dem ersten Tage mit dem päpstlichen Judex delegatus Bischof Friedrich von Merseburg, gemißhandelt und in ihrem Vermögen und ihren Einkünften geschädigt, aus der Stadt weichen mußte, besonders da er selbst Geistlicher war, den

---

[1]) In dem Carmen satiricum des Nicolaus de Bibera (vergl. hierzu die nächste Anmerkung) Vers. 1566.

[2]) Nicolai de Bibera occulti Erfordensis carmen satiricum. Eine Quelle des XIII. Jahrhunderts, neu herausgegeben und erläutert von Theobald Fischer. In Geschichtsquellen der Provinz Sachsen I, zweites Stück. Fischer hat jedoch, trotz besten Wollens, den literarischen Usus des XIII. Jahrhunderts nicht ganz vollkommen beherrscht.

[3]) Die Darstellung davon bei Weißenborn, a. a. O., X, auf Grund Bibras bedarf der Einschränkung, insofern als die Vertreter der genannten zahlreichen wissenschaftlichen Fächer von Bibra durchaus nicht alle als Lehrer bezeichnet werden. S. hier weiter unten.

[4]) Th. Fischers Excursheft, bei dem Carmen satiricum, 153 f. Vergl. auch das Chronicon Sampetrinum, herausgegeben von B. Stübel als erstes Stück in demselben Bande der Geschichtsquellen w. u., zu den Jahren 1279 und 1281.

1*

Unwillen der geistlichen Herrn auf das höchste erregt. Sein ehemaliger Freund Nicolaus von Bibra, der Kustos der Kirche von Bibra in Thüringen war, in Erfurt, wahrscheinlich als Kanonikus an der Stiftskirche zu Unser Lieben Frauen, dem Dom, lebte, später in das Peterskloster eintrat und als Mönch starb, griff aus diesem Anlaß als Vertreter der geschädigten geistlichen Körperschaften[1]) zum Schilfrohr und schrieb in den Jahren 1281 und 1282 im Exil und 1283 in Erfurt Occulti Erfordensis Carmen satiricum in nicht gerade tadellosen, doch zweckbewußten gereimten leoninischen Hexametern (2441), dessen erste von den vier Distinctiones, aus denen es besteht, gegen Kirchberg persönlich gerichtet ist. Bibra[2]) war viermal in Rom und in Padua gewesen und hatte römisches Recht studiert. Heinrich von Kirchberg[3]) hatte auch, und zwar zuerst in Erfurt wie Bibra, eine gute Bildung erhalten. Später hatte er in Paris bis zum Magister Philosophie studiert, darauf nach einem Besuche von Rom, wo er Geistlicher wurde, in Bologna Jurisprudenz und war dann, nachdem er in Padua mit Bibra zusammengelebt und Doctor decretorum geworden, 1275 in den Dienst von Erfurt getreten.

Bevor wir nun darauf eingehen, was über die gelehrte Vorbildung der beiden Gegner nach dem Gedichte zu sagen ist, möge hervorgehoben werden, daß Bibra berichtet[4]), in Erfurt

[1]) Hierzu Th. Fischer vor dem Carmen satiricum, 22 f.

[2]) Zu diesem Manne vergl. Th. Fischer, a. a. O., 9 f. Der Name des Nicolaus von Bibra war darnach ursprünglich Nicolaus von Gyten oder Geithain.

[3]) Über Heinrich von Kirchberg handelt Th. Fischer ausführlich im Excursheft, 160 f.; Th. Muther, Zur Geschichte der Rechtswissenschaft und der deutschen Universitäten, 41 f.

[4]) Carmen satiricum, Vers. 1482 f.:

> Sunt ibi magnorum duo coetus canonicorum,
> Tertius est pregnans, quem pronehat ethere regnans:
> Digni laudari, quia quidam sanguine clari,
> Quidam grammatici, quidam caritatis amici,
> Quidam legiste, quidam vel in arte sophiste,
> Quidam stellarum cursus et tempus earum
> Explorare sciunt et cur bona vel mala fiant.
> Quidam metrorum prefulgent dogmate, quorum
> Laus non est minima, sed erit me iudice prima.

gebe es unter den Mitgliedern der Kapitel der Stiftskirchen zu St. Mariae und St. Severi viele, die in der Grammatik, im Zivilrecht, im kanonischen Recht, in der Rationalphilosophie, in der Astronomie, in der Astrologie, in der Poetik, in der Instrumental- und Vokalmusik, in der Stilistik, in der Rechtspraxis, in der Meß- und Rechenkunde und in der Beredsamkeit gründlich unterrichtet seien. Diese Männer hatten wohl zum guten Teil ihr Wissen auf den Universitäten in Italien und Frankreich erworben, aber sie repräsentierten Erfurts geistigen Bildungsstand und seine Tradition, und einzelne von ihnen lehrten mindestens, wie wir sogleich hören werden, vor der Erlangung der Kanonikate als angestellte Lehrer an den Schulen, nicht bloß privatim als Kanoniker aus Gefälligkeit. Daß man z. B. die Anfänge der philosophischen Disziplinen, die Logik, an den Schulen lehrte, zeigt schon der Vers [1]):

Sit campanista, qui noluit esse sophista,

und noch besser das Stück [2]), das von den Erfurter Schülern und Lehrern spricht:

Hii de fonte bibunt et sinkathegremata scribunt,
Fontem quotidie sicientes philosophie,
Nocte dieque pari non desistunt operari.
Horum doctores posuissem iure priores
Utpote maiores, nec in hoc sunt deteriores,
Nam puto non esse, sernetur ut ordo, necesse.
Hii fiunt tales, quod ad ecclesias cathedrales
Prelati dantur et episcopio decorantur,
Quidam propositi viuentes pectore miti,
Quidam plebani, quidam fortasse decani,

Quidam cordarum tactu mulcent cor amarum,
Quidam cantare norunt per gama ut are,
Quidam dictare, quidam causas agitare
Aut mensurare vel per cifras numerare.
Et decretistas speculabere, quisquis ibi stas,
Aut oratores, quos mundus habet meliores:
Omnes donoti, de quammula labu remoti.

[1]) Carmen satiricum, Vers. 1580.
[2]) Carmen satiricum, Vers. 1586 f.

Quidam canonici, quidam virtutis amici,
Quidam romipete, quidam fortasse poete,
Quidam magnorum scriptores sunt dominorum,
Quidam lectores magnosque secuntur honores.

Die Summe der aufgezählten Fächer zeugt nicht nur für die
Präexistenz der encyklopädischen Zweige einer Universität (mit
Ausnahme der Theologie und der Medizin, die als selbstverständlich
vorauszusetzen sind; Ärzte besaß die Stadt in größerer Zahl[1]),
wenn damals auch zufällig keine einem der beiden Kapitel ange-
hörten), sie zeigt aber auch schon vordeutend einzelne Fächer, die
später der Richtung des Humanismus nicht abgeneigt waren,
sondern eher eine freundliche Annäherung an ihn vermittelten, wir
meinen das römische, d. h. das Civilrecht, ein merkwürdig frühes
Vorkommen[2]) seiner Pflege in Deutschland! die Astronomie und
Astrologie, die auf Ptolemaeus hinführten, die Metrik, die den
alten Dichtern den Weg öffnete, die Musik, später ein Schoßkind
des Humanismus, und die Beredsamkeit, die Eloquenz, nachmals
der humanistische Sturmbock gegen die sophistische Methode der
Scholastik. Man erfährt aus der Apotheke des Poeta Occultus
aber noch mehr!

Der Dichter selbst kennt von Dichtern Ovid, Vergil, Horaz,
Terenz, Plautus, Juvenal, Persius etc., er weiß, daß Tullius
(Cicero) sich durch seine Beredsamkeit auszeichnete, Plato durch
seine Lehren, der alte Cato durch seine Sitten, Hektor durch
seine Tapferkeit, Menelaus durch Ehren, Nestor durch sein
Alter, er nennt die Furien Erinys, Alecto, Tesiphone, die
Parzen Klotho, Lachesis, Atropos, die Muse Klio, die ver-
zauberte Jo, Ganymed als Diener Jupiters und die Flüsse
Lethe und Styx. Er ruft Phoebus als pater vatum an und

---

[1] Carmen satiricum, Vers. 1655 f.:

Sunt et ibi medici duo, de quibus audio dici,
Quod neque maiores sunt usquam vel nobiliores. etc.,

und Vers. 1659 f.:

Sunt et adhuc medici plures, quos non ita dici
Audio subtiles, nec eos tamen estimo vilos. etc.

[2] Th. Muther, Zur Geschichte der Rechtswissenschaft etc., 68 f., 41 f.

bittet um das heilige Naß aus der Musenquelle auf dem Helicon[1]).
Und seine Kenntnisse hat er sich nicht alle erst in Italien angeeignet, denn er schildert, und recht eingehend, was sein einstiger
Freund und spätcrer Antipode in Erfurt als jngendlicher Scholar
gelernt hat[2]):

Ad libros tractus, vix unquam verbere tactus,
Que semel audisti, quasi corde tenus tenuisti.
Partes Donati, quod adulto elat graue vati,
Scis declinare, quod unsquam vis dubitare,
Et reputas planas scripturas Ouidianas.
Post hoc nancisci vis ambo volumina Prisci,
Que semel audita legis ut decies repetita,
Et doctrinalem librum scis ut Juuenalem,
Quam fuerit vafer, nosti, Terentius Afer.
Non est obscurus Oracius aut tibi durus
Persius et Plantus, satis es ad omnia cautus[3]).
Virgilii scripta sunt in corde tibi cripta,
Textum Lucani transis ut Maximiani.
Inde tuum repeti placet almum docma Boeti,
Dans menti dubie solacia philosophie.
Totum cum parte, quod ab hac, scis, pullulat arte.
Nec tenet hunc mundus, cui sis hac arte secundus.
Deque gerundinis cum sit dubitacio cuiuis,
Triptota sunt quare, nec et illud deuiet a re,
Casibus in binis cur sit data forma supinis,
Utrum sint verba vel nomina, mente superba
Pro nichilo ducis, que lex sit eis data, tu scis.
Hoc quoque preter te vix est, qui nouit aperte.
Te quoque metrorum ditat facundia, quorum
Arte capis laudes, quod nullo compare gaudes.
A te quesiuit quidam, qui cudere sciuit
Carmina, cur fieret, quod versus quisque teneret

---

[1]) Carmen satiricum, Vers. 106, 105, 105, 1974, 106, 877, 177, 176,
213, 868, 870, 872, 927, 2001, 116, 1693, 1288 und 1375, 11, 12. Bei Cato
hat man vielleicht an die unter seinem Namen gehenden moralischen Verse
zu denken.

[2]) Carmen satiricum, Vers. 31 f.

[3]) Fischer liest hier: tantus. Man könnte vielleicht auch lantus lesen.

Sex vel quinque pedes, cur quinta rebellica sedes
Esset spondeo data sextaque norma trocheo,
Cur velit expresse quinto pede dactilus esse.
Hoc tu soluisti breuiter, quia singula scisti.

Heinrich von Kirchberg hat also von Grammatiken durchgearbeitet die Octo partes des Donatus, d. h. den Donatus
minor, von dem Kampschulte[1]) die immer noch nach seinem
Vorgange wiederholte Fabel aufgebracht hat, als hätten die Humanisten mit seiner Einführung den Sieg ihrer Sache als entschieden
angesehen, und der vielmehr das mittelalterliche lateinische Kinder-
buch an den Trivialschulen[2]) und an den Universitäten[3]) war,
während die Humanisten nur gegen seine scholastische Kommen-
tierung kämpften und den reinen Text verlangten; die beiden
Volumina des Priscianus, das maius (Lib. I- XVI), die Etymologie,
und das minus (Lib. XVII—XVIII), die Syntax[4]), und das Doctrinale[5]) des Alexander de Villa dei, den Abscheu der späteren,

---

[1]) F. W. Kampschulte, Die Universität Erfurt in ihrem Verhältnisse
zu dem Humanismus und der Reformation, I, 31, 32.

[2]) An den Partikularschulen war der Donatus minor z. B. in Breslau
auch schon im XIII. Jahrhundert ein übliches Buch, vergl. C. Schönborn,
Beiträge zur Geschichte der Schule und des Gymnasiums zu St. Maria
Magdalena, I, 10 f.; S. G. Reiche, Geschichte des Gymnasiums zu St. Eli-
sabet, 6 f.

[3]) Z. B. in Leipzig, vergl. D. Stäbel, Über die ältesten Vorlesungsverzeichnisse der philosophischen Fakultät an der Universität Leipzig, in
den Mitteilungen der Gesellschaft für deutsche Erziehungs- und Schulgeschichte, VII, 205. Auch in Wien, vergl. J. Aschbach, Geschichte der
Wiener Universität, I, 162, 168.

[4]) Die griechischen Einschiebsel Priscians könnten fast den Gedanken
erwecken, als habe man damals auch schon etwas von Griechisch in Erfurt
gewußt, aber man ließ, wie noch die Drucke bis in das XVI. Jahrhundert
hinein zeigen, die griechischen Wörter in den Handschriften wie bei der
Interpretation einfach weg. S. u. Kapitel V zum Erfurter Druck des Volumen minus vom Jahre 1501.

[5]) Eine Ausgabe des Doctrinale enthalten jetzt die Monumenta Germa-
niae paedagogica, XII. Der Herausgeber Reichling ist jedoch bei seiner
Arbeit, so sonderbar das bei einer Grammatik klingt, von konfessionellen
Anschauungen beeinflußt worden. Vergl. auch K. J. Neudecker, Das
Doctrinale des Alexander de Villa dei und der lateinische Unterricht während
des späteren Mittelalters in Deutschland, Pirna 1885.

jüngeren Humanistengeneration. Von Dichtern hat er Vergil auswendig gelernt, er versteht ohne Schwierigkeiten die Schriften Ovids, er kennt Horaz, Lucanus, die Elegieen des späten Maximianus, die Komödien von Terenz und Plautus, die Satiriker Juvenal und Persius und endlich die philosophische prosaische und poetische Consolatio philosophiae des Boetius. Er lernte aber außer den Feinheiten der Grammatik auch selbst regelrecht Hexameter und Pentameter dichten. Es ist doch geradezu überraschend, daß wir damit ein Dokument des XIII. und nicht eins des XV. Jahrhunderts vor uns haben. Vermißt werden nur, außer Boetius[1]), Prosaiker.

Wenn er auch nicht sein ganzes Wissen von Antiquitäten direkt aus den Urquellen entnommen haben wird, so darf man doch gewiß sagen, daß Nicolaus von Bibra, der sich zudem wie ein Humanist stark als Poet fühlte[2]), der Ahnherr der Erfurter Humanisten war, jedoch, um anderen unter seinen gelehrten Erfurter Zeitgenossen nicht zu nahe zu treten, nur in dem Sinne, daß er nicht bloß gelesen und studiert hat, sondern daß er auch für die Nachwelt ein schriftliches „Dictamen" hinterlassen hat. Und wenn auch der Name „Nicolaus von Bibra", den Trithemius 1494 noch wußte[3]), zeitweise in Erfurt und im übrigen Deutschland verscholl, so blieb doch der „Poeta Occultus" in Erfurt unvergessen. Der Frühhumanist Henricus Aquilonipolensis, ein nicht viel besserer Dichter als er, nennt ihn 1500 noch rühmend unter den Poeten, die Plato nicht aus der Stadt vertrieben wissen wolle, in der Cithara sophialis[4]) an erster Stelle:

„Occulto plaudit Erffordia clara poetae."

---

[1]) Über die Beliebtheit der Consolatio im Mittelalter und noch weiter gibt Polykarp Leyser, Historia poetarum et poematum medii aevi, Halle 1721, 94 f., Auskunft.

[2]) S. o. bei der Schilderung der Gelehrsamkeit der Kanoniker die Verse:
Quidam metrorum prefulgent dogmate, quorum
Laus non est minima, sed erit me iudico primus.

[3]) Joannis Trithemii Opera, Frankfurt 1601, I. 301.

[4]) Die hier in Frage kommende Stelle ist abgedruckt bei F. G. Freytag, Adparatus litterarius, II, 961. S. auch hier w. u. bei der Besprechung der Werke des Henricus Aquilonipolensis im Kapitel V.

In der quodlibetischen Rede eines ungenannten Erfurters[1], vielleicht Peter Eberbachs, De generibus ebriosorum et ebrietate vitanda aus dem Jahre 1515 werden barbarische Verse, ein Epitaph auf den Trunkenbold Hans Raumtasch, als von „quidam occultus poeta de Elfferßkehoff, pago non procul ab Erphurdia," herrührend bezeichnet. Daß man damit etwa die echte Heimat des Nicolaus von Bibra gewänne, ist wohl ausgeschlossen. In demselben Jahre 1515 sagt der streitbare Poet Thiloninus Philymnus zur Herabsetzung seiner humanistischen Gegner in der Invektive Choleamynterium[2]: Fellifluus (Joannes Femelius) et (Euricius) Cordus (legerunt) poetam quendam, quem in populo nominare nefas est . . . Titulus erat: Occultus insignis Erfurdensis poeta . . . Versiculi sunt:

Bestat adhuc mira res: ibi sunt bene mille scolares,
item alter:
Fiat campanista, qui non vult esse sophista.

Die beiden zuletzt genannten Verkleinerer Bibras vertreten Erfurts Hochrenaissance[3]. Diesen war er natürlich nur noch ein Poeta nach dem Schlage des Philippus Schlauraff und der andern Viri obscuri. Dann verschwand er nach einer polemisch ausgenutzten Erwähnung durch Flacius Illyricus[4] auch als Occultus aus der Literatur, Polycarp Leyser[5] erweckte ihn 1721, ob auch recht schemenhaft, so doch mit seinem vollen Namen,

---

[1] Bei F. Zarncke, Die deutschen Universitäten im Mittelalter, I, 128. Die Autorschaft Peter Eberbachs vermutet K. Krause, Helius Eobanus Hossus, I, 215.

[2] Decll: Magni Ausonii: Libellus De Lnde Septem Sapientum. Thilonini Philymni Choleamynterium in Fellifinum Philymnomastigam Hereinefurdensem. Laes den hunt schlaffen, er beyst dych. O. O., u. J. (Wittenberg 1515.) 4°.

[3] Zu P. Eberbach vergl. K. Krause, a. a. O., passim, und hier unten in Kapitel IV; zu Thiloninus Philymnus K. Krause vor seiner Ausgabe von Euricius Cordus' Epigrammata (1520), XXI f., G. Bauch, Die Anfänge des Studiums der griechischen Sprache und Literatur in Norddeutschland, in den Mitteilungen der Gesellschaft für deutsche Erziehungs- und Schulgeschichte, VI, 82 f., und hier unten in Kapitel IV.

[4] Mathias Flacius Illyricus, Catalogus testium veritatis p. m. 865.

[5] Polycarp Leyser, a. a. O., 1010 und 1178 (2078). An der ersten Stelle steht der Name, an der zweiten steht nur Anonymus, aber mit den ersten Proben aus dem Carmen seit Flacius. Leyser hat nicht gemerkt, daß Bibra und der Anonymus dieselbe Person sind.

literarisch wieder, jedoch erst in unseren Tagen ist ihm die rechte
Würdigung als Satiriker und kulturgeschichtliche Quelle zuteil
geworden [1]).

Weniger darstellbar ist Bibras positive Einwirkung in Erfurt
über seine Zeit hinaus, daß seine Nomenklatur der alten Dichter
das Interesse für sie und die alten Handschriften, die ihre Werke
enthielten, wach erhielt, darf man wohl annehmen, und daß er
selbst bis 1500 auch noch auf einzelne als Dichter anregend gewirkt hat, beweist der Vers des Aquilonipolensis. Daß einige
Züge aus Bibras Schilderung des wissenschaftlichen Lebens in
Erfurt sich in den Akten der Universität mit frappierender Ähnlichkeit zeigen, gibt uns endlich noch den Faden der Kontinuität
geistiger Anschauungen am Orte in die Hand.

Am 29. April 1392 wurde die Universität eröffnet[2]), sie kon-
stituierte sich auch alsbald durch Abfassung von Statuten, aber
diese ältesten Zeugen inneren akademischen Lebens sind nicht
mehr erhalten. Ein Umstand, der sich trotz des bedauerlichen
Verlustes von Anfang an mit Sicherheit feststellen läßt, ist der
scholastische Charakter der Universität, und diesen beiläufig zu
besprechen ist wegen gewisser Folgerungen daraus für unsere
Zwecke nicht ganz unwichtig. Die Universität entstand wie Wien[3])
und Heidelberg[4]) vor ihr ursprünglich und später Freiburg i. B.[5])
und Basel[6])' als reine Vertreterin der Via moderna, des Nomi-
nalismus, wie die thomistischen Gegner sagten, oder des Occamismus (Terminismus[7]), sie als einzige von allen ihren deut-

[1]) Zuerst durch Th. Muther, a. a. O., 38 f., und in ausgiebiger Weise
von Th. Fischer vor und hinter dem Carmen und in den Anmerkungen.

[2]) Weißenborn, a. a. O., I, XIV. Für die Anmerkungen sei erwähnt, daß bei Immatrikulations- und Promotionsdaten niemals die Quelle
zitiert wird, um das Anschwellen des Notenapparats zu verhindern. Von
ungedruckten Matrikeln sind nur die Ingolstädter, die Kölner, die Basler
und die Wiener benutzt. Von Promotionsbüchern liegen das Erfurter und
das Kölner artistische und das Wittenberger juristische ungedruckt vor.

[3]) G. Bauch, Die Reception des Humanismus in Wien, 3 f.

[4]) J. F. Hautz, Geschichte der Universität Heidelberg, I, 305,

[5]) H. Schreiber, Geschichte der Albert-Ludwigs-Universität zu Freiburg i. B., I, 60.

[6]). W. Vischer, Geschichte der Universität Basel, 141.

[7]) C. Prantl, Geschichte der Logik, III, 344, 345 N. 782: IV, 146—150,
185—187; 192—194.

schen Schwestern hat diesen einseitigen Standpunkt auch bis zum
Abschluß des Zeitalters des Scholasticismus beibehalten.

Da Wilhelm von Occam[1]) Theologie und Philosophie von
einander geschieden wissen wollte und persönlich in scharfer Opposition zur kurialen Politik gestanden hatte, so haftet heut noch
seiner Richtung der Geruch der kirchlichen Freisinnigkeit oder
gar der Oppositionslust an, und diese Anschauung kann man auch
bei Behandlungen der Geschichte der Erfurter Universität beobachten, sie ist jedoch im großen und ganzen unbegründet, wenn
man auch, aber kaum mehr wie anderswo, bei einigen Theologen
zeitweilig Spuren von Schwankungen oder Neigung zu Abweichungen,
die in der kirchlichen Verderbnis der Zeit ihre Wurzel hatten,
nachweisen kann, und das vermag doch nur ein knechtischer Sinn
als Freisinnigkeit oder Oppositionslust zu bezeichnen.

Zensierende, die Universität mitberührende Meinungen über
das scharfe Auftreten des Karthäusers Jakob von Jüterbock[2])
gegen verschiedene kirchliche Mißbräuche sind hier zuerst auszu-
schließen[3]), und wenn Kampschulte den glaubensreinen Egge-
ling (Angelinus) Becker aus Braunschweig[4]), den Freund
Geilers von Kaisersberg und Gesinnungsgenossen Gabriel
Biels, aus demselben Grunde aufführt[5]), dann müßte doch wohl
der Beweis erst erbracht werden, daß er in dieser Weise als Lehrer
in Erfurt, nicht später als Prediger in Mainz, und oppositionell
vorgegangen sei. Ebensowenig treffen die Äußerungen über
Johann Ruchrats von Wesel Heterodoxie in seiner Erfurter

_____

[1]) Zu Occam vergl. C. Prantl, a. a. O., III, 327 f.

[2]) Da der Familienname des Mannes nicht bekannt ist, ist er in der
Matrikel der Universität nicht festzustellen. Vielleicht steht er auch gar
nicht darin.

[3]) Th. Kolde, Die deutsche Augustiner-Congregation und Johann
von Staupitz, 169.

[4]) Immatrikuliert im W. S. 1440. 1442 Baccalar und 1445 zusammen
mit Johannes Ruchorat de Wesalia Magister der Artes.

[5]) F. W. Kampschulte, a. a. O., I, 16; C. Schmidt, Histoire littéraire de l'Alsace, I, 342, 344; K. Steiff, Der erste Buchdrnck in Tübingen,
58. Die heut noch von katholischer Seite geschätzte Expositio canonis
missae Diels, Tübingen 1499, beruht zum großen Teil auf Vorlesungen
Bockers. Becker † 1484. Gabriel Biel ist im Sommersemester 1451 in
Erfurt immatrikuliert und als Heidelberger Magister rezipiert und kannte
Becker vielleicht von dieser Zeit her.

Zeit zu[1]). In Erfurt ist nur bei einem Angehörigen der Universität ein wirklicher Verstoß gegen die kirchliche Observanz festzustellen und er wurde dafür von einem anderen Angehörigen der Universität auf den rechten Weg zurückgebracht, er machte weder Schule, noch gehörte er einer in Erfurt vorhandenen Richtung an, da niemand für ihn Partei ergriff. Der im Wintersemester 1440 immatrikulierte Bruder Johann Kannemann, Lektor der Minderbrüder, der als gelehrter Theologe galt und ein berühmter Prediger war, wie Trithemius[2]) sagt: „de potestate ecclesiastica aliter sensisse dicitur, quam debuit, unde multorum contra se ingenia prouocauit." Als der Minister seines Ordens für Sachsen ihn zum Gefängnis suchte, entfloh er, leistete aber Obedienz und machte seinen Irrtum in der Folge durch sein Leben wieder gut. Ihn hatte vorher schon Johann vome Hagen (ab Indagine) immatrikuliert im Sommersemester 1439 und seit 1440 Karthäusermönch, auf den Pfad der Gerechtigkeit durch Gegenschriften zurückgerufen. Dieser Johann vome Hagen[3]) hat unter seinen über 300 Schriften eine[4]) verfaßt „Defensorium pro sancto Thoma contra eos, qui illius scripta minus vera reputant." Es dürfte also wohl bei seinem Vorgehen gegen Kannemann mehr der sonst in Erfurt fremde Thomismus den Occamismus und der Karthäuser den Minoriten als die Rechtgläubigkeit die Häresie angegriffen haben. Bezeichnender Weise meint der strengkirchliche Wimpfeling[5]) auch von Johann Wesel, daß er hauptsächlich, weil er Doctor saecularis und Moderner (Marsilianer)[6]), also Occamist, und nicht Thomist gewesen sei, von mönchischen Gegnern in unwürdig überhastetem und sophistisch geführtem Prozeß in Worms verur-

---

[1]) N. Paulus, Der Augustiner Bartholomäus Arnoldi von Usingen, 9, 10. Johannes Rucherat wurde 1443 Baccalar und 1445 Magister der Artes. Immatrikuliert ist er im W. S. 1441 als Johannes Rucherott de Wesalia. Als Rektor des W. S. 1456 ist er noch Lic. theol., als Vicerektor des W. S. 1457 Doktor.
[2]) J. Trithemius, Opera, I, 158.
[3]) Zu Johannes ab Indagine vergl. J. C. Motschmann, Erfordia litterata, fünfte Sammlung, 684 f.
[4]) F. W. Kampschulte, a. a. O., I, 20. 21.
[5]) J. Wimpfeling, Concordia curatorum et fratrum mendicantium, o. O. u. J. (1503), bij.
[6]) C. Prantl, Geschichte der Logik, IV, 94 f.

teilt worden sei. Die strenge kirchliche Rechtgläubigkeit vertraten trotz eigenen Urteils auch in tadelloser Weise noch die letzten scholastischen theologischen Größen in Erfurt Johann Jeuser von Palz[1], Jodocus Trutfetter[2], Bartholomäus Usingen und Sebastian Weinmann[3]; Luther hätte diese Männer lieber anders gesehen.

Diese Abschweifung konnten wir nicht umgehen, weil Kampschultes Präjudiz von der besonderen Günstigkeit der Erfurter Verhältnisse für das Eindringen des Humanismus auf der supponierten Freisinnigkeit in der Scholastik beruht[4]. Dieses Präjudiz baut sich außerdem auf der anachronistischen Grundlage auf, daß er den modernen Begriff Freisinnigkeit auf eine Zeit anwendet, in der seine Existenz noch ganz unmöglich war. Besser hätte er vielleicht gesagt: die der Erfurter Scholastik im allgemeinen eigene Friedensliebe.

Nach unbefangener Einsicht in die Statuten ist auch das noch als ein Irrtum bei Kampschulte zu bezeichnen, daß er annimmt, die scholastischen Disputationen seien in Erfurt den anderen deutschen Universitäten gegenüber an Bedeutung zurückgeblieben[5]. Diese Meinung kann nur auf Unkenntnis des Lehrbetriebes der Scholastik zurückgeführt werden. Es lassen sich zudem gerade in Erfurt außer den vorgeschriebenen regelmäßigen Disputationen der Scholaren, Baccalare und Magister die großen Disputationsturniere de quolibet[6] bis in das Jahr 1515 verfolgen[7]), und während Kampschulte im Sinne hat, das Zurücktreten der Dis-

---

[1] Th. Kolde, a. a. O., 113, nennt den Mann Johannes Zenser. Die Matrikel schreibt ihn zum W. S. 1462 Johannes Geißer, das philosophische Dekanatsbuch nennt ihn 1464 als Baccalar Jenßer und 1467 als Magister Yenser. In der Heidelberger Matrikel steht 1475 Nov. 12: Frater Johannes de Phalez artium magister ordinis heremitarum s. Augustini.

[2] G. Plitt, Jodokus Trutfetter von Eisenach, der Lehrer Luthers, 58.

[3] Sebastian Weinmann aus Oschatz ist im S. S. 1479 als Leipziger Baccalar immatrikuliert und wurde 1482 Magister der Artes.

[4] F. W. Kampschulte, a. a. O., I, 20, 24—26.

[5] F. W. Kampschulte, a. a. O., I, 21.

[6] H. Weißenborn, Die Acten der Erfurter Universität, II, 139 § 89. Die Disputationes de quolibet mußten alljährlich an dem nächsten vorlesungsfreien Tage nach dem 24. August vor sich gehen.

[7] F. Zarncke, a. a. O., 116 f.

putationen sei eine stillschweigende Wegbereitung für den Humanismus gewesen, liegt umgekehrt in dem öffentlichen Auftreten
der Humanisten mit Quaestiones minus principales[1]) oder accessoriae in den Disputationes quodlibeticae mindestens seit 1494
eine Zulassung des Humanismus in die offiziellen Vorführungen
der Universität und insbesondere der Artistenfakultät, eine Zulassung, die allerdings nach. der Natur des behandelten Objektes
nicht dem Ernst der Sache, sondern der Aufheiterung der Zuhörer
und zur Erholung von den schweren scholastischen Fragen diente,
also doch auch nur von zweifelhaftem Werte war, wenn man nicht
mit Übersehung der Degradation nur die Duldung im öffentlichen
Akte ins Auge fassen will. Das geschah aber auch ebenso z. B.
in Heidelberg[2]) und in Leipzig[3]), ja selbst in dem herkömmlich
so übel beleumundeten Köln[4]).

Wenn wir uns nun den Akten der Universität genauer zuwenden, müssen mir mit den ältesten von den erhaltenen Statuten
der Artistenfakultät beginnen. Sie stammen aus dem Jahre 1412.

Dort stehen[5]) unter der „Rubrica de libris legendum per
quod tempus," abgesehen von den Fächern, die mit unseren Zwecken
nichts zu schaffen haben, „ethicorum per octo menses: politicorum
per sex menses; yconomicorum per unum mensem (secunda pars
Alexandri per unum mensem); supposiciones, ampliaciones,
restricciones, appellaciones simul per duos menses; consequencie
per unum mensem; obligatoria et insolubilia per 1 mensem;
Priscianus minor per 8 menses; Donatus per 1 mensem;
prima pars Alexandri per 1 mensem [secunda pars Alexandri[6])
per 1 mensem; tercia pars Alexandri per 1 mensem]; Boecius
de disciplina per 1 mensem; Boecius de consolacione philo-

[1]) F. Zarncke, a. a. O., 103 f. S. auch hier unten im Kapitel IV bei Johann Schram.
[2]) F. Zarncke, a. a. O., 51 f.
[3]) G. Bauch, Geschichte des Leipziger Frühhumanismus, 59 f.
[4]) Vergl. Orationes quodlibetice perineunde Ortuini Gracij Dauentriensis Colonie bonas litteras docentis etc. Köln 1508. 4°.
[5]) H. Weißenborn, Acten der Erfurter Universität, II, 184, § 60.
[6]) Unter tercia pars sind hier der dritte und der vierte Teil zu verstehen, die an Umfang dem ersten und dem zweiten Teil bedeutend nachstanden und auch weniger für logisch-syllogistische Argumentationen geeignet waren.

sophie per quatuor menses; loyca Hertisbri per quatuor
menses; poetria per duos menses [laborintus per 2 men-
ses]." Diese Zusammenstellung bezieht sich nur auf die Vorlesungen, nicht auch auf die Exercitia, die sorgfältige Durch-
arbeitung der Vorlesungsstoffe, die auch zur Disputationsübung in
den Stoffen dienten. Die Rubrica über die Exercitia in den
Statuten von 1412 läßt auch erkennen[1]), daß die in scharfen
Klammern aus den Statuten von 1449 eingefügten Bücher, z. B.
der Laborintus (Rhetorik), in denen von 1412 nur zufällig übergegangen sind, da dort ausdrücklich auch von dem Exercicium
rethorice gesprochen ist. Das Gleiche beweisen die Statuta[2]) bac-
calariandos concernentia (ebenfalls 1412), nach denen es den Baccalaren erlaubt war, über „grammaticalia, rethoricalia et parua
loycalia" zu lesen, wenn sie nicht mit Magistern konkurrierten.
Die Bücher aus der Behandlung der Logik sind nur deshalb herangezogen, weil sie den Charakter dieser Disziplin als rein nominalistisch klarlegen, denn die suppositiones, ampliationes etc. die
obligatoria et insolubilia sind spezifisch nominalistisch wie Wilhelm von Hentisbery[3]) ein occamistischer Autor ist. Und doch
wird sich auch hier eine eigentümliche dauernde thomistische
Unter- oder Nebenströmung zeigen, ein modifizierendes Gegen-
gewicht gegen allzu große Einseitigkeit und ein frühes Zeichen
für allgemeine Friedensliebe, die bei Scholastikern ein seltenes
Vorkommen war.

Die Magistranden mußten nach den Statuten von 1412 vor
dem Examen eidlich versichern[4]), daß sie unter andern Büchern
in der Moralphilosophie Ethica, Oeconomica, Politica gehört hätten[5]),
die Baccalaureanden[6]), „in grammatica Priscianum minorem[7]),
secundam partem Alexandri" und nach einem Zusatze von 1449
„in rethorica laborintum." In den juristischen Statuten von 1430
schon wurde von den Licentianden der Nachweis von „facundia"

---

[1]) H. Weißenborn, a. a. O., II, 133, § 56.
[2]) H. Weißenborn, a. a. O., II, 141, § 99.
[3]) C. Prantl, Geschichte der Logik, IV, 89 f.
[4]) H. Weißenborn, a. a. O., II, 138, § 78.
[5]) Wie in Leipzig, vergl. B. Stübel, a. a. O., 204, 205,
[6]) H. Weißenborn, a. a, O., II, 143, § 106.
[7]) Wie in Leipzig, vergl. B. Stübel, a. a. O., 205.

verlangt[1]), während z. B. bei den Artisten 1412 nur gesagt wird[2]),
daß Baccalaureanden, die in der Grammatik „communem latinita-
tem" nicht beherrschen, auf keinen Fall zum Examen zugelassen
werden dürfen. Bei den Juristen ist noch als merkwürdig zu erwähnen, daß zwar in den Statuten von 1398 Hörer und Promo-
venden nur der Leges, d. h. des Civilrechts, noch nicht einmal
als anhängende Mitläufer[3]), in denen von 1430 dann aber bereits
Dozenten und Hörer je eines der beiden Jura neben einander und
als gleichberechtigt erscheinen[4]).

Ein Licht auf das wissenschaftliche Treiben an der Universität werfen auch die Statuten und Ordnungen des Amplonianischen
Kollegs[5]) vom 22. Dezember 1433. Der Doktor der Medizin
Amplonius Ratingk de Fago, genannt Amplonius de Berka
(Rheinbergen), hatte 1412 ein Kollegium für 15 Präbendaten hauptsächlich aus der Kölner Diözese gestiftet[6]), die Philosophie bis
zum Magister und dann weiter bis zum Doktorat in einer der drei
höheren Fakultäten studieren wollten. Die Stadt schenkte dazu
den Hof zur Himmelspforte, nach dem das Kollegium Porta coeli
genannt zu werden pflegte. Das Kollegium trat 1433 endlich ins
Leben und wurde dafür auch noch von dem Stifter mit Statuten
ausgestattet. Aus diesen Satzungen sei Folgendes ausgezogen. Entsprechend den juristischen Statuten ist hier ebenfalls das Studium
der Leges allein für die Kollegiaten schon vorgesehen[7]). Jeder
promovierte Artist, Baccalare und Magister, hatte eine Lektion
täglich in der Schola artium[8]) zu lesen[9]), dabei sollte er zuerst

---

[1]) H. Weißenborn, a. a. O., II, 86, § 28; 87, § 31.
[2]) H. Weißenborn, a. a. O., II, 136, § 71.
[3]) H. Weißenborn, a. a. O., II, 80, § 1, Vorbemerkung, ist hier durch
seinen eigenen unübersichtlichen Statutendruck getäuscht worden.
[4]) H. Weißenborn, a. a. O., II, 80, § 2; 83, § 8, § 13, § 15 etc., 86, § 22,
§ 24 etc., 88, § 36. Ein Erfurter Doctor legum ist der im 8. S. 1447 als Baccal.
legum immatrikulierte Stifter der Universität Greifswald Heinrich Rubenow.
[5]) H. Weißenborn, Die Urkunden für die Geschichte des Amplonius
Ratingk de Fago genannt Amplonius de Berka, 61 f.
[6]) Hierzu H. Weißenborn, Amplonius Ratingk de Berka und seine
Stiftung, Erfurt 1878.
[7]) H. Weißenborn, Die Urkunden etc., 67, XXIII, XXV.
[8]) Das heißt im Collegium maius, das seinen Namen erst durch die
Stiftung der Porta coeli erhielt.
[9]) H. Weißenborn, Die Urkunden etc. 65, XIX.

„textus diuidendo secundum modernos et conclusiones ponendo"
lesen, dann aber, wenn unter anderen „Albertus (Magnus[1]),
Thomas (Aquinas), Egidius (de Roma),[2]) (Alexander) Halis[3]),
Hinricus de Gandauo[4]) aut . . alii circa textum aliquid boni
et notabilis dixerint, hoc dicatur, questiones vero breuiter et sum-
marie tangantur cum dubiis suis occurrentibus." Für einen der
Theologie Beflissenen[5]) steht für die Studien: „Deinde poterit videre
textum sententiarum cum glosa et questionibus breuibus Durandi[6])
et postea, si vacat illi tempus, semel perlegendo cum studio questiones magnas Durandi, postea summas beati Thome et scripta sua
super sententiis et Bonaventure[7]) et innumeros libros ac volumina
in theologia perutilia." Dem Studiosen der Jurisprudenz[8]) wurde
vorgeschrieben: „legat et studeat in rethorica et poetria, Aristote-
lem in libris ethicorum, yconomicorum et politicorum, valent
etiam magna moralia libri Senece et Boetius de consolatione
studendi vel legendi".

Haben wir so die Quellen selbst gehört, so wird es doch noch
notwendig sein, aus dem Erze das regulinische Metall herauszu-
ziehen. Zuerst sei auf das verwiesen, was in den ausgehobenen
Stellen an Nicolaus von Bibra erinnert. Wir treffen bei den
Artisten genau denselben Kreis der Grammatiker wie bei ihm:

---

[1]) Zu Albertus Magnus, dem geistigen Vater des Thomas von
Aquino, vergl. C. Prantl, a. a. O., III, 89 f.

[2]) Zu dem als Theologen hervorragenden Thomisten Aegidius Romanus, vergl. C. Prantl a. a. O., III, 257 ff.

[3]) Zu dem von den Realisten Doctor irrefragabilis genannten Alexander
Alesius vergl. C. Prantl, a. a. O., III, 75 f.

[4]) Zu dem unklaren Thomisten und Antithomisten Heinrich Goethals
von Gent, vergl. C. Prantl a. a. O., III, 190 ff.

[5]) H. Weißenborn, Die Urkunden etc., 68, XXVII.

[6]) Zu dem Antiquus Durandus von Pourçain, der mehr von Thom as
als von Scotus hat, vergl. C. Prantl a. a. O., 292 f.

[7]) Zu Bonaventura, dem Korrelat zu Albertus Magnus und Thomas, vergl. C. Prantl, III, 119, 120. Über Alexander von Hales,
Albertus Magnus und Bonaventura hat neuerdings gehandelt: J. Gutt-
mann, Die Scholastik des dreizehnten Jahrhunderts in ihren Beziehungen
zum Judentum und zur jüdischen Litteratur, Braslau 1902, 32 f., 47 f., 138 f.

[8]) H. Weißenborn, Die Urkunden etc., 70, XXXV (36). Weißenborn liest Aristotelis, das gibt aber, auf rethorica und poetica bezogen,
zu dieser Zeit keinen Sinn.

Donatus minor, Alexander Gallus und Priscianus, von diesem aber nur das Volumen minus, die Syntax, wir finden Poetik
und Rhetorik wahrscheinlich auch ganz wie bei ihm. Der Verfasser der Poetria ist nicht genannt, wir werden etwas später die
Poetria noua des Galfridus von Vinesauf (c. 1220) in Erfurt
sicher feststellen können[1]). Die Rhetorik des Eberhardus[2])
Bethuniensis (c. 1200), deren sonderbarer Name Laborintus den
Humanisten viel Spaß machte, ist eigentlich nur der Tractatus
secundus des poetischen dreiteiligen Werkes[3]), dessen dritter De
versificatione vielleicht die Poetria der Statuten sein, wie man auch
Anklänge daran bei Bibra mutmaßen könnte[4]). Wenn unsere
Vermutung sicher zuträfe, dann hätten wir im zweiten Traktate
auch die zu Bibras Zeit benutzte Rhetorik. Wie bei Bibra
sehen wir Boetius de consolatione, es fehlen jedoch alle übrigen
Dichter, die jener erwähnte. Neu sind Boetius de disciplina
scholarium, das ist aber eine untergeschobene Schrift, die der
brabanter Mönch Thomas de Cantiprato († 1273) verfaßt hat[5]),
und die moralischen Bücher Senecas, worunter nicht etwa die
Tragödien, sondern die ihm zugeschriebene Schrift des Martinus
Dumiensis (c. 560) De formula honestae vitae oder De quatuor
virtutibus, vielleicht auch der ebenfalls unechte Liber de moribus
zu verstehen sind[6]). An Bibra erinnert auch die paritätische
Pflege der beiden Rechte und nicht zuletzt die Betonung der Be-

---

[1]) Vergl. Kapitel IV bei Henricus Aquilonipolensis.

[2]) E. Böcking, Ulrichi Hutteni Operum supplementum, II, II, 360.

[3]) Abgedruckt bei Polycarp Leyser, a. a. O., 796 f.

[4]) Man vergl. z. B. Bibra (105): Moribus estque Katho, im Labor.
(III, 5): cautus Cato regula morum, oder (II, 101): Cato (est) moribus,
und Bibra (40): Non est obscurus Oracius aut tibi durus | Persius, im
Labor. (III, 25): Sunt libri satyrae Venusinae bis duo, vultus | Sit licet
his durus, utilitate valet. Bei beiden genannte Dichter sind Ovid, Juvenal,
Horaz, Persius, Vergil, Lucanus, Maximianus.

[5]) W. S. Teuffel, Geschichte der römischen Litteratur, 447, 8. Zu
Thomas de Cantiprato vergl. Polycarp Leyser, a. a. O., 1000. Diese
Schrift wurde auch in Wien behandelt, vergl. das Vorlesungsverzeichnis zum
Jahre 1399 bei J. Aschbach, Geschichte der Wiener Universität, I, 168.

[6]) W. S. Teuffel, a. a. O., 273, 8. Die Tragödien Senecas sind,
obgleich sie z. B. Luder schon kannte, erst durch Rudolf Agricola und
Celtis in Deutschland zur Interpretation gelangt. Vergl. die Vorrede
Lochers zu drei der Tragödien, Nürnberg 1520. 4°.

2*

redsamkeit bei den Juristen, die er an den Kanonikern[1]) und an seinem Feinde, dem Juristen Kirchberg[2]), lobte. Nur einen Punkt haben wir hier vorläufig übergangen und kommen selbständig darauf zurück, die reiche Entwicklung der mathematisch-astronomischen Fächer, zu denen auch die Musik gerechnet wurde.

Ein Rätsel scheint in den Bestimmungen der Artisten die gleichzeitige Behandlung der secunda pars Alexandri (Syntax) und des Priscianus minor (Syntax) zu bilden[3]), man darf jedoch darin nicht eine gewisse humanistische Regung erblicken, der Grund für das scheinbare Doppelspiel war einmal der Wunsch des Alexander selbst, daß nach seinem Doctrinale noch Priscian[4]) getrieben werden sollte, und die praktische Notwendigkeit dafür lag in dem Fehlen der Lehre von der Consecntio temporum und der Moduslehre bei Alexander[5]). Ein gleicher Widerspruch scheint in der ebenfalls parallelen Behandlung der tertia pars Alexandri (Prosodie und Figuren) und der Poetria und des Laborintus vorhanden zu sein. Man wird nicht fehlgehen, Gründe entsprechender Art wie bei der Syntax auch hier zu suchen, und der Humanismus kann dabei gar nicht in Verdacht geraten. Alexander blieb bis 1519 in Erfurt an der Herrschaft[6]).

Was gibt es dann aber überhaupt von Vorzeichen für den aus der Ferne heranziehenden Humanismus in den Satzungen der Universität? Haben wir oben die feingedachten Vorbedingungen Kampschultes als subjektive Auffassungen zurückgewiesen, so müssen wir nun auch diese Frage noch beantworten. Rein huma-

---

[1]) S. o. S. 5 (4) N. 1, Vers. 1496.

[2]) Carmen satiricum, Vers. 106: Tullius est ore.

[3]) Im Laborintus werden das Doctrinale und Priscian auch schon zusammen genannt (III, vers 69):

Quod pueri potent, tibi Doctrinale propinat,
Prisci doctoris utiliora legit.

Dort wird auch schon die Poetria nova ehrenvoll erwähnt (Vers. 67, 68).

[4]) Wie er sagt: das Alphabetum mains.

[5]) K. J. Neudecker, a. a. O., 6, 22.

[6]) S. u. in Kapitel V bei den grammatischen Werken Usingens. Die erste Abschaffung des Alexander an einer deutschen Universität erfolgte durch einen ehemaligen Erfurter Scholaren, den Erzbischof Berthold von Henneberg, in Mainz c. 1502. Vergl. G. Bauch in den Mitteilungen der Gesellschaft für deutsche Erziehungs- und Schulgeschichte, VI, 95, und hier w. u.

nistische Voraussetzungen haben wir entschieden bei Bihra mehr gesehen als jetzt in den Akten der Universität, aber wenn auch nicht Vorzeichen, so lassen sich doch wenigstens Stellen zum Fußeinsetzen für den Humanismus aufweisen.

Als eine Disziplin, die dem Humanismus eventuell zufallen konnte, ist die Moralphilosophie, die Erfurt wie Wien[1]) und Leipzig pflegte, zu betrachten. Die zweite Ordnung für Tübingen[2]) von 1491 umschreibt die Stellung des ordentlichen Lehrers der Humaniora als die eines, „der ungeuärlich liset in oratoria, moralibus oder poetrij." 1502 wurde Johannes Rhagins Aesticampianus in Mainz von Berthold von Henneberg[3]) als erster ordentlicher Dozent der Oratoria und der Moralphilosophie angestellt[4]), und derselbe Humanist las als offizieller Poeta und Orator auch 1507 in Frankfurt a. O. über die Oeconomica des Aristoteles[5]). Mit dem Donatus minor hatte man eine Grammatik, deren Text, sobald die scholastischen logischen Definitionen und Argumentationen wegfielen, dem Humanismus ohne weiteres genehm war, und an dem Priscianus minor eine andere, die sich den Spintisierkünsten der syllogismuswütigen Artisten so ziemlich entzog. Merkwürdig genug ist dabei außerdem noch, daß Donat und Priscian zusammen in vier Monaten, der ganze Alexander aber in nur drei Monaten abgehandelt wurde. Der von den Humanisten angestrebten Grammatica positiva entsprach aber doch fürerst nur Priscian[6]). An den Gedichten der Consolatio philosophiae des

---

[1]) Vergl. die Vorlesungsverzeichnisse von 1390 ab bei J. Aschbach, Geschichte der Wiener Universität, I, 135 f.

[2]) (Roth) Urkunden zur Geschichte der Universität Tübingen aus den Jahren 1476 bis 1550, 85.

[3]) Berthold von Henneberg ist im S. S. 1455 in Erfurt immatrikuliert. H. Ulmann, Kaiser Maximilian I., I, 296, meint, von Humanismus sei in Berthold keine Ader gewesen. Die Bestellung des ersten „Poeten" durch ihn kannte er nicht.

[4]) Widmung der Epigrammata des Johannes Rhagius Aesticampianus an Erzbischof Jakob von Liebenstein. Archiv für Litteraturgeschichte, XII, 336.

[5]) G. Bauch, Die Anfänge der Universität Frankfurt a. O., 103.

[6]) Die Syntax Priscians wurde 1501 mit den griechischen Einschlüssen in Erfurt gedruckt. S. u. in Kapitel V.

Boetius konnte die humanistische Poetik einsetzen[1]). Das Streben
nach „Facundia" bei den Juristen war, wenn auch nur eine verhältnismäßig kleine Fakultät, obwohl von den höheren die stärkste,
ein solches Interesse dokumentierte, doch zweifellos eine günstige
Gelegenheit für eine Einwirkung des Humanismus; denn einmal
gehörten zu dieser Fakultät am ersten vornehme und deshalb schon
angesehene Leute, Erfurt galt überdies im XV. Jahrhundert als
die deutsche Juristenuniversität[2]), dann bekam die „Facundia" durch
den Verkehr der höfischen juristischen Räte mit Italien und besonders mit der Kurie und ihren Organen immer mehr die italienische humanistische Färbung der „Eloquenz" und endlich war
Italien die erste hohe Schule der Juristen, vor allem der Legisten,
mit Bologna, Padua, Ferrara, Pavia und Siena, und von da drang
die geschäftsmäßige Eloquenz durch die in Italien promovierten
Räte und Dozenten nach Deutschland vor. Als Endresultat bleibt
aber aus dem Gesagten für Erfurt als eigentümlich vor anderen
deutschen Universitäten nur ein sehr bescheidenes Restchen guter
Aussichten für den Humanismus. Aristoteles' Moralphilosophie,
Donat, Priscian[3]), Boetius[4]) teilte es mit anderen Universitäten,
die Sorge für Facundia der Juristen ist allein als etwas Erfurt
Eigentümliches übrig, sie war jedoch wegen des frühen Auftretens

---

[1]) Das ist in Erfurt tatsächlich durch Nicolaus Marschalk geschehen.
S. u. in Kapitel V.

[2]) Th. Muther, Zur Geschichte der Rechtswissenschaft etc., 199.
Daraus erklärt sich der Besuch Erfurts durch soviel vornehme Scholaren.

[3]) Um noch einmal auf den alten Gebrauch des Donatus und des
Priscian zurückzukommen, verweisen wir auf Eberhards Laborintus,
Vers. 205 f.:

Donatus pueris puerilia donat uterque,
In quo Remigius remigis nans erit.
Donatus recitat, quod discipulis prohibebis
Et quod permittas. Hic decor, error ibi.
Doctoris Prisci gemino de corpore micas
Extrahe discipulis, contero, sparge tuia.

Leyser sagt in Remigius: conscripsit tractatum, qui incipit: Dominus qua pars; quam indicat auctor.

[4]) Aristoteles' Moralphilosophie, Donat und Priscian haben wir
oben als in Leipzig behandelt gesehen. Boetius zeigt das Wiener Vorlesungsverzeichnis von 1396 bei J. Aschbach, Geschichte der Wiener Universität, I, 155.

der Legisten, Basel[1]) hat Dozenten für das Civilrecht erst seit 1461, Ingolstadt[2]) etwa seit 1478, Freiburg i. B.[3]) seit 1479 und Wien[4]), die kaiserliche Universität, gar erst seit 1494 gehabt, in der Tat nicht bedeutungslos[5]).

Wenn nun noch gegen Kampschultes[6]) und vor ihm Erhards[7]) gute Meinung angeführt werden muß, daß der erste in Italien gebildete fahrende Poet, Peter Luder, der ein knappes Jahr in Erfurt auf eigenes Risiko wirkte, vorher schon fünf Jahre in Heidelberg als kurfürstlich besoldeter Poeta tätig gewesen war[8]), so fällt auch noch für Erfurt der Ruhmestitel weg, daß dort zuerst in Deutschland ein in Italien gebildeter Humanist gelehrt habe. Basel besoldete außerdem mindestens von 1464 an einen italienischen Orator et poeta und hatte von 1474 an ununterbrochen besondere besoldete Lektoren für das „Studium humanitatis", Freiburg i. B. besaß eine solche ständige Lektur seit 1471[10]), Ingolstadt bestallte 1477 den ersten, in Paris gebildeten Poeten, und dauernd wurde diese ordentliche Lektur von 1484 ab[11]), in Tübingen sorgte schon die erste landesherrliche Ordnung[12]) von 1481 für „einen, der in oratoria lyset", in Wien[13]) gab es besoldete Poeten seit 1493, in Wittenberg[14]) seit 1502, in Leipzig[15]) seit 1503,

[1]) W. Vischer, Geschichte der Universität Basel, 238.

[2]) C. Prantl, Geschichte der Ludwig-Maximilians-Universität, I, 73.

[3]) H. Schreiber, Geschichte der Albert-Ludwigs-Universität, I, 179.

[4]) G. Bauch, Die Reception des Humanismus in Wien, 39, 42.

[5]) Als ein Spezimen der Erfurter Facundia könnte man den im Sommersemester 1441 immatrikulierten Juristen Hartnid von Stein, der später wegen seiner Beredsamkeit berühmt war, nehmen. G. Knod, Deutsche Studenten in Bologna, 549 No. 3648.

[6]) F. W. Kampschulte, a. a. O., I, 30.

[7]) H. A. Erhard, Geschichte des Wiederaufblühens wissenschaftlicher Bildung, I, 302.

[8]) S. w. u. in Kapitel III.

[9]) W. Vischer, Geschichte der Universität Basel, 186 f.

[10]) H. Schreiber, Geschichte der Albert-Ludwigs-Universität, I, 68, f.

[11]) G. Bauch, Die Anfänge des Humanismus in Ingolstadt, 14, 24.

[12]) (Roth) Urkunden etc., 71.

[13]) G. Bauch, Die Reception des Humanismus in Wien, 32, 44.

[14]) G. Bauch, Wittenberg und die Scholastik. Neues Archiv für Sächsische Geschichte und Altertumskunde, XVIII, 298.

[15]) G. Bauch, Geschichte des Leipziger Frühhumanismus, 168.

in Frankfurt a. O. seit 1506[1]) — Erfurt aber stellte als ersten
ordentlichen, besoldeten Poeten, und das auch nicht etwa zugleich als
Magister actu regens, sondern uur als Poeten neben der bis in
die Behandlung der Grammatik und der Rhetorik hinein festge-
schlossen bleibenden scholastischen Artistenfakultät, Eobanus
Hessus erst im Jahre 1517 au[2]). Wo bleibt dann Erfurts Führerschaft in der deutschen humanistischen Bewegung! Sie ist jedenfalls in dem Sinne, wie man sie bisher faßte, nur ein Phantom.
Und so wird noch manche schiefe oder unbegründete Voraussetzung
auch im einzelnen fallen müssen. Dafür soll aber in gerechter
Würdigung um so reiner die unbestreitbare hohe Bedeutung der
Universität für die wissenschaftliche Renaissance in Deutschland[3])
zur Geltung kommen.

Daß die Universität als Korporation dem Humanismus von
Anfang an keineswegs abgeneigt gegenüberstand, erweist der Umstand, daß alle fahrenden Poeten, die die Immatrikulation nach-
suchten, bis auf Hieronymus Emser, gratis in das Album, die
ersten sogar an der ersten Stelle in dem Verzeichnis ihres Semesters, eingetragen wurden, wenn sie auch nicht, wie Kampschulte
sagt[4]), „förmlich und feierlich in die Genossenschaft der Lehrer
der Universität aufgenommen" wurden, denn von ihrer Rezeption
durch die Artistenfakultät, die überdies bei allen den Besitz des
Magistergrades verlangt hätte, ist nichts bekannt. Das Dekanatsbuch der Artisten[5]) schweigt von allen Fahrenden.

---

[1]) G. Bauch, Die Anfänge der Universität Frankfurt a. O., 8, 9 f., 37 f.
[2]) K. Krause, Helius Eobanus Hessus, I, 219.
[3]) Für die Schätzung der Universität auch auf humanistischer Seite
zeugt ihre Erwähnung in Lochers Übersetzung des Narrenschiffs:

   Hie volat ad Wiennam, tenet hunc Erfordia magna,
   Hunc Basilea fouet, Lyps istum, barbara tellus.

[4]) F. W. Kampschulte, a. a. O., 34.
[5]) Berlin, Kgl. Bibliothek, Ms. Boruss. Fol. 833. Matricula Baccalariorum et Magistrorum artium liberalium Studij Erffurdensis etc.

Zweites Kapitel

Die Pflege der mathematisch-astronomischen Fächer

Verhältnis der Mathematica und des Humanismus. Die starke Vertretung der mathematischen Disziplinen in den Statuten von 1412 und 1433. Christian Rueder, der erste namhafte Mathematiker, † 1478, von Regiomontanus geschätzt. Seine Schüler Johann Keller und Bruder Aquinus. Musikpflegende Mathematiker: Rueder, Johann Doring, Johann von Dalberg, Konrad Knoll, alle mit dem Humanismus in Berührung. Schüler der Universität der Mathematiker Erasmus Ericius. Angesehener Dozent am Anfange des XVI. Jahrhunderts Heinrich Leo. Der Astronom Stephanus Rosinus Erfurts Schüler. Der humanistische Musiker Nicolaus Marschalk führt 1501 den Notendruck ein. Der hervorragende Mathematiker Heinrich Schreyber aus Erfurt kein Schüler der Universität.

Nicolaus von Bibra hatte auch erzählt, daß in Erfurt von gelehrten Kanonikern Astronomie, Astrologie, Musik, Meß- und Rechenkunst eifrig getrieben wurden. Dieser Kreis von Fächern verlangt eine besondere Beachtung, weil die Mathematik, wie sie alle zusammen genannt wurden, wenn man sie wirklich wissenschaftlich behandelte, in das Studium der alten lateinischen und griechischen Autoren und damit in die Visierlinie des Humanismus führen mußte[1]). Eine solche Behandlung erfuhr sie tatsächlich

---

[1]) Über die Beziehungen zwischen diesen beiden Richtungen der wissenschaftlichen Renaissance vergl. G. Bauch, Die Anfänge des Humanismus in Ingolstadt, 92 f., und, Deutsche Scholaren in Krakau, 7 f. S. Günther, Der Humanismus in seinem Einfluß auf die Entwicklung der Erdkunde (Verhandlungen des VII. internationalen Geographen-Kongresses 1899), 838, 839, 840.

auch an der Universität und in umfassender Weise, nicht nur die
Statuten geben darüber aktenmäßig Auskunft, man kann selbst das
Wirken einzelner Persönlichkeiten noch vor dem Hervortreten des
Humanismus verfolgen.

Die Statuten der Artisten von 1412 zählen unter den zu
lesenden und pflichtmäßig zu hörenden Büchern[1]) auf: „Euclides
per sex menses; theorica planetarum per alterum dimidium mensem; musica per 1 mensem; arismetrica per unum mensem; perspectiua per 3 menses; spera materialis per alterum dimidium
mensem; compntus per unum mensem; algorismus per unum
mensem." Die Baccalaureanden mußten nach derselben Statuten-
redaktion unter den gehörten Büchern[2]) in der Naturphilosophie
sphaera materialis nachweisen, die Magistranden[3]) arismetrica Muris,
musica Muris, Euclides, perspectiua communis und theorica
planetarum. Die Statuten des Amplonianum von 1433 wiesen diesen
Disziplinen einen besonderen Platz an[4]). Während die Kollegiaten,
Magister und Baccalare, nur für Kollegiaten Exercitia und gratis
halten durften, so verfügten die Statuten doch; „Si tamen aliquis
inter magistros esset idoneus in mathematica, arithmetica, geometria,
musica, astronomia, astrologia et perspectiua, ille posset exercitium
tenere, sic tamen, quod semper collegiati vadant sine precio et quod
per extraneos non fiat in domo strepitus vel desordinacio, quo minus
a studio impediantur."

Daß diese Sätze kein leerer Schall blieben oder daß sie auch
später nicht in Vergessenheit oder Vernachlässigung gerieten[5]),
haben wir aus den leider nur spärlich erhaltenen Nachrichten
zum erstenmal herauszuschälen, ein späterer Verfolger des Gebietes
wird dann vielleicht etwas mehr darüber berichten können.

Georg Peurbach[6]) und Johannes (Müller) Regiomon-

[1]) H. Weißenborn, Acten der Erfurter Universität, II, 134, § 60.
[2]) H. Weißenborn, a. a. O., II, 143, § 106.
[3]) H. Weißenborn, a. a. O., II, 138, § 78.
[4]) H. Weißenborn, Die Urkunden etc., 70, XXXVI.
[5]) Eine solche Lücke in den mathematisch-astronomischen Fächern
trat z. B. in Leipzig 1474 ein. G. Bauch, Geschichte des Leipziger Frühhumanismus, 5.
[6]) Zu Peurbach, vergl. S. Günther, in der Allgemeinen deutschen
Biographie.

tanns[1]) sind bekanntlich die wissenschaftlichen Wiedererwecker
der mathematisch-astronomischen Studien in Deutschland und
darüber hinaus gewesen, als ebenbürtigen Dritten, wenn auch noch
der Nachweis erhaltener Werke fehlt, haben wir nach Regiomontans gewichtigem Zeugnis einen Erfurter, den Magister
Christian Rueder, Roeder oder Roder, auch kurzweg zu Ehren
von Erfurt Christianus Erfordensis genannt, aus Hamburg
hinzuzufügen.

Im Wintersemester 1442 ist er als Kerstianns Roder de
Hamborch immatrikuliert, nach Erwerbung des Baccalanreats 1445
und des Magisteriums der Artes 1449 war er 1463 und 1469
Dekan der Fakultät und im Wintersemester 1471/72 Rektor der
Universität. Als solcher schrieb er sich „Christianus Rueder
de Hamborch, septem liberalium artium et philosophie magister,
utrinsque iuris baccalaureus, maioris collegii collegiatus." In
diesen Titeln ist der erste symptomatisch, denn der damals in
Erfurt noch ungewöhnliche Ausdruck „septem liberalium et philosophie magister" ist humanistischen Charakters.

Johann Regiomontan hatte nach seiner Heimkehr aus
Italien und Ungarn seinen Sitz in Nürnberg genommen. Schon
in Italien hatte er mit seinen Arbeiten zur Regeneration der
Astronomie begonnen, sein in Padua geschriebener Dialogus[2])
gegen die Theoricae novae planetarum des Geraldus Carmonensis war eine Etappe auf diesem Wege. Daher konnte Jakob
Wimpfeling, dem dabei wohl auch noch C. Lucilius Hippo-
dammns (Santritter) aus Heilbronn vorschwebte, 1492 mit
Recht sagen, daß erst durch die deutschen Astronomen die tiefere
Kenntnis der Astronomie „ad illustres Italos" gebracht worden
sei[3]). Es gab aber noch mehr zu tun. Regiomontan wußte, daß
anch die Alfonsinischen Tafeln wie manches andere mangelhaft

---

[1]) Zu Regimontanus vergl. S. Günther, in der Allgemeinen deutschen
Biographie s. v. Müller.

[2]) Regiomontanus druckte in Nürnberg 1475 den Dialogus zusammen
mit Georg Pourbachs Theoricae novae planetarum. Fol. Geraldus
Carmonensis wird gewöhnlich Gerardus Cremonensis genannt. Vergl.
hierzu auch Kasimir von Morawski, Historya unywersitetu Jagielloń-
skiego, II, 306 f.

[3]) Johannes Trithemius, Opera I, 409, 410.

waren, und Nürnberg hatte er sich als besonders gute Stätte für
seine Arbeit wegen seiner zentralen Lage im Verkehr und wegen
der dort blühenden Herstellung mathematischer Instrumente gewählt. In der Erkenntnis, daß die Mitwirkung anderer die gute
Sache fördern mußte, schaute er sich, selbst zu eigenen Opfern
bereit, nach solchen Helfern um und Rneder hatte er schon von
Ungarn aus für diesen Zweck ins Auge gefaßt. Kaum in Nürnberg
verankert, schrieb er am 4. Juli 1471 an ihn unter der Adresse
„Christiano mathematicorum praestantissimo" und setzte ihm
seine Wünsche auseinander.

Dieser inhaltsreiche Brief[1]) entrollt wie ein ganzes Buch die
Bestrebungen des Koryphäen der Astronomie und eröffnet mit der
scharfen Betonung der prinzipiellen Notwendigkeit der eigenen
Beobachtung nicht bloß die Perspektive in die moderne Entwicklung
der Naturwissenschaften, sondern mit dem Hinweise auf die Werke
der Alten zugleich die humanistische Seite seines Vorhabens.
Interessant ist auch das Aufdämmern von der Wertlosigkeit der
astrologischen Prophezeiungen. Da Regiomontan nach den Berichten von Schülern Rneders bei diesem die gleiche Höhe der
Bildung und dieselben Ansichten voraussetzte, so gibt das Schreiben
auch ein Bild Rneders, von dem sonst nur sehr wenige, kurze
Erwähnungen etwas zu sagen wissen. Aus diesem Grunde mag
es ausführlich folgen.

„Wenn du dich," so schrieb er, „ausgezeichneter Mann, über
diesen unerwarteten, von einem Unbekannten gegebenen Brief
wunderst, so vernimm die Ursache, die mich zum Schreiben an-
getrieben hat. Als ich neulich bei dem Könige (Mathias Corvinus)
von Ungarn und Magnaten des Reiches verweilte, wurden mir
gewisse aus Italien herbeigebrachte Prognostica für das vorige
Jahr übergeben, in denen so häufige und so offenkundige Wider-
sprüche zu sehen waren, daß es fast den Eindruck machte, als
hätten die Verfasser einander absichtlich widersprochen, und alle
irrten von dem, was tatsächlich folgte, weit ab. Jene Fürsten
aber waren dadurch wie vom Donner getroffen und, obgleich bis
dahin von wunderbarer Liebe für das astronomische Studium er-

---

[1]) C. Th. von Murr, Memorabilia bibliothecarum publicarum Norimber-
gensium, I, 164 f.

griffen, als sie das fast vollständige Trügerische erkannten, fingen
sie, jeder nach dem Grade seiner Einsicht, zweifelnd zu fragen
an, worin die Quelle für einen so großen und so allgemeinen
Irrtum läge, ob die Kunst selbst zu beschuldigen sei, oder eher
die Nachlässigkeit ihrer Besitzer. Da doch die alten Astrologen,
wenn man den Geschichtsschreibern Glauben schenkte, stets bis
auf den kleinsten Umstand das Zukünftige richtig vorhergemeldet
haben sollen. Fast unzählige dergleichen Fragen warfen mir
jene scharfsinnigen und in der Astronomie wohlunterrichteten
Männer entgegen. Ich aber, ganz unvorbereitet zur Antwort ge-
zwungen, schob, nachdem ich das Verfahren und die astrologische
Gelehrsamkeit der mir aus Italien Bekannten auseinandergesetzt
hatte, die Ursache eines solchen Irrtums den Codices zu, die ent-
weder ziemlich schlecht übersetzt, oder ungelehrt ausgelegt, oder
durch irgend einen ähnlichen Fehler unbrauchbar gemacht seien.
Dann seien die Bewegungen der Sterne zu unserer Zeit durch
Beobachtungen nicht genügend festgestellt, was ich mit vielen
Beispielen belegte, nicht nur mit eigenen, sondern auch mit fremden,
und zwar hervorragender Männer (er gibt solche Beispiele aus
Beobachtungen Albategnis und des Ptolemaeus und zieht
Schlußfolgerungen für die astrologischen Judicia daraus). Dieses
und viel anderes habe ich kurz und beiläufig vor ihnen abgehandelt,
um diese hochedle Kunst von dem ihr durch Pfuscher angehefteten
Unrecht frei zu machen. Das Ende unserer ganzen Unterhaltung
lief aber dahin aus, daß, wenn nicht die Bewegungen der Sterne
aufs neue erforscht würden, oder mindestens auf Grund von Ver-
besserungen genauer erkannt würden, wie es die alten Philosphen
taten und Ptolemaeus selbst, der Fürst aller, oft zu tun ermahnt,
so könne diese Kunst keinen Bestand haben, sondern müsse von
Tag zu Tag fadenscheiniger werden und endlich gänzlich dahin-
schwinden. Und als ich äußerte, daß ich schon lange den Versuch gemacht hätte, die Grundlagen der Astronomie wieder her-
zustellen, daß aber diese Aufgabe für einen einzelnen Menschen
allzu schwer und fast untragbar sei und daß es notwendig sei,
mit Unterstützung sehr vieler Beobachter und durch häufige
Observation der Gestirne diesen Mangel, soweit das überhaupt
möglich sei, zu beseitigen, da forschten jene, indem sie nun nicht
mehr nach der Ursache der Krankheit, sondern nach dem Heil-

mittel fragten, wo man wohl Männer, die solcher Dinge beflissen
wären, finden könnte. Ich antwortete darauf, daß zwar hier und
da recht viele Halbwisser der Astronomie vorhanden wären, solcher
aber, die diese Kunst und die übrigen mathematischen Disziplinen
in hervorragender Weise beherrschten, zumal in Deutschland,
gäbe es außer dem einen Magister Christian von Erfurt
niemanden. In dieser Weise zu antworten, befahl mir die Pflicht,
denn vieles habe ich über deine Vorzüglichkeit sowohl von den
meisten anderen allen aus Erfurt Kommenden als besonders von
dem Bruder Aqninns mit Freuden vernommen, und es fehlte
auch nicht das Zengnis Johann Kellers, meines Landsmannes,
der nicht bloß deine Gelehrsamkeit, sondern auch deine Sitten
und des Lebens Unbescholtenheit laut zu loben pflegte. Als ich
diese deine Tugenden vor den Magnaten darlegte, wurde mir
alsbald befohlen, daß ich mich deiner Beihilfe zu der schon be-
gonnenen Sache bedienen sollte."

Und so bat er um Rneders Mitarbeit und seine Freundschaft mit der Motivierung, daß er nach Nürnberg gegangen sei,
um, ihm benachbarter geworden, bequemer und ohne Zeitverlust
mit ihm philosophieren zu können. Er fordert ihn zum Mit-
kampfe mit Hipparchischen und Ptolemaeischen Waffen, den astronomischen Instrumenten, auf zur Herstellung besserer Texte der
astronomischen Bücher für deren Druck[1]). Das solle aber zum
Nutzen der Astronomie geschehen, weniger für den Zweck astro-
logischer Vorhersagungen, die doch im Grunde recht unsicherer
Art seien. Auch die gewöhnliche Sternkunde sei wenig wert, die
geschätztesten Zeitgenossen unter den Astronomen pflegten unter
Dach und Fach und nicht am Himmel Astronomie zu treiben und
schwüren auf den mangelhaften Alfonsinischen Abacus ohne eigene
Kontrole. Daher seien ihre Rechnungen falsch und widersprächen
den Experimenten des Ptolemaeus, Albategni[2]) und der anderen
älteren Astronomen, aber auch denen neuerer. Die Alfonsinischen
Tafeln hätten dazu viele Töchter, die an denselben Schwächen
litten wie die Mutter, weil man sich der Autorität des ersten Er-

---

[1]) Regionmontanus richtete mit Hilfe von Bernhard Walter in
Nürnberg eine Spezialdruckerei ein. Murr, a. a. O., 320 f.

[2]) Albategnis eigentlicher Name war Mohamed Ben Geber. Er
war in Syrien geboren. † 929.

finders gar zu sklavisch unterordne. Er hat um die Himmels-
beobachtungen Rueders und besonders um etwa gefundene Fehler
und stellte ihm die eigenen auf der Wiener Universität mit seinem
Lehrer Peurbach niedergeschriebenen, auch die er in Rom bei
dem Kardinal Bessarion, in Padua, in Ungarn und neuerdings
in Nürnberg gemacht habe oder noch machen werde, zur Verfügung. Nach kritischen Äußerungen über Johannes Campanus[1]
und Nicolaus von Kues[2] stellte er noch eine Reihe von astronomischen, geometrischen und arithmetischen Problemen zur Besprechung und bat um mathematische Bücher aus Rneders und
der Artistenbibliothek, deren Vorsteher Rneder und die, wie er
wußte, sehr reich an mathematischen Codices war. Zum Schluß
bat er noch Rneder, wenn es in Erfurt noch andere gäbe, die
sich mit Mathematik beschäftigten, ihm diese bekannt und befreundet zu machen, und setzte Geldpreise für die Lösung von je
sechs beliebigen oder einzelnen seiner Probleme aus.

Ob dieser Brief zu einem regeren Verkehr zwischen den
beiden Astronomen geführt hat, ist leider vorläufig nicht nachzuweisen. Dafür läßt sich an einen der Schüler Rneders ein Band
knüpfen, das bis zu dem Haupte der zweiten Wiener Mathematikerschule[3] führt. Der Landsmann Regiomontans Johann Keller
oder Johannes Kelner de Konigsperg, wie ihn die Matrikel
schreibt, ist im Sommerhalbjahr 1444 in Erfurt intituliert und
das ist alles, was wir von ihm wissen. Der Bruder Aqninus ist
in der Matrikel gar nicht zu ergründen, da er vielleicht noch vor
seinem Eintritt in den Predigerorden in Erfurt war und daher als
Weltmensch einen andern Namen trug wie als Religiose. Aqninus
war nach Andreas Stiborius' Angabe[4] von Geburt ein Däne,

---

[1] Campanus war der Verfasser einer schlechten, doch allgemein be-
nutzten Übersetzung des Euklides und 'eines Kommentars zu Euklides.
Regiomontan hatte gegen ihn geschrieben, sein Werk ist jedoch verloren.
Murr, a. a. O., 191.

[2] Nicolaus Cusanus hatte eine verfehlte Schrift De quadratura
circuli verfaßt, Regiomontan hat gegen diese Abhandlung geschrieben.
Murr, a. a. O., 90.

[3] S. Günther, Geschichte des mathematischen Unterrichts, 249 f.

[4] In der Praefatio vor Tabulae Eclypsium Magistri Georgij Peurbachij etc. Wien 1514. Fol.

nach Thrithemius[1]) ein Schwede, beide kannten ihn persönlich, und so ist seine Heimat nicht zu bestimmen. Trithemius erwähnt ihn 1494 als Mönch in der Umgebung des Herzogs Otto von Bayern und lobt ihn als berühmten Philosophen und ausgezeichneten Mathematiker, als ein Werk von ihm erwähnt er Opus de numerorum et sonorum proportionibus. Dieses musiktheoretische Werk soll auf Studien des Boetius beruht haben. Aquinus hat Trithemius in Sponheim besucht, um die von diesem geschaffene Bibliothek kennen zu lernen. Da, wo Trithemius in seinem Chronicon Sponheimense diesen Besuch angibt[2]), legt er Aquinus das noch höhere Lob bei „Mathematicus omnium subtilissimus." Die Schätzung Regiomontans läßt dieses Lob nicht als ganz unverdient erscheinen und ebenso die Erinnerung, die ihm 1514 noch Andreas Stiborius[3]), sein Schüler in der Astronomie, widmete. Unter den gelehrten Astronomen seiner Zeit[4]) zählt er in Nürnberg Bernhard Walter und den Predigermönch Aquinus als seinen Lehrer und „vir omnifariam doctus" auf. Da Stiborius das Haupt der zweiten Wiener Mathematikerschule war, so hat diese durch die Vermittlung des Aquinus Rueder mit zum Ahnherrn gehabt.

Daß Trithemius Aquinus gerade als Musiker darstellt, leitet uns auch für diesen Zweig der Mathematica auf Rueder zurück, denn Rueder galt ebenfalls als berühmter Musiker. Henricus Aquilonipolensis setzte ihm deshalb nach seinem Tode († 1478) zusammen mit einem andern Erfurter Musiker am Ende eines Gedichtes De musica[5]) das Epitaph:

> In Christo Christianunculus Hammoniensis
> Hic in Apollinea Roscius arte cubet.
> Nostri pars animi Joannes Phebipolensis
> Ex cognomento Thurius artis honos.

---

[1]) J. Trithemius, Opera, I, 396, II, 396.
[2]) J. Trithemius, Opera, II, 396.
[3]) Zu Stiborius vergl. G. Bauch, Die Reception des Humanismus in Wien, 126f.; Derselbe, Die Anfänge des Humanismus in Ingolstadt, 106 f.; S. Günther in der Allgemeinen deutschen Biographie.
[4]) Praefatio etc., a. a. O.
[5]) In seiner Sophologia, s. w. u. in Kapitel V.

Eine andere Grabschrift[1]) schrieb für Rueder Hinricus Boger oder Flexor und in dem vorausgeschickten Verbum preambulum[2]) faßte er alle Vorzüge des Gestorbenen zusammen:

Arte valens, duplicis preclarus inris alumnus,
Jucundus cantu, cordicen altus erat,
Arduus astrorum rimator, flore poesis
Non carnit: placidis nouit ouare metris.

Daher der große Schmerz über seinen Verlust:

Inclita tam magnum gemit hunc Erffurdia stratum
Et bene, gaudebat munere namque suo.
Plus sed eum studium gemuit, gemit et gemet almum,
Cui decns atqne decor, fautor et auctor erat.

Wenn man diese Verse genauer ansieht und die Verballhornungskunst des braven Aqnilonipolensis kennt[3]), wird man auch nicht zweifelhaft sein, daß Rueder der Remigius ist, dem Hamburg als Dichter Beifall zuruft: „Remigio Hammonia piscosa." Der Musiker Joannes Thurins Phebipolensis, wie ihn sein Freund nennt, ist der im Wintersemester 1476/77 in Erfurt eingetretene Johannes Doring de Luneborg, der uns noch bei den Dichtern begegnen wird[4]). Doring kann in den mathematischen Fächern, also auch in der Musik, recht wohl noch ein Schüler Rueders gewesen sein.

Dieselbe Vermutung und besser begründet liegt für den berühmten Johann von Dalberg vor, der im Wintersemester 1466/67 als Scholar nach Erfurt kam und hier in der Fastenzeit 1470 Baccalar wurde. Als er 1474 in Pavia Rektor der Universität wurde, hielt ihm sein Freund Rudolf Agricola[5]) die übliche Lobrede und in dieser betont er, daß Dalberg sich in Erfurt außer den überall heimischen artistischen Disziplinen „abstrusiores etiam illas altinsque reconditas, quas mathematicas vocant,"

---

[1]) H. Boger, Etherologium, fol. 111.
[2]) H. Boger, Etherologium, fol. 110b: Verbum preambulum ad sequens epitaphium.
[3]) Die Stelle steht in seiner Cithara sophialis von 1500, a. w. u. Kapitel V.
[4]) S. w. u. in Kapitel IV.
[5]) K. Morneweg, Johann von Dalberg, 24, 36. S. besonders 24 Anm. 82 und 37 Anm. 17, wo die botreffenden Stellen aus der Rede abgedruckt sind.

angeeignet habe und besonders über das Verhältnis von Zahl und
Maß zur Musik unterrichtet sei: „Memini, quum nonnunquam
numerorum mensurarumque ab eo rationem, proportionem, quod
ad haec musicae studia pertineat, perquirerem, promptissime ab eo,
quod quaerebam, edoctum fuisse."

Ein anderer, noch älterer aus Erfurt hervorgegangener Musiker
war der schon im Winterhalbjalbjahr 1463/64 immatrikulierte
Konrad Knoll aus Grieningen. Dieser siedelte als Baccalar
nach einer Universität über, die gleichfalls Musik regelmäßig betrieb, nach Freiburg i. B. Dort wurde er 1472 Magister und
Bursenvorstand. Er hielt die gewöhnlichen scholastischen Vorlesungen, las aber dann auch über Rhetorik und über Musik[1]).
1478 bis 1488 war er Rektor der Freiburger Schule. 1488 wurde
er Doctor med. und Professor der Medizin und starb als solcher
im Jahre 1493. Er repräsentiert die in dieser Zeit nicht ganz
seltene Dreiheit Humanist, Mathematiker und Mediziner[2]). Die
beiden letzen Wissenschaften standen damals in enger Verbindung,
da ein durchgebildeter Arzt Astrologie verstehen mußte.

Wer der hervorragendste Mathematiker unter den Dozenten
nach Rueder gewesen ist, entzieht sich der Kenntnis. Daher
kann man sehen, wer als Lehrer auf einen Mathematiker
von Ruf einwirkte, der im Wintersemester 1486 immatrikuliert
wurde, auf Erasmus de Erytz (Höritz im Böhmerwald) de
Bohemia[3]). Dieser wandte sich dann nach Köln und wurde dort
Magister. Von Köln ging er im Winterhalbjahr 1494 nach
Krakau, das durch die Pflege der Astronomie besonders berühmt
war[4]). Am 14. April 1499 erscheint er in der Tübinger Matrikel
und im Sommersemester 1501 in Wien, wo er die volle Höhe
seines Ruhms erstieg. Die Matrikel bucht ihn als Erasmus Ericius mathematicus de Horitz nihil dedit. Der Astronom, Huma-
manist und Arzt Georg Tannstetter Collimitius[5]) nennt ihn

[1]) H. Schreiber, Geschichte der Albert-Ludwigs-Universität, I, 68,
224, 225.
[2]) F. Bauer, Die Vorstände der Freiburger Lateinschule, 17, 18.
[3]) G. Bauch, Deutsche Scholaren in Krakau, 50 N. 27.
[4]) G. Bauch, a. a. O., 10 f.
[5]) Zu Tannstetter vergl. G. Bauch, Die Anfänge des Humanismus in
Ingolstadt, 111 f; K. Hartfelder in der Allgemeinen deutschen Biographie.

1514 unter denen, die früher in Wien mit Bewunderung vieler gelehrt haben[1]) und Thomas Resch, der Humanist und Theologe, führt ihn in einer Zuschrift an Collimitius[2]) als eins der verdienten Mitglieder der zweiten Wiener Mathematikerschule auf: „Equidem saepenumero sic mecum ipse voluebam, et te et Stabium[3]) Stiboriumque, Rosinum, Angelum[4]), Ericium, mathematicos nobiles et multo litterarum splendore nitentes, in nostris oris Germanicis a deo optimo maximo conseruari, ut essent, per quos inclyta et preciosissima mathematica studia, aliquamdiu et turpiter et barbare posthabita, subsisterent et respirarent."

Ein Mathematiker, der längere Zeit in Erfurt tätig war, ist der im Sommersemester 1486 zugleich mit Conradus Mutianus Rufus immatrikulierte und mit ihm Seite an Seite 1488 zum Baccalar promovierte Henricus Leo oder Leonis de Bercka (Rheinbergen). Dieser, Magister seit 1491, war auch Humanist und später Mediziner. Als Humanist und Poet gehörte er 1506 zu den ersten Freunden des jungen Eobanus Hessus[5]) und er war 1523 noch, als die humanistischen Studien durch die Prädikanten in Bedrängnis gerieten, mit ihm für deren Erhaltung tätig[6]). Als Rektorwähler wird er im Wintersemester 1502 als Magister de collegio Porta coeli, in derselben Eigenschaft zum Winter 1506 als „coelestium rerum imprimis doctus" und im Winterhalbjahr 1516 als Rektor der Universität als „phisicus," also Doctor med., Portae coeli decanus et collega bezeichnet. Mutianus Rufus hielt die Beziehungen zu ihm weiter aufrecht, im Jahre 1514 erhielt er von Leo ein von ihm verfaßtes astrolo-

---

[1]) Unter den Viri mathematici vor Tabulae Eclypsium Magistri Georgij Peurbachij, Wien 1514.

[2]) Ebenfalls vor Tabulae Eclypsium etc.

[3]) Zu Stabius vergl. G. Bauch, Die Anfänge des Humanismus in Ingolstadt, 100 f.; Derselbe, Die Reception des Humanismus in Wien, 127 f.

[4]) Zu Angelus (Engel) vergl. G. Bauch, Die Anfänge des Humanismus in Ingolstadt, 97 f. Zu Rosinus vergl. hier w. u.

[5]) K. Krause, Helius Eobanus Hessus, I, 27, 28.

[6]) Vergl. die Widmung von De non contemnendis Studijs humanioribus futuro Theologo maxime necessarijs aliqnot clarorum virorum ad Eobanum Hessum Epistolae. Erphurdio Imprimebat Mattheus Pictor Anno M. D. XXIII. ad festum Diuini Ternionis. 4°.

3*

gisches Vaticinium[1]) und in demselben Jahre[2]) nannte er ihn „mathematicorum principem." Mutian, der hochgebildete Humanist, fand wie Melanchthon an der Astrologie nichts auszusetzen, ein Erfurter Scholastiker, Bartholomäus Usingen, sprach schon 1507 ans[3]), sie sei nur von „rationibus commenticiis et fabulosis" gestützt.

Nicht zu übergehen ist auch ein Zögling Erfurts, der sich später als Schüler des Celtis in den humanen Disziplinen bekennt, sich aber, wie wir schon von Velocianus vernommen haben, hauptsächlich als Astronom und Astrologe einen Namen erworben hat, der im Sommersemester 1490 intitulierte Stephanus Roßleyn de Augusta, bekannter unter der Latinisierung Rosinus[4]). Er wurde 1492 Baccalar und ging dann nach der Mathematikeruniversität Krakau über, wo er 1496 Magister wurde. Unter Andreas Stiborius bildete er sich als Astronom weiter und erhielt c. 1503 neben Stiborius die zweite der von Maximilian I. 1501 an der Universität Wien gegründeten und dann dem Poetenkollegium des Celtis zugedachten Mathematikerstellen. Er veröffentlichte damals eine deutsche Practica (Prognosticon) auf das Jahr 1504 zu Würden und Ehren der hohen Schul zu Wien[5]) und berechnete außer mancherlei andern astrologischen Judizien astronomische Tabulae declinationum stellarum fixarum, von denen jedoch kein Druck bekannt ist. Im zweiten Jahrzehnt des XVI. Jahrhunderts verwandte ihn Maximilian I., nachdem er außer dem Baccalaureat in der Theologie auch noch das Licentiat des kanonischen Rechts erworben hatte, als seinen Sollicitator oder Procurator in Rom, wodurch Rosinus die Gelegenheit erhielt, sich um den Prozeß Reuchlins mit den Kölnern Verdienste zu erwerben[6]).

[1]) K. Gillert, der Briefwechsel des Conradus Mutianus No. 846. Mutian sendet Leo ein Gedicht darauf und auf den unverschämten Überbringer.

[2]) K. Gillert, a. a. O., No. 442. Auch hier wird er als Freund Eobans erwähnt.

[3]) N. Paulus, Der Augustiner Bartholomäus Arnoldi von Usingen, 7.

[4]) G. Bauch, Deutsche Scholaren in Krakau, 53 No 30; Die Anfänge des Humanismus in Ingolstadt. 102 f., 113 f.; Ders., Die Reception des Humanismus in Wien, 125, 127 f.

[5]) M. Denis, Wiens Buchdruckergeschichte, 302 No. 312.

[6]) L. Geiger, Johann Reuchlin, 317, 403, 417.

Ein Zeitgenosse Leos hat sich das Verdienst um die Musik verschafft, daß er den Notendruck in Erfurt einführte, der hervorragende Humanist Nicolaus Marschalk, indem er 1501 in seiner privaten Hausdruckerei und zu seinem eigenen Gedicht „Mores amatoris" die Noten für Diskant, Tenor, Alt und Baß mitabdruckte[1]). Die Melodie ist demnach auch seine Arbeit, sodaß er sich ebenfalls den Erfurter Musikern anreiht.

Der bedeutendste aus Erfurt hervorgegangene Mathematiker des XVI. Jahrhunderts, der bahnbrechende Rechner und Algebraiker Heinrich Schreyber (Scriptoris, Grammateus) aus Erfurt[2]), hat merkwürdigerweise in seinen Studien mit Erfurt gar nichts zu tun; in Wien und Krakau gebildet, war er ein Glied der zweiten Wiener Mathematikerschule und hat nur beeuchsweise 1523 in Erfurt ein von Eobanus Hessus poetisch begleitetes Werk[3]) ausgearbeitet und veröffentlicht.

Das ist das Wenige, was wir über die mathematischen Disziplinen, ihre Vertreter und ihre Schüler aus unserer Zeit in Erfurt wissen. Eins geht aber doch wenigstens daraus hervor, nämlich, daß sich in Erfurt schon von den ersten nachweisbaren Spuren ihrer Pflege an diese Studien mit dem Humanismus berührten und durch die Stätigkeit dieser Berührung ihn natürlich an der Universität auch unterstützten[4]) und untrennbar mit ihm vereint blieben.

---

[1]) Bei Laus Musarum etc., s. u. in Kapitel V. Centralblatt für Bibliothekswesen XII, 368 No. 30.

[2]) G. Bauch, Deutsche Scholaren in Krakau, 76 No. 55. Würdigung seiner Bedeutung bei S. Günther, Geschichte des mathematischen Unterrichts, 258, 259. Ausführliche Lebensbeschreibung und Besprechung seiner Werke bei C. F. Müller, Henricus Grammateus und sein Algorismus de integris, Zwickau 1896, Programm.

[3]) Auf Wunsch des Juristen Stephan von Willeuroda bearbeitete er seine Rechenbücher lateinisch: Hoc in libello hec continentur auctore Magistro Heurico Grammateo Erphordiano. Algorismus de integris Regula de tri cum exemplis Datum per eandem regulam Uti cognita unius vasis quantitate omnium aliorum vasorum quantitatem reperias, Erfurt, Johann Knappe 1523. 4°. Eobanus Hessus gab 1524 bei seinen Bonae valetudinis conservandae praecepta noch von Schreyber heraus: Tabulae cognoscendorum secundum communes et planetares horas humorum.

[4]) So wird z. B. in dem oben zitierten Briefe Mutians an Herbord von der Marthen, Gillert No. 412, Leo als sicherer Helfer für die Anstellung des Eobanus Hessus als Lektors der Humaniora angerufen.

Drittes Kapitel

Fahrende Poeten

Beziehungen zu Italien. In Italien promovierte oder gebildete Dozenten. Scholaren mit späterer humanistischer Färbung: Peter Eschenloer, Nicolaus Institoris, Rudolf Agricola, Rudolf von Langen. Peter Luder, erster fahrender Poet. Sein Gönner Johann von Allenblumen, sein Verehrer M. Heinrich von Rün, seine Schüler Johann Heyterbach, Balthasar Wilrich. Scholaren aus seiner Zeit: Dietrich Gresemund Senior, Thilemann Rasche, Konrad Schechteler, Thomas Wolf Senior, Johann Löffelholz, Gabriel Baumgartner. Jacobus Publicius, italienischer fahrender Poet. Sein Schüler Johann Knäß, vielleicht auch Johann von Dalberg. Johann Riedner, fahrender Poet. Samuel Karoch, fahrender Poet. Heinrich Bogers Invektive gegen ihn. Celtis als fahrender Poet, seine Freunde: Dr. Peter Petz, M. Nicolaus Lörer, M. Konrad Schechteler, Dr. Nicolaus Institoris, Dr. Henning Goede, Bavarus. Hermann von dem Busche nicht als Poet in Erfurt. M. Hieronymus Emser als fahrender Poet. Luther sein Hörer. Publius Vigilantius Axungia, fahrender Poet.

Wir haben uns bisher über Vorahnungen und Vorzeichen für den Humanismus und auch schon über das Auftauchen humanistischer Regungen in Erfurt unterrichtet und wenden uns nun der eigentlichen Geschichte des Humanismus zu. Hierbei läßt sich ein recht wichtiger Punkt schwer verfolgen, die Einwirkung der italienischen Renaissance vor dem Auftreten von in Italien gebildeten humanistischen Lehrern[1]), die man ebenso wie ihre

---

[1]) Es ist eine unrichtige Vorstellung, wenn man wie Kampschulte, a. a. O., I, 28 annimmt, die fahrenden Poeten hätten nur an den Uni-

51

Schüler und Freunde, auch wenn sie garnicht dichteten, als Poeten zu bezeichnen gewohnt war. Daß solche mittelbare Einwirkungen stattfanden, geht aus einzelnen beglaubigten Fällen hervor. Juristen suchten, wie wir schon erwähnt, zu Studienzwecken Italien, die Mutter der Jurisprudenz, häufig auf, so Peregrinus de Goch[1]), der vor 1442 Doctor decretorum in Pavia wurde und dann in Erfurt lehrte, so der Dozent Lampertus Voß[2]), 1451 Decretorum doctor und 1462 Legum doctor in Bologna, so die Erfurter Johann von Ottra[3]) und Siegfried Utisberger[4]), die nach einem Studienaufenthalte in Bologna[5]) 1513 und 1499 in Erfurt Doktoren wurden[6]). Ebenso wanderten Mediziner über die Alpen, diese ebenfalls einem alten Zuge folgend oder weil an den deutschen Universitäten die medizinische Fakultät das Schmerzenskind zu sein pflegte, das will sagen, daß sie häufig sehr schwach mit Dozenten besetzt war[7]), worüber man sich in Italien, besonders in Padua, Bologna oder Ferrara, nicht beklagen konnte. Der erste in Italien promovierte Dozent der Medizin, dessen die Matrikel

versitäten gelesen. Sie lasen, wo sie Hörer zu finden hofften. So las der Italiener Jason Alphens Ursinus in Metz, Celtis in Danzig, Luder in Ulm und Jakob Locher ebenfalls in Ulm etc. Wenn man das Auftreten der Poeten an allen Orten ihrer Wirksamkeit verfolgen könnte, dann erst erhielte man das richtige Bild.

[1]) Th. Muther, Zur Geschichte der Rechtswissenschaft, Die Juristen der Erfurter Universität im 14. und 15. Jahrhundert, 223, No. 30.

[2]) Th. Muther, a. a. O., 225, 226, No. 37.

[3]) G. Knod, Deutsche Studenten in Bologna, 394, No. 2690. S. auch hier w. u. in Kapitel IV.

[4]) G. Knod, a. a. O., 592, No. 3946; G. Bauch, Die Anfänge der Universität Frankfurt a. O., 65, 66.

[5]) S. hier w. u. bei Petrus Luder den Nachweis des Gebrauches der römischen Datierung von juristischen Rektoren.

[6]) Für das Aufsuchen der fremden Universitäten durch deutsche Juristen ist die von Th. Muther, a. a. O., 402 f., gegebene Zusammenstellung lehrreich, nicht minder G. Knods umfassende Arbeit über Bologna, weil Knod auch die Quellen anderer italienischer Universitäten herangezogen hat.

[7]) So war in Erfurt Dr. Heinrich Eberbach von 1513 ab sieben Jahre Dekan der medizinischen Fakultät wegen des Mangels an Dozenten. Zum Jahre 1507 sagt K. Krause, Helius Eobanus Hessus, I, 59: „Promotionen in der Medizin waren seit Menschengedenken an der Erfurter Schule nicht vorgekommen." 1507 war der in Ferrara promovierte Dr. med. Georg Eberbach gestorben.

gedenkt, ist der im Sommersemester 1453 eingeschriebene Dominus Gerhardus Apothecarii de Stendal doctor in medicinis Paduanus.

Nicht weniger schwierig ist es, wenn man nicht subjektiv mit Vermutungen arbeiten will, den ersten Scholaren, die später vom Humanismus beeinflußt erscheinen, die Aufnahme der ersten Anregungen dazu als in Erfurt geschehen zuzuschreiben. Um nur auf einige von solchen Männern hinzuweisen, so ist der nachmalige Breslauer Stadtschreiber und Geschichtschreiber der Kämpfe der Stadt mit Georg Podiebrad von Böhmen Peter Eschenloer aus Nürnberg[1]), der im Sommersemester 1442 seine Studien in Leipzig angefangen hatte und dort im Sommer 1444 Baccalar geworden war, im Sommerhalbjahr 1447 in Erfurt immatrikuliert, dann aber ist er doch wieder im Wintersemester 1448/49 in Leipzig Magister geworden. Dieser Mann zeigt weniger in seiner Schreibweise als in vorkommenden Reminiscenzen aus dem Altertum immerhin Spuren des Frühhumanismus, ob er aber solche Kenntnisse in Erfurt empfangen hat, ist unbekannt. Zu den dem Humanismus später freundlichen Männern gehört auch der im Wintersemester 1449 eingetretene Nicolaus Institoris de Gengenbach, der als älterer Universitätslehrer, Magister und Doctor med. sich dem Freundeskreise des Celtis anschloß[2]); wann er der Richtung gewonnen worden ist, steht nicht fest. Ebenso schweigen Erfurter Nachrichten von dem ersten großen deutschen Humanisten, dem berühmten Friesen Rudolf Agricola[3]), der im Sommersemester 1456 zusammen mit Johannes Kremer de Gruningen als Rodolfus Husman immatrikuliert ist. Er war erst dreizehn Jahr alt (geb. 1443), als er Erfurt aufsuchte, setzte dann seine Studien in Loewen, Köln (1461 Mai 20) und Paris fort und war 1469 in Italien, in Padua und hierauf in Ferrara, wo er ein Jahrzehnt verblieb. Als der Ort, wo er sich dem Humanismus zuwandte, gilt Loewen.

---

[1]) Zu Eschenloer s. H. Markgraf in der Allgemeinen deutschen Biographie; Derselbe in der Einleitung zu Eschenloers Historia Wratislaviensis, S. S. R. R. Silesiacarum, VII.

[2]) S. hier w. u. in diesem Kapitel.

[3]) F. von Bezold, Rudolf Agricola, ein deutscher Vertreter der italienischen Renaissance, 7 f.; K. Morneweg, Johann von Dalberg, 30 f., 44, 50, 61, 62, 79—101. Baccalar ist Agricola nicht in Erfurt geworden.

In demselben Semester wie Agricola kam der zweite große
deutsche Humanist, der Münsterländer Rudolf von Langen[1]),
geboren 1438 in Everswinkel bei Münster, nach Erfurt und wurde
als Rodolfus de Langen in die Matrikel eingetragen[2]). 1458
wurde er Baccalar, 1460 Magister. In Deventer tüchtig vorgebildet, schloß er also, 22 Jahr alt, hier seine Universitätsbildung
vollständig ab, und nichts beweist, daß er über 1460 hinaus in
Erfurt geblieben und etwa noch ein Schüler Luders geworden
sein könnte. Bei ihm könnte man wegen der Länge seines
Aufenthaltes wenigstens mit einiger Wahrscheinlichkeit vermuten,
daß er hier seine Anregungen für den Humanismus empfangen
hat[3]), da Deventer zu seiner Zeit noch nicht dem Humanismus
gewonnen war. Auch er trat später die Reise nach Italien an,
mit dem Lic. decretorum Dietrich von Rysswick, der als
Orator fungierte, von dem Domkapitel zu Münster, das den Administrator von Bremen Heinrich von Schwarzburg zum Bischof
gewählt hatte, 1466 nach Rom an die Kurie als Ambasiator[4])
geschickt. Diese offizielle Sendung schließt wohl aus, daß er
damals lange jenseits der Alpen verweilt hat. Und wenn er
gewiß dort viel Neues in sich aufnahm, so muß er doch schon
mit der dafür nötigen Empfänglichkeit und Vorbildung ausgestattet
gewesen sein. Durch seine Briefe, die er im Februar und März
1469 aus Adwerth in Friesland an Antonius Liber (Frye) aus
Soest und Lubbert Zedeler aus Münster schrieb[5]), geht eine
überaus scharfe Opposition gegen die Objekte, Sprache und
Methode der Scholastik, wie man sie in Erfurt dann erst in dem
Kreise der Verehrer des Mutianus Rufus findet. Keiner der
Wanderpoeten, die Erfurt kreuzten, hatte sich bis zu der Höhe

[1]) Zu diesem Manne vergl. A. Parmet, Rudolf von Langen, Münster
1869; C. A. Cornelius, Die Münsterischen Humanisten, Münster 1851, 5 f.
[2]) In der Matrikel der Artistenfakultät wird er durch eine spätere
Note unrichtig als poeta laureatus bezeichnet.
[3]) In Deventer kam der Humanismus erst mit Alexander Hegius
im Anfange der siebenziger Jahre auf (c. 1474). W. Krafft und W. Crecelius, Beiträge zur Geschichte des Humanismus am Niederrhein etc., II, 2.
[4]) Liber confraternitatis B. Marie de Anima Teutonicorum de Urbe, 76.
[5]) Nach Antonius Liber de Susato, Familiarium epistolarum compen-
diolum, o. O. u. J., abgedruckt von W. Crecelius, Epistulae Rudolfi
Langii sex, im Elberfelder Gymnasialprogramm, 1876, 5 f.

des Abscheus gegen das Alte hinaufgearbeitet, und gerade die
Modernen, deren Alumnus er als Erfurter doch war, sind es, die
er am schärfsten auf das Korn nimmt. Er nennt [1]) die ziemlich
unschuldigen scholastischen Merkverse aus der Logik „Fecana
kageti" etc. „inaudita et intolerabilis scribendi barbaries", die
„latinam labefacit linguam et conturbat".

Er wendet sich gegen
die Verächter der humanen Studien, die Augustinus, Hieronymus, Lactantius, Ambrosius nicht kennen [2]), aber die
lateinischen Wissenschaften mit ihren ungewaschenen Händen zer-
pflücken, die „currente Sorte (Verspottung der scholastischen
Abbreviatur für Socrates) aut disputante Platone (Beispiele
aus der Lehre der Modernen von den Insolubilia), modorum
significandi (scholastisches Hilfsmittel bei logischen und grammatischen Definitionen) ineptiis, strepitu dialectice atque decipulis"
in unwürdiger Weise, albern und mit Wut eine so herrliche,
vornehme und reichhaltige Kunst (wie die humanen Studien)
herabzusetzen suchen. An einer andern Stelle [3]) rät er, die dialektischen Studien endlich aufzugeben und dafür Bücher „de virtutibus" zu lesen, so Aristoteles (Ethica), aber in der „Noua
translatio", denn „vetus illa, qua adhuc Alemania nostra utitur,
o quam sententiarum inuolucris plena, quam barbara, quam
inlatina!" Man soll Cicero De officiis, Paradoxa, De finibus,
amicitia, senectute lesen. Das Disputieren ist durch die Rhetorik,
Ciceros alte (De inuentione rhetorica) und neue (Autor ad
Herennium), zu ersetzen. Hieronymus, ist den Syllogismen der
Deutschen verschlossen, ebenso Augustinus, De ciuitate dei,
Cyprian, Lactanz und andern können sie mit ihren modis
significandi nicht beikommen. Diese letzten Auslassungen erinnern

---

[1]) W. Crecelius, a. a. O., 7, 8. Euricius Cordus hat über diese
scholastischen Barbarismen und lächerlichen trivialen Beispiele ein Spottgedicht gemacht. Epigrammata, ed. K. Krause, I, 63. Auch in dem
Monopolium des Lichtschiffs (Zarncke, a. a. O., 55) werden diese Verse
verulkt (1489). Cordus und Jodocus Gallus, die Verspotter der Modernen waren wie Langen Schüler der Modernen.

[2]) W. Crecelius, a. a. O., 9, 10. Dieser Vorwurf kehrt bei den
Humanisten gegen die scholastischen Theologen immer wieder. S. w. u. im
Kapitel IV bei Johann Lang.

[3]) W. Crecelius, a. a. O., 11, 12. Der Vorwurf richtet sich hier
gegen die Unfruchtbarkeit der Scholastik inbezug auf die Moral.

lebhaft an Melanchthons berühmte Antrittsrede[1]) in Wittenberg
von 1518, die den Vernichtungskampf gegen die scholastische
Methode in Deutschland einleitete, aber sie sind fünfzig Jahre
früher geschrieben! Daß er so erregt gerade gegen die Modernen
loszieht, läßt doch wohl schließen, daß er schon mit humanistischen
Ideen erfüllt den ehernen scholastischen Lehrgang der Modernen
in Erfurt durchmachen mußte und daß er dort einzelne der ge-
kennzeichneten Gegner der humanistischen Studien unter seinen
Lehrern gehabt hat. Später traten Scholastiker nicht so schroff
in Erfurt auf.

Mit Langens Studienzeit ist die Grenze des Zeitraums gestreift worden, der Erfurt den ersten fremden fahrenden Poeten
zuführte[2]). Im Wintersemester 1460/61 steht in der Matrikel
an erster Stelle Dominus Petrus Luder professus poesim gratis
ob reuerentiam sui. Wir haben Grund anzunehmen, daß sein
Name als der eines durch Gratiseintragung Geehrten bei Abschrift
aus der ursprünglichen Aufnahmeliste des Rektors erst an diesen
Platz gesetzt worden ist, denn er kann höchstens am Ende des
Halbjahrs, gegen Ostern 1461, in Erfurt eingetroffen sein, da
Heinrich von Rnnen nur von Vorlesungen im Sommer 1461
und im Winter 1461/62 weiß[3]).

Peter Luder, in Kißlau im Kraichgau geboren, wurde im
Wintersemester 1430/31 in Heidelberg immatrikuliert. Unter-
brochen von einer Geniereise an den Küsten Griechenlands, hat
er sich lange lernend und lehrend in Italien aufgehalten. Giam
Battista Gnarino von Verona wird als sein Lehrer in den
humanen Studien bezeichnet. Wenn er auch trotz der viele Jahre
dauernden Lehrzeit in Italien Langen weder in der geglätteten
Prosa noch in der Handhabung der Poetik erreichte, wählte er
doch wie jener, nur ohne seine Gereiztheit gegen die Scholastik,
die Aufgabe, den Humanismus in Deutschland zu verbreiten, und
indem er das, was Langen ans innerem Interesse und mit eigenen

[1]) G. Bauch, Wittenberg und die Scholastik, im Neuen Archiv für
Sächsische Geschichte und Altertumskunde, XVIII, 331 f.

[2]) Wir fußen hier auf W. Wattenbach, Peter Luder, der erste
humanistische Lehrer in Heidelberg, Erfurt, Leipzig, Basel, S. A. aus dem
XXII. Bande der Zeitschrift für die Geschichte des Oberrheins.

[3]) Wattenbach, a. a. O., 89 No. XXVI.

Opfern tat, zugleich zum Zwecke des Broterwerbs übte. Im Jahre
1456 wurde er in Heidelberg als von Kurfürst Friedrich dem
Siegreichen besoldeter Poet angestellt. Als die Pest 1460 ausbrach, wich Luder im Herbst für mehrere Monate nach Ulm
aus und damals versuchte es Dr. Hermann Schedel, ihn durch
den Augsburger Stadtschreiber Luders Freund Valentin Eber
nach Augsburg zu ziehen[1]). Luder kehrte jedoch im Spätjahr
oder im Anfange des Jahres 1461 nach Heidelberg zurück[2]) und
ging, nachdem er 1461 seine Schüler in einer öffentlichen Deklamation[3]) Gedichte auf des Pfalzgrafen Friedrich Sieg über
Diether von Mainz und Ludwig von Bayern-Veldenz bei
Pfeddersheim (1460 Juli 4) hatte vortragen lassen, da die Universität unter den Folgen des Krieges litt, nach Erfurt und fühlte
sich dort bald außerordentlich wohl. Zu seinem einflußreichen
Gönner hatte er den mainzischen Vizedominus und bis vor kurzem
Vizekanzler der Universität Dr. decretorum Johann von Altenblumen[4]). Er schrieb am 3. Mai 1461 stolz seinem Freunde
Mathias von Kemnat in Heidelberg[5]), daß er in Erfurt es nicht
„hisce cum beluis, que Heidelberge in me latrantes rabida
ora atris inuidie venenis atrarunt, sed amatoribus scienciarum,
viris clarissimis, qui me aliquando ad se venisse uti Mercurium
celitus demissum gaudent atque gloriantur", zu tun habe. Er

---

[1]) P. Joachimsohn, Hermann Schedels Briefwechsel, Bd. 196
des litt. Vereins in Stuttgart, 82.

[2]) Am 31. Oktober 1460 ist er noch in Ulm, Wattenbach, a. a. O., 86, 88.

[3]) Wattenbach, a. a. O., 26 Anm. 1; 46, f. 99.

[4]) Th. Muther, Zur Geschichte der Rechtswissenschaft, 218 No. 21.
Wattenbach, a. a. O., 91 No. XXX. Den Rücktritt Johanns von
Altenblumen vom Vizekanzleramt dürften Streitigkeiten mit der Universität veranlaßt haben. Im Dekanatsbuche der Artisten sind 1450 von
10 Magistern des Dekanats des M. Johannes Swarte de Susato nur 6
als promoviert bezeichnet. Unter der Kolumne steht: Isti suprascripti,
apud quos nomen magistri non habetur, non receperunt istum gradum
propter discordiam, que eo tempore fuit inter uniuersitatem et vicecancellarium. Und bei der nächsten Magisterpromotion im Dekanat des
M. Johannes Helmich de Berka 1451 liest man: In estate statim post
festam natiuitatis Johannis Baptiste propter discordiam inter uniuersitatem
parte ex una et vicecancellarium parte ex alia postergatum. Der Termin
für das Magisterexamen war Epiphaniae (6. Januar).

[5]) Wattenbach, a. a. O., 88 No. XXV.

wurde durch den Rektor des Semesters Rudolf Utloe von
Suthwold[1]), Magister und Baccalar beider Rechte, der sich durch
seine auszeichnende Einreihung des auch mit dem Titel Dominus
geehrten Poeten in der Matrikel und dadurch, daß er in seinem
Rektoratsbericht zuerst die Rechnung nach Kalenden[2]) anwendet,
ebenfalls als sein und seiner Bestrebungen Gönner bekennt, nach
Anhörung des Konsils der Universität ersucht, Mitglied der Universität zu werden, d. h. sich in die Matrikel eintragen zu lassen.
Als er darauf eingegangen war, wurde ihm ein geräumiges Lektorium
im Collegium mains für seine Vorlesungen angewiesen, und die
Einnahmen aus seinen Lektionen waren reichlich, sodaß er bald
seine Gläubiger in Heidelberg auf seine Rückkehr vertrösten
konnte. Seine Wirksamkeit eröffnete er mit einem öffentlichen
Redeakte vor dem Rektor, den Doktoren und Magistern und der
ganzen Universität, es war dieselbe Rede, die er 1456 bei seinem
Antritte in Heidelberg gehalten hatte[3]). Er begann darin mit
seinem Lebensgange, seinen ersten Studien in Heidelberg und
seinen Wanderungen nach Italien und Griechenland, ging dann zu
den Disziplinen der Universität über, zur Grammatik, Dialektik,
Rhetorik und Physik, pries die Astrologie und Astronomie und,
nachdem er Medizin, kaiserliches und päpstliches Recht und die
Theologie gelobt hatte, gelangte er endlich auf sein eigentliches
Thema, die Studia humanitatis. Diese teilte er in Geschichte,
Oratoria und Poetica, verweilte ausführlich bei ihrem Nutzen und
ihren Schönheiten und stellte sich „ex licencia spectatissimi domini

---

[1]) Immatrikuliert S. S. 1441 als Rudolphus de Wtlo, Baccal. 1442 als
Rudolphus Vtloe de Sutweldia, Magister 1446, Dekan der Artisten 1459a:
Rodolphus Vtloe de Sutwoldia.

[2]) Bis zum Jahre 1491 wird die römische Datierung nur von Rektoren
angewendet, die mindestens Baccalare des Rechts waren: W. S. 1461/62
Rudolf von Suthwold, W. S. 1463/64 Heinrich Padiß, W. S. 1467/68
Konrad Steyn, W. S. 1490/91 Heinrich Collen, S. S. 1491 Johannes
von Berlevessen. Die einzige Ausnahme bildet S. S. 1480 der Rektor
Graf Hoyer von Mulingen, der wohl aber doch auch Jura studierte.
Vor dem Dekanatsbuche der Artisten befindet sich der alte offizielle Kalender
der Fakultät, der auch schon auf die Kalendenrechnung Rücksicht nimmt.
Trotzdem haben die Artisten erst spät davon Gebrauch gemacht.

[3]) Wattenbach, a. a. O., 68 f. No. XII, Version 3: Collatio Petri
Luder clarissimi Recitata Erfordie coram Rectore, Doctoribus et magistris
et tota uniuersitate. Clm. 466, fol. 286.

Rectoris et permissione uniuersitatis" als deren freiwilligen Lehrer
vor. Mit der üblichen Gratiarum actio schloß er. Seine Beredsamkeit fand, da er keinen auch nur mit einem Worte kränkte,
gebührende Bewunderung. Im Sommer 1461 und im Winter
1461/62 las er über mannigfaltige Bücher, über Vergil, Ovid,
Terenz u. a. Zu seinen Hörern zählte er außer den Scholaren
eine große Zahl von Magistern [1]. Unter seinen eigenen Büchern
war auch eine Rhetorik, die ihren Druck in Leipzig noch 1498
erlebte [2], und eine Ars metrificandi, eine Belehrung über den
Bau von Hexameter und Pentameter [3], worin auch sein eignes
ganzes Können als Poet enthalten war; die alten Dichter, auf die
er als Muster verweist, sind Vergilius, Lucanus, Statius,
Juvenalis, Horatius und Silius. In der gedruckten Rhetorik
könnte das Beispiel bei dem vierten Genus, dem Genus vituperandi,
auffallen, es ist eine Invektive gerade gegen die Poeten, aber der
Schalk schaut daraus hervor, es wird den Poeten ihre Unehrer-
bietigkeit gegen Apollo und andere Götter vorgehalten.

Die Stunde zur ehrenvollen Rückkehr nach Heidelberg, die er
Matthias von Kemnat und seinen Gläubigern zugesagt hatte,
schlug ihm in Erfurt jedoch nicht, er begab sich vielmehr noch
im Wintersemester 1461/62 nach Leipzig [4]. Der Magister Heinrich von Rün oder Runen, der, obgleich er kein Jüngling mehr
war, die Matrikel nahm ihn schon im Wintersemester 1430/31 als
armen Magister „gratis propter deum" auf und 1460 wurde in
seinem Dekanat Rudolf von Langen Magister, zu seinen Freunden und Schülern gehörte, gab ihm ein begeistertes Empfehlungs-
schreiben an einen befreundeten Leipziger Doktor mit [5], das die

---

[1] Die Zeit von Luders Aufenthalt in Erfurt brachte andererseits
Störungen in das Universitätsleben. Das artistische Dekanatsbuch sagt:
Anno domini 1462 non fuit celebratum examen pro magisterio propter duos
contendentes pro episcopatu maguntino, propter quam discordiam universitas
tunc vicecancellario caruit.

[2] G. Bauch, Geschichte des Leipziger Frühhumanismus, 5, 73: Ohne
Nennung von Luders Namen: Tractatus de arte oratoria. Impressum
Lipezk per Jacobum Thanner Herbipolensem Anno. M. cccc. lxxxxviij. 4°.

[3] Wattenbach, a. a. O., 57, Clm. 663, fol. 98. Auch in Breslau.
Königl. u. Universitätsbibliothek, Ms. IV. Qu. 62, fol. 187.

[4] In der Leipziger Matrikel, W. S. 1461/62: Magister Petrus Luder
de Kißlo.

[5] Wattenbach, a. a. O., 89 XXVI.

Tätigkeit Luders, seine Stellung in Erfurt und seine Persönlichkeit beleuchtet und daher als gleichzeitiges Zeugnis von besonderem Interesse ist, wenn er auch die Farben des Lobes etwas stark aufträgt und der Schwäche Luders für das weibliche Geschlecht und den Wein [1], die er doch wohl auch in Erfurt gehabt haben wird, nicht gedenkt. Solche Schwächen hatten aber auch recht viele andere, ohne daß man sie ihnen übel nahm und ohne daß sie Humanisten waren. Er schreibt: „Es sei Dir der ehrbare und achtbare Mann Herr Peter Luder, der Vorzeiger des Gegenwärtigen, als Professor der Poetria empfehlenswert, der im gegenwärtigen Winter und ähnlich im nächstverflossenen Sommer, mit uns an der Erfurter Universität ausdauernd, verschiedene Bücher, wie die Vergils, Terentius' und Ovids und anderer [2], vor den Ohren vieler Magister und anderer Universitätsangehöriger lesend und rühmlich beendigend, indem er mit dem Preise für seine Arbeiten auch Dank davontrug, unsere Universität durch die Strahlen der poetischen Wissenschaft lobenswert erleuchtet hat, wie er früher nach unserer Kunde, ehe er zu uns gekommen war, an der Universität Heidelberg ebenso geglänzt hat. Diesen im Zusammenleben, auch in heiterer Gesellschaft ergötzlichen, angenehmen und gern gesehenen Mann habe ich auch nicht als nach der Sitte vieler mit der oberflächlichen Zierde leeren Prunkes geschmückt, sondern eher als mit dem Besitz innerer Wahrheit fest und sicher ausgestattet erkannt und geschätzt. Er hat zuerst nach seiner Ankunft in einem Vortrage vor den Doktoren und Magistern und der ganzen Universität als ausgezeichneter Empfehler der poetischen und rhetorischen Wissenschaft den Ruhm vornehmer Beredsamkeit verdient. Bei Unterhaltungen und im Zusammenleben ist er kein anmaßender Prahler oder ehrgeiziger Großsprecher, sondern beschei-

---

[1] Wattenbach, a. a. O., 23, 24, 26. Trotzdem man Leder statt Luder lesen müßte, ist doch wohl im Lichtschiff (Zarncke, a. a. O., 55) Luder neben Karoch als verlumpter Poet gemeint: Illi etiam procul dubio collegerunt ad se poetas, ut erat ille Samnel noster de monte rutilo et Petrus Cutis, qui nobis mittit verba salutis.

[2] Luder kannte als erster dafür nachweisbarer deutscher Humanist auch die Tragödien Senecas, während als erste Erwecker dieser Tragödien in Deutschland Rudolf Agricola und Konrad Celtis gelten. Vergl. das oben in Kapitel I gegebene Zitat aus Jakob Lochers Tragödienedition. Wattenbach, a. a. O., 22.

den, gemäßigt, in vielem erfahren und besonders in den historischen
Schriften der heiligen Doktoren. Und deshalb sei Eurer Würde
die erprobte Rechtlichkeit desselben empfohlen und unter den
Flügeln Eurer Protektion, soweit das möglich sein wird, verteidigt
gegen die hündischen Bisse und das Gekläff derer, die an anderen
beneiden und fürchten, woran sie selbst nach ihrer Erkenntnis leer
sind, wenn viele dergleichen bei Euch vorhanden sind."

Das Ansehen, das er bei der Universität erlangt hatte, zeigte
sich auch in der Ehre, die man ihm, der doch nicht einmal
graduiert war, damit antat, daß man anf sein Fürwort Scholaren
gratis wie ihn selbst immatrikulierte. Zum Sommersemester 1461
sagt das Album: Johannes Heyterbach de Heydelberga, Wal-
theser Wilrich de Alspach intitulati sunt ob reuerentiam magistri
Petri. Der eine Antiquus, der bei Heyterbach steht, waren wohl
die Sporteln beider, die in die Hände der Pedelle flossen. Der
Titel Magister stand Luder nicht zu, obgleich ihn auch die
Leipziger Matrikel als solchen bezeichnet, und ist wohl nur ein
Achtungsausdruck. Die beiden Scholaren mochten ihrem Lehrer
aus Heidelberg nachgereist sein[1]. Johann Heyterbach, der in
Erfurt zurückblieb, schickte ihm noch am 10. Juli 1462 mit
jubelnden Zeilen einen Brief[2] Erzbischofs Diether von Mainz[3]
an Luders Gönner Johann von Allenblumen über den von
ihm in Gemeinschaft mit Pfalzgraf Friedrich am 30. Juni 1462
erfochtenen glänzenden Sieg von Seckenheim.

Auch in Leipzig war Luders Bleiben nicht, schon im November
1462 studierte er Medizin in Padua[4]), wo er sie vor fast 20 Jahren
angefangen hatte, 1464 kam er als Doctor med. nach Basel, las
aber von 1465 an dort noch einmal als besoldeter Poet[5]). 1469
begleitete er Herzog Sigismund von Österreich als Orator

[1]) In der Heidelberger Matrikel sind sie jedoch nicht verzeichnet, trotzdem Heyterbach ein Heidelberger war. Sie waren also wohl dort nur
seine Privatschüler gewesen.
[2]) Wattenbach, a. a. O., 91 No. XXX.
[3]) Diether von Isenburg war im W. S. 1432 als canoniens ecclesie
Moguntine in Erfurt als Student eingetreten und im S. S. 1434 Rektor der
Universität gewesen.
[4]) Wattenbach, a. a. O., 35.
[5]) W. Vischer, Geschichte der Universität Basel, 186, 187.

zu einer Zusammenkunft mit König Ludwig XI. von Frankreich
und hielt dabei eine große Begrüßungsrede, 1470 war er in derselben Eigenschaft am burgundischen Hofe und 1474 erscheint er
nochmals dichtend in Basel[1]) bei dem Eintritt Annas von Ran-
deck in das Kloster Gnadenthal. Der bei dem Akte anwesende
schweizerische Humanist und Dechant im Kloster Einsiedeln
Albrecht von Bonstetten, dem die Verse auf Anna von Ran-
deck gefielen, bat ihn später um eine Abschrift, und das Schreiben,
mit dem er seine Verse übersandte, ist Luders letztes Lebens-
zeichen[2]).

Das Letzte haben wir angeführt, um denen, die nach Luders
Kenntnissen im lateinischen Stil und in der Poesie ein geringes
Urteil über ihn fällen, zu zeigen, daß er von seiner Zeit trotzdem
geschätzt wurde. Und deshalb ist auch seine Einwirkung als
Dozent in Erfurt nicht als gering anzuschlagen, und wenn nun
dort mit einem Schlage trotz des Einfallens einer schweren Pest[3])
im Jahre 1463 sich die nachher als humanistisch gesinnt bekannten Scholaren sichtlich mehren, so darf das sicher seinem Einflusse
mit zugeschrieben werden. Er hat zudem am längsten von allen
Fahrenden in Erfurt gewirkt. Und, was zum Schlusse, um ent-
gegengesetzten Meinungen die Spitze abzubrechen, noch einmal
betont werden soll, seine Einwirkung war vielleicht deshalb allgemeiner und auch auf Anhänger der Scholastik ausgedehnt, wie den
Magister Heinrich von Bunen, weil er zwar den neuen Ideen
huldigte, aber die Bewegung, die er jenseits der Alpen kennen
gelernt hatte, nicht mit aller Schärfe des reinen Humanismus,

---

[1]) W. Wattenbach, a. a. O., 38, 94 No. XXXII.

[2]) A. Büchl, Albrecht von Bonstetten, 41.

[3]) Die Matrikel sagt im S. S. 1463: Pauci sunt intitulati quia grandis
ista estate fuit pestilencia in Erffordia, ita ut breui admodum tempore plures
quam viginti doctores et magistri in Erffordia et extra de uniuersitate
ex hac luce migrauerunt. Und im Kopfe des nächsten Rektorats steht: Quintodecimo Kalendas Nouembris, que est dies sancti Luce euangelisto anno
domini millesimo quadringentesimo sexagesimo tertio in fine stragis magne
et post disporsionem membrorum huius uniuersitatis et interniciem multorum
doctorum magistrorum et membrorum electus est etc. Der Rektor Heinrich
Padiß aus Fulda (Th. Muther, Zur Geschichte der Rechtswissenschaft,
226 No. 39), in Erfurt zum Dr. l. u. promoviert, zeigt durch den frühen
Gebrauch der Kalenderrechnung humanistische Vorbildung.

wovon sich in seinen Schriften keine Spur findet, sondern friedlich
vertrat und ihre Anregungen demgemäß vortrug. Ihm ging es
wesentlich um Kenntnis des Altertums, um Eloquenz und Poesie,
von einem abfälligen Urteil über die scholastische Methode und
die scholastische Fachsprache ist nirgends etwas bei ihm zu ent-
decken. Daß er in Heidelberg in dem kleinen Kreise der Augustiner gegen die Alleinherrschaft der Dialektik und für die Berech-
tigung der humanen Studien sprach[1]), war auch dort kein Angriff,
sondern nur eine Verteidigung.

Seit dem Wintersemester 1455 studierte in Erfurt Dietrich
Gresemund aus Meschede in Westfalen[2]), ein Bruder des Professors
der Theologie und Dechanten an der Marienkirche, Dr. Gottschalk
Gresemund[3]). Im Jahre 1459 wurde er Baccalar und 1465
Magister, später war er Doctor med. und Arzt, zuerst wohl in
Speier und dann Leibarzt der Erzbischöfe von Mainz Adolf II.
und Berthold von Henneberg. Celtis war in Mainz sein
Gast und widmete ihm deshalb und als seinem Sodalen eine Ode[4]).
Seinen bekannteren Sohn Dietrich Gresemund Junior[5]), der,
1477 in Speier geboren, schon mit fünfzehn Jahren als Dichter
auftrat, unterrichtete er selbst und wies ihn als Gegner der über-
mäßigen Pflege der scholastischen Logik zum Studium der klassischen Autoren. Im Sommerhalbjahr 1459 ist Tylmannus Rasche

---

[1]) Wattenbach, a. a. O., 11, 49: 2. Cod. Univ. 91.

[2]) Daß Celtis Gresemund mit einem antiquarischen Schnitzer Can-
cum vol Chattum nennt, hat J. Aschbach und K. Hartfelder veranlaßt,
den Urwestfalen einen Hessen zu nennen.

[3]) Gottschalk Gresemund führte das Rektorat W. S. 1437, W. S.
1445, S. S. 1456 und war W. S. 1457 Vicerektor. Ein anderer Bruder war
der im W. S. immatrikulierte Hermann Gresemund, Rektor im S. S. 1463.

[4]) Celtis, Libri odarum qnatuor, Straßburg 1513, III, 27: Ad Theodoricum Gresmundum Caucum vel Cattum hospitem suum Mogundinum.
Darin:

> Castis carminibus sum modo deditus,
> Charis nostra ferens sodalibus,
> Quos inter mihi note et
> Docto pectore cognitus
> Caucorum genitus stirpe veterrima,
> Gresmunde, ...

[5]) Zu diesem G. Hanch, Archiv für Litteraturgeschichte, XII, 346 f.,
und H. Heidenheimer, Zeitschrift für Kulturgeschichte. N. 4. F., 21 f.

de Cyrenborch eingetreten, der gleichfalls die artistische Stufen-
leiter bis zum Magister durchlief, als Humanist ist er bekannter
unter dem Namen Telomonius Ornatomontanus (Zierenberger); wir erwähnen ihn bei den einheimischen Humanisten
ausführlicher[1]). Mit ihm ist gleichzeitig in Erfurt angetreten
Conradus Schechteler de Alsfeldia, der später als Magister und
Kollegiat am Collegium maius ebenfalls unter die ansässigen
Humanisten und Poeten zu rechnen ist, obgleich er nicht eine
Zeile hinterlassen hat. Aquilonipolensis singt 1500 von ihm[2])
als Poeten: Ut Pangeapolis (plaudit) Conrado florida nostro.
Celtis nannte ihn seinen Freund.

In demselben Semester wie Luder traf Thomas Lupi de
Argentina in Erfurt ein und blieb hier bis zu dem Jahre 1463,
wo er Baccalar wurde. Das ist Thomas Wolf Senior[3]) aus Eckbolsheim bei Straßburg. Er ging 1466 nach Basel und 1470 nach
Bologna, wo er 1456 Doctor decretorum wurde. Schon 1475 war
er Kanonikus zu St. Thomas und zu Jung St. Peter in Straßburg
und erwarb noch eine ganze Reihe von kirchlichen Benefizien,
deren Einkünfte ihm auch ermöglichten, seine Neffen Thomas
und Amandus auf seine Kosten studieren zu lassen, auch sie
begannen deshalb vielleicht später ihre Studien in Erfurt[4]). Man
rechnet ihn bisweilen nicht zu den eigentlichen Humanisten, sondern nur zu den Gönnern der Bewegung, aber Rudolf Agricola,
dessen Bestrebungen er beifällig begrüßte, scheint ihn doch etwas
höher zu veranschlagen. Er schrieb ihm durch den Buchhändler
Adolf Rusch[5]) in Straßburg 1484, er wolle Wolf, „doctissimo
viro", seine in Worms gehaltene Rede, wenn er sie durchgesehen
und abgeschrieben haben würde, schicken und den Micyllus Lucians,
den er im Sommer aus dem Griechischen übersetzt habe, beifügen
und bat um Empfehlung an den „humanissimus homo" und einen
Gruß in zierlichen Worten. Und 1485 ließ er durch denselben[6])

---

[1]) S. w. u. im Kapitel IV.

[2]) In der Cithara sophialis, s. w. u. im Kapitel V.

[3]) Für diesen Mann vergl. G. Knod, Deutsche Studenten in Bologna,
642 No. 4277; C. Schmidt, Histoire littéraire de l'Alsace, I, 219, II 59 f., 86.

[4]) S. w. u. im Kapitel IV.

[5]) K. Hartfelder, Unedierte Briefe von Rudolf Agricola, 30 No. 16.

[6]) K. Hartfelder, a. a. O., 32 No. 18.

4*

Peter Schott und Thomas Wolf „honestissimis et amantissimis verbis" grüßen. Der ausgesprochene, wenn auch gut kirchliche Humanist Schott war Wolfs intimer Freund. In sittlicher Beziehung zählte der reiche Pfründner Wolf dem Coelibat durch das Concubinat seinen Tribut, er hatte einen natürlichen Sohn Johann, den er in Bologna studieren und auch Geistlicher werden ließ[1]. Der Epigrammatiker Engelhard Funck griff[2] ihn wegen seiner Unsittlichkeit und der Menge seiner unehelichen Kinder scharf an:

In Thomam Wolfium seniorem.

Si thermae in Venerem stimulant, quibus arrigis undis?

Ex quo tot vernae sunt tibi fonte Lupi?

Argentina tibi tales tibi, furcifer, undas

Snfficit et nutrit, proh sua damna! Inpas.

Als älterer Mann erwies er sich seinem Neffen Thomas Wolf Junior feindlich, aus Habsucht, wie dessen Freunde sagten, die mit giftigen Versen den Neffen an seinem Bedränger zu rächen suchten. So schrieb z. B. Mathias Ringmann Philesius[3]:

Leges solent plerique nunc sacerdoteS

Vafri die noctuqne versar E

Patrocinantes fas nefasque, sed nome N

Vetamur horum clarius declarar E

Sic namque criminarer aequo plus mordaX.

Schüler Luders könnten auch die beiden Nürnberger noch gewesen sein, die im Wintersemester 1461/62 in der Matrikel stehen, Johann Löffelholz[4] und Gabriel Baumgartner[5]. wenn auch beide noch recht jung waren, Löffelholz (Cocles) war 1448, Baumgartner 1449 geboren. Löffelholz nahm schon 1465 in Padua seine juristischen Studien auf, wo er Lic. legum wurde, Baumgartner ging im Sommer 1463 nach Leipzig und

---

[1] G. Knod, a. a. O., 641 No. 4276. Er muß ihn mit Hilfe von teuern Dispensen dafür legitimiert haben.

[2] H. Holstein in der Zeitschrift für vergleichende Litteraturgeschichte, 1891, 459.

[3] E. Arbenz, Die Vadianische Briefsammlung in St. Gallen, I, 84 (8), 85 (9).

[4] Will, Nürnbergisches Gelehrten-Lexikon s. v. Löffelholtz.

[5] C. Prantl, Geschichte der Ludwig-Maximilians-Universität, I, 72, 73; II, 483.

wurde 1465 dort Baccalar, dann studierte auch er Civilrecht und wurde 1478 Dr. legum in Italien und Professor in Ingolstadt[1]), 1498 Ratskonsulent in Nürnberg († 1503). Er gehörte zu Celtis' Helfern in Ingolstadt. Löffelholz, der patrizischer Herkunft war, wurde Rat Bischofs Georg von Bamberg, Kaisers Maximilian I. und der Herzöge Ludwig und Georg von Bayern[2]), auch Ratskonsulent in Nürnberg. Er war ein feingebildeter Mann, ein treuer Freund des Celtis[3]), der ihn 1495 zum Censor seiner Norinberga machte[4]), und ein großer Bücherliebhaber († 1509).

Nach Luders raschem Abgang verzeichnet die Matrikel im Wintersemester 1466/67 wieder einen fahrenden Poeten, der etwas höher stand, als Luder, einen leibhaftigen Italiener aus Florenz[5]), der wie Luder von der Universität durch freie Aufnahme geehrt wurde: Dominus Jacobus Publicius poesim professus gratis ob reuerentiam sui. Auch er ist nur eine recht vorübergehende Erscheinung gewesen, ein halbes Jahr nur blieb er, nicht mehrere Jahre, wie Kampschulte meinte[6]). Sein voller Humanistenname lautet mit den Standesnachrichten: Magister Jacobus Publicius Rufus civis Florentinus doctoris Jacobi filius. Daß Erfurt der erste Ort seiner Lehrtätigkeit in Deutschland gewesen sein soll, ist bei einem solchen Wandervogel, wie er es war, nicht recht glaublich. Schon im Sommersemester 1467 findet man ihn in der Leipziger Matrikel[7]) als Magister Jacobus Publicii de Florentia, im Sommersemester 1469 ist er in Krakau[8]) intituliert

---

[1]) G. Bauch, Die Anfänge des Humanismus in Ingolstadt, 33, 34, 56, 65.

[2]) Am 8. Januar 1480 ließ er sich bei der Bruderschaft der Deutschen zu St. Maria de Anima eintragen: Johannes Löffelholtz, legum licentiatus de Nuronberga illustrissimi principis et domini domini Georgii comitis palatini Rheni ad sanctam sedem apostolicam orator.

[3]) K. Hartfelder, K. Celtis, Fünf Bücher Epigramme, III, 8, 9, 10; Clm. 716, fol. 296.

[4]) Clm. 351, fol. 52. Der andere Censor war Johann von Dalberg. Mehrere Briefe von Löffelholtz an Celtis in Celtis' Codex epistolaris, Wien, Hofbibliothek.

[5]) Sein methodischer Gegner Johann Riedner nennt ihn „Hispanus"; warum, vielleicht nur infolge eines Mißverständnisses, läßt sich nicht erkennen. S. hier w. u.

[6]) F. W. Kampschulte a. a. O., I, 34.

[7]) G. Bauch, Geschichte des Leipziger Frühhumanismus, 5.

[8]) G. Bauch, Deutsche Scholaren in Krakau, 14.

als Jacobus Publitius, civis Florentinus, doctoris Jacobi filius und im Wintersemester 1470 endlich ist er in Basel[1] nachweisbar. Seine Erfurter Lehrtätigkeit ist trotz ihrer Kürze nicht ohne Folgen geblieben, das Neue, was er brachte, war eine stärkere Hervorhebung Ciceros als Muster der lateinischen Sprache und vielleicht die allererste Ahnung des Griechischen. Seine rhetorisch-epistolographischen Arbeiten, über die er auch in Erfurt gelesen hat und die großen Anklang fanden, wie die häufige Wiederholung des Briefstellers im Druck, in Leipzig[2] bis 1497, belegt, sind „Tulliano more" geschrieben. Alle zusammen sind unter dem Titel Jacobi Publicii Oratoriae Artis Epitoma. Ars epistolaris. Ars memoriae 1485 von Erhard Ratdolt in Venedig gedruckt worden[3]. Der modus punctandi gehört zur Oratoria. Er brachte, wie die Widmungen an Cyrillus Caesar und an den Princeps Tarentinus, Hispaniae dux, darlegen, seine Arbeiten fertig aus Italien mit. Im Briefsteller ist der Aussteller fast aller Adressen der deutsche Astronom und Venetianische Drucker C. Johannes Lucilius Hippodammus aus Heilbronn. Seine Kenntnis des Griechischen brachte die Meinung auf, er habe seine Grundlagen für seine rhetorischen Schriften aus den Schriften des Basilius Magnus an seine Neffen, die er aus dem Griechischen in das Lateinische übersetzt hätte, entnommen[4]. Das Letzte ist wohl ein Quiproquo, eine Verwechslung mit der Abhandlung des

[1] W. Vischer, Geschichte der Universität Basel, 187.

[2] G. Danch, Geschichte des Leipziger Frühhumanismus, 69: Ars conficiendi epistolas elegantissimo Tulliano more noviter in lucem redacta Impressum Lyptzik per Melchior Lother Anno domini M. cccc. xcvij. 4°.

[3] M. Denis, Die Merkwürdigkeiten der Garellischen Bibliothek, 118. Oratoriae Artis Epitoma: vel quae breuihus ad consummatum spectant Oratorem: ex antiquo Rhetorum Gymnasio: Dicendi scribendique breues Rationes: nec non et aptus optimo cuique viro titulus: insuper et perquam facilis memoriae Artis modus Jacobi Publicii Florentini Incubratione in lucem editus: foelici numine inchoat. Erhardus Ratdolt augustensis ingenio miro et arto perpolita impressioni mirifice dedit. 1485. pridie calen. februarii. Venetiis. 4°. (1484 oder 1486 ?).

[4] Breslau, Königl. und Universitätsbibliothek, Ms. IV. Qu. 75. Hier steht bei der Ars epistolaris des Publicius: Magni Basilij rethorica ad nepotes suos non longe ante per egregium artis dicendi laurea insignitum Doctorem Jacobum publicium florentinum de greco in latinum translata.

Basilius[1]) darüber, ob es einem guten Christen erlaubt sei, die Schriften der Heiden zu lesen. Da er als zielbewußter und feiner gebildet wie etwa sein Vorgänger Luder oder gar sein späterer Nachfolger Karoch angesehen werden mnß, so ist er als der erste, aber auch noch frühhumanistisch friedliche Vorläufer der Hochrenaissance zu betrachten. Bei seiner in Erfurt gelesenen Ars distinguendi oder pnnctandi (Interpunktionslehre) tadelt er zwar, daß die Vorfahren aus Trägheit manches Ältere, den Studien Nützliche, hätten verkommen lassen und in Dunkelheit versunken seien, aber er geht nicht angriffsweise gegen die Scholastik, sondern nur als Vorkämpfer für eine reinere und elegantere Latinität vor, lateinischer Poet scheint er selbst gar nicht gewesen zu sein und auch als Grieche trat er wenigstens nachweisbar nicht hervor. Als scherzhaft sei bemerkt, daß er trotz der Klage über die Vernachlässigung der Interpunktion deren Regeln in seinen Werken auch nicht beachtet hat[2]).

Als seinen Schüler dokumentiert sich durch die erhaltenen Nachschriften[3]) der im Wintersemester 1465/66 als Scholar immatrikulierte Johann Knäß (Kneß, Gnas) aus Rheinbergen, der als Artist 1464 Baccalar und 1472 Magister wurde und infolge seiner dauernden Neigung für die Humanitätsstudien später den Poeten eingereiht wurde. 1500 sagt Aquilonipolensis[4]) von ihm: Gnasoni (plaudit) Bercka diserto. Knäß ging, nachdem er vorher noch als Rektorwähler gewirkt hatte, im Sommersemester 1489 nach Basel[5]), wohin die Rheinberger einen starken Zug hatten, und erhielt dort eine Chorherrnstelle mit der Verpflichtung zu lesen oder lesen zu lassen, er war damals schon Baccalar beider Rechte. Er blieb jedoch nicht in Basel, im Sommer 1496 war er Rektor in Erfurt als Lic. utriusque iuris[6]) und Portae coeli

---

[1]) Zu dieser Abhandlung des Basilius vergl. G. Bauch, a. a. O., 30, 67 f.

[2]) F. W. Kampschulte a. a. O., I, 32, 33, liest aus der theatralischen Klage des Publicius über die Vernachlässigung der Interpunktion seine leidenschaftliche Eingenommenheit gegen die erstarrten Formen der hergebrachten Schulgelehrsamkeit heraus!

[3]) F. W. Kampschulte a. a. O., I, 32 Anm. 3; 33 Anm. 1.

[4]) In der Cithara sophialis, s. w. u. in Kapitel V.

[5]) W. Vischer, Geschichte der Universität Basel, 187.

[6]) Th. Muther, Zur Geschichte der Rechtswissenschaft etc., 239, No. 79.

collegiatus. Im Sommersemester 1502 war er als Doktor u. i. und Cappellanus dini Seneri Rektorwähler, ein Jahr später hieß er Canonicus djui Seneri.

Ein Zeitgenosse des Publicins in Erfurt war auch Johann von Dalberg. Er ist in demselben Semester wie dieser gekommen[1]), noch ein Knabe, denn er war erst elf Jahre alt, und blieb mindestens bis 1470 in Erfurt und wurde hier Baccalar. Da Rudolf Agricola 1474 von ihm rühmt[2]), daß er in Erfurt die Artes studiert und die Fähigkeit, „has emendate, acute ornateque disserendi", also anch schon elegante Ausdrucksweise erworben habe, so kann gewiß ein Teil dieses Lobes auf Publicius oder doch auf seine Schüler, die sich seiner Anleitungen zum Lehren bedienten, gedeutet werden.

Lange Zeit vergeht dann nach Publicins, bis wieder ein Poet in die Tore Erfurts einzieht, von dem im Wintersemester 1471/72 intitulierten Dominus Franciscus de Mediolano, artis medicine doctor, ist nicht nachzuweisen, ob er nicht doch auch über Humaniora gelesen hat; auch Publicius war von Beruf Mediziner gewesen[3]). Sicher war ein Poet der im Sommersemester 1482 eingeschriebene Johannes Ryedner de Ludersheim, iuris pontificii doctor, gratis ob reuerentiam uninersitatis huius et rectoris studii Maguntini. Nach dem Eintrage kam er aus Mainz. Riedner[4]) war schon in höheren Lebensjahren und hatte sich ziemlich spät, schon als Magister, den Humaniora zugewendet, aber er stellte eine entschiedenere Richtung als seine Vorgänger dar, er hat z. B. selbst Publicius nicht mehr gelten lassen, wie auch ihm dasselbe Schicksal noch bei Lebenszeiten durch Celtis widerfuhr. Er war ein Freund des Böhmen Bohuslav von Hassenstein und des Straßburgers Peter Schott, mit denen er in Italien bekannt geworden war, als er in Bologna von 1473 an kanonisches Recht studierte. Seine Heimat war Ludersheim bei

---

[1]) Gleichzeitig mit Dalberg trat auch Jeronimus Koberger de Nurenberga ein, der im Jahre 1469 Baccalar wurde.

[2]) K. Mornewog, Johann von Dalberg, 24.

[3]) W. Vischer, a. a. O., 249.

[4]) Zu Riedner vergl. G. Bauch, Deutsche Scholaren in Krakau, 28, No. 7; Derselbe, Die Anfänge des Humanismus in Ingolstadt, 24 f. G. Knod, Deutsche Studenten in Bologna, 451, No. 3054.

Altorf in der Nähe von Nürnberg. Trotz des Überganges zum
kanonischen Recht schlug er doch als Doktor die Laufbahn eines
Poeten und zuerst die eines fahrenden ein. Im Wintersemester
1479/80 ließ er sich als Poeta in Krakau eintragen, ohne sein
Doktorat im Recht zu erwähnen, am 10. November 1480 schrieb
ihn die Rostocker Universität in ihre Matrikel: Johannes Ryedner
de Lndersheim poeta honoratus per universitatem, wieder als Poeten
und als solchen geehrt durch die Erlassung der Gebühren und
ohne Zusatz des Doktortitels. Von Mainz kam er endlich mit
Empfehlungen nach Erfurt, doch schon am 4. März 1484 ist er
in Ingolstadt als Dominus Johannes Riedner de Altorf, arcium
ac utrinsque iuris doctor oratorque et poeta, fest angestellt. Bis 1494
wirkte er dort als Dozent der Rhetorik und Poetik, seit 1492 von
Celtis, dem er den Zugang zur Anstellung versperrte, als „vetulus poeta" oder „poetaster" verächtlich angefeindet[1]. Seine
Richtung lag weniger in dem Ankämpfen gegen die Scholastiker,
er hat in Ingolstadt ganz friedlich mit ihnen gestanden, als in
dem Angriffe der humanistischen Vorläufer. In der Einleitung
zu seiner Ratio conficiendarum epistolarum, die er 1492 auf Wunsch
seiner Ingolstädter Zuhörer zusammenstellte[2]), wendet er sich be-

---

[1]) G. Bauch, Die Anfänge des Humanismus in Ingolstadt, 33, 55.
Vergl. auch das Spottgedicht, Libri odarum quatuor, II, 4:

Ad vetulum poetastrum et rapofagum.

Bis denos (memorant) tibi per annos
Germanus iuuenis poeta dixit,
Orator vehemens volens vocari,
Nullos versiculos tamen reponis,
Nulla carmina dedicans amicis,
Noc verba intrepidus soluta scribis.
An tantam tibi gratiam tuorum
Librorum vetulus poeta seruas?
Ceu quondam Solymi dei minister
Arcanum voluit latere sacrum.
Sed te iam pudeat coli poetam,
Vel saltem mihi versibus respondo,
Sed nullis mihi versibus respondes.
Jam dicam vetulus poeta non est
Dignus multifidum docere vulgus.

[2]) München, Universitätsbibliothek, Codex 4°. 527, fol. 55 f.

sonders gegen die „moderni nutores," gegen den Engländer Gal-
fried Vinesanf (c. 1220), den Hispanns (!) Publicius und den
Germanns bassns Anton Hanckaron (Hanck, Haneren), die
„barbariem snam et propria somnia euumuerunt." Daß er Galfrids veraltete Summula dictatoria angriff, war gewiß berechtigt,
daß er Hanckarons Compendium de breuibus et epistolis [1] an-
faßte, der ebenfalls in Italien, in Pisa, studiert hatte und als
Lehrer der Oratoria in Loewen wirkte, zeigt den Fortschritt der
humanistischen Bewegung, ob er selbst jedoch Publicius weit
übertraf, ist zu bezweifeln, nnd sein Angriff gegen ihn ist wohl
nur auf die Rivalität zwischen Männern derselben Richtung zurück-
znfülhren. Allerdings erstreckte er den Bereich seiner Muster
etwas weiter als jener hinaus, er wollte, was „Cicero, Fabius
Quintilianns et ceteri cloquentissimi de epistolis censissent" in
seiner Darstellung, die ziemlich kurz ausgefallen ist, geben. Im
übrigen scheint auch er ganz ähnlich wie Publicins neben der
Briefpflege Rhetorik nnd Mnemotechnik besonders gelehrt zu
haben [2] nnd wie von Publicius ist auch von ihm kein Vers
bekannt [3]. Celtis bekämpfte ihn dann mit denselben Waffen und
mit Versen dazu.

Von Schülern Riedners in Erfurt verlautet nichts, doch
wurden im Sommer vor ihm Andreas Hundern aus Breslau
und in demselben Semester wie er Jakob Questenberg ans
Wernigerode und Gregor Lengsfeld aus Breslau eingetragen,
die alle drei dem Hnmanismus angehören [4].

Wie wir von Langen zu Luder eine Stufe hinabsteigen
mußten, so ist von Riedner zu dem nächsten fahrenden Poeten
noch einmal ein größerer Schritt nach unten zu machen: Erfurt
hat auch den Vorzug gehabt, den von Heinrich Bebel so schlecht

---

[1] Clm. 3111, fol. 268; Cpv. 3244, fol. 183, Breslau, Universitätsbibliothek, Ms. IV. Qu. 75, fol. 144.

[2] Beides steht hinter seiner Ratio conficiendarum epistolarum in dem
Codex der Münchner Universitätsbibliothek.

[3] Daher der Vorwurf des Coltis gegen den Poeta ohne Verso. S. 57,
Anm. 1. Celtis gab mit seiner Epitoma in utramque Ciceronis rhetoricam, Ingolstadt 1492, die ebenfalls eine Ars epistolaris und eine Ars
memoratina enthält, eine Konkurrenzschrift zu Riedners Vorlesungen.

[4] Zu den drei Männern s. w. u. in Kapitel IV.

behandelten[1]) Samuel de Monte rutilo, Samuel Karoch aus Lichtenberg in Oberösterreich[2]), einen spezifischen Repräsentanten des Übergangs vom Mittelalter zur Neuzeit, aufzunehmen. Sein Name fehlt allerdings in der Matrikel, aber es liegen doch schriftliche Zeugnisse von seiner Hand und auch andere, ortsangehörige, vor, die das beweisen, nur die Zeit seiner Ankunft ist gänzlich unbekannt, doch auch sie läßt sich ungefähr feststellen.

Auf seiner Rückkehr aus Italien sprach er als Bedürftiger und Augenkranker bei Bohuslav von Hassenstein, dem berühmten böhmischen Humanisten, vor, als er in dem benachbarten Kaaden einen Arzt suchte. Im Wintersemester 1462/63 ließ er sich in die Leipziger Matrikel einschreiben[3]) und produzierte dort seine Künste. Wattenbach nennt diesen Apostel des Humanismus und Urtypus der fahrenden Leute, um die Höhe seiner poetischen Leistungen zu veranschaulichen, er liebte nämlich, seine Dichtungen, meist singbare echte Carmina burana, ohne Sorge für andere, metrische Feinheiten, zu reimen[4]) und auch wohl deutsche Zeilen

---

[1]) Er sagt in seinem Commentarius epistolarum conficiendarum: Samuel de monte rutilo. Vagatur etiam hincinde per Germaniam quidam Samuel, ineptiarum plenus, multos barbarismos seminans, nihil docens praeter incultos rhythmos (quos dicunt) facere et reliquas latinae linguae calamitates, a quibus, precor, caucas tanquam ab aspidum venenis. Commentaria epistolarum conficiendarum Henrici Bebelij Justingensis, poetae laureati, poeticam et oratoriam publice profitentis in studio Tubiugensi. Straßburg 1513, 4°, fol. II b.

[2]) Über diesen Mann handelt W. Wattenbach in der Zeitschrift für die Geschichte des Oberrheins Bd. XXVIII, Heft I. Wir zitieren nach dem Sonderabdruck: Samuel Karoch von Lichtenberg, ein Heidelberger Humanist. Vergl. auch F. Zarncke, Die deutschen Universitäten im Mittelalter, I, 84, 239. Da Lichtenburgk australis als Karochs Heimat bezeichnet wird, so ist das wohl Lichtenberg in Oberösterreich.

[3]) Leipziger Matrikel W. S. 1462/63: Samuel Caroch de Lichtenberg. Daß er 1466 noch einmal in Leipzig gewesen sein sollte, ist wohl unwahrscheinlich.

[4]) So z. B. (Wattenbach, 8):

Salue, tu cara anus,
Quam nec Boetius nec Alanus,
Therentius neque Plautus
Neque Ouidius lautus
In eternum salutauit. etc.

dazwischen zu mengen[1]), einen humanistisch gefärbten Bänkel-
sänger[2]). Dieses zutreffende Urteil hat für uns noch ein besonderes
Interesse, weil der gute Samuel, wie man noch hören wird, von
der Güte seiner Poesie, weil sie Beifall fand, nicht gering dachte
und dieses edle Selbstgefühl gerade in Erfurt hervorkehrte. Nicht
viel besser als mit der Poesie stand es mit seiner Prosa. Trotzdem
hat er, wie die zahlreichen erhaltenen Abschriften seiner Werke
zeigen, auch seine Verehrer gefunden, und eine seiner Produktionen, die von Bebel so hart verurteilten Sinonoma (!) partium
indeclinabilium, wurde noch in den neunziger Jahren in Leipzig
gedruckt[3]). Wie lange er sich in Leipzig gehalten hat, ist unbe-
stimmbar, seinen Abschied von Leipzig nahm er mit einer Arenga
de commendatione studii humanitatis atque amenitate estiualis temporis, und damit schwindet wieder die Kunde von ihm für viele
Jahre. Endlich tauchte der trotz jämmerlicher Existenz immer
wieder zur Heiterkeit neigende Vagant[4]) am 16. April 1472 als
einer der ersten Immatrikulierten an der neuen Universität Ingolstadt auf[5]). Die Matrikel notiert ihn als Magister Samuel de

---

[1]) Vergl. seine Barbaralexis, deren Anfang lautet (Zarncke, 84):

> Quicunque velit amare
> Wybor oder junckfrowen,
> Magno in gaudio stare,
> Der soll gar oben schowen,
> Ut fungatur prudentia,
> Er möcht die sach verderben,
> Summa foret dementia,
> Und kündt kein lieb erwerben,
> Que placeret; sed haberet
> Gar grosse rüw, by müner trüw.
> Amans, age caute.

[2]) Wattenbach, a. a. O., 11.
[3]) G. Bauch, Geschichte der Leipziger Frühhumanisten, 5: Sinonoma
partinm indeclinabilium magistri Samuelis de monte rutilo epistolari
norma contexta. loquendique ornatum ac maiorem immodum efficaciam eloquen-
tie conducentia. O. O. u. J. (Leipzig, Arnold von Köln.) 4°.
[4]) Er singt von sich (Wattenbach, 5):

> Cor iocundum semper gesto,
> Et si marsubio gradior mesto,
> Aliorsum at cogor prosilire.

[5]) G. Bauch, Die Anfänge des Humanismus in Ingolstadt, 7, 8.

Liechtenberg (de monte rutilo) poeta. Nach dem Jahre 1476
ist er in Heidelberg[1]), auch dort ist er wie in Erfurt nicht in der
Matrikel verzeichnet, aber durch einen Brief an den kurfürstlichen
Sekretär Jakob Winter steht fest, daß er sich in Heidelberg
betrunken hat und wie in Leipzig an barem Geld Mangel litt.
Ostern 1480 nahm ihn die Matrikel der Universität Tübingen auf,
und hierbei diktierte er selbst seine Armut in die Feder: Magister
Samuel de Monte rutilo poeta. Nihil dedit, quia pauper. Da
er zweimal Magister genannt wird, mag er doch wohl den Grad
während seiner Wanderungen erworben haben. Bevor er ganz im
Dunkeln verschwand, wurde Erfurt Schauplatz seiner Tätigkeit;
aus dem Folgenden werden wir ersehen, daß sein Erscheinen
daselbst etwa in das Jahr 1483 zu setzen ist.

Ein Anschlag Karochs, der die „domini", die seine blumen-
reiche Arenga, „quam ipse poetatus est", ad pennam nehmen, und
die Studenten, die Briefe an ihre Eltern oder andere geschrieben
haben wollten, zu sich „ad hospitium zcum stezel" einlud[2]), natürlich gegen „bibales", geht einem langen klageführenden Anschlage
in der handschriftlichen Überlieferung voran, der sicher in Erfurt
angeheftet worden ist, und zeigt daher wohl, daß er hier mit seiner
Leipziger Arenga als etwas an dem Orte Neuem debütierte. Eine
andere Einladung „De amore" wurde zu seinem großen Schmerze
von böswilligen Händen abgerissen; dieser Anschlag bezog sich
vermutlich auf „Samuelis Karoch poete epistola de amore", die
auch noch heut existiert[3]). Seine bewegliche Klage brachte er in
einem Anschlage vor, durch den er Erfurter Hörer für den nächsten
Tag um zwölf Uhr mittags zum Besuch seiner Einleitungsvorlesung

---

[1]) Wattenbach, a. a. O., 12, 13.

[2]) Wattenbach, a. a. O., 6, 7. E. Böcking, Ulrichi Hutteni operum
supplementum II, II, 463, erwähnt von Karoch aus der Gymnasialbibliothek
in Gotha den Dialogus inter virum, adolescentem et virginem und eine
Epistola missiva et petitoria omnes pacne scholarium miserias lucide
declarans. Nach H. Habich, Codicom miscellaneum bibliothecae gymnasii
Gothani descripsit etc., Programm des Ernestinums 1860, 3. 16.

[3]) Breslau, Universitätsbibliothek, Ms. IV. F. 68, fol. 15: Samuelis
Karoch poete epistola de amore incipit foeliciter. Cum summo desiderio
mentis etc. Es steht wirklich foeliciter da, das paßt zu Wattenbachs
Bemerkung, a. a. O., 7. Anm. 1.

in die rhetorischen Praecepta des **Augustinus Datus Senensis**
aufforderte[1]). Wir lassen das Schreiben als Probe seiner eigenen
lateinischen Rhetorik bis auf den unverständlichen Schluß folgen.

Crastina refulgente luce (si vita comes fuerit) **Augustini
Dati Senensis** praeceptorum (que interna redolent dogmatum
suanitate) **Samuel Karoch** poeta preambulum vigilanti declara-
turus est opera hora meridiei duodecima. Ad hunc sincerum actum,
studens amande, agili aduola gressu. Haberem edepol dominis
meis alterius rei nonnullas propallare reculas, set, studens subli-
mis, ipsus sum veritus, [ne] nephasti esterno contempner [con-
tempnar] probro, neue scedulam (per huiusce prefulgide humanitatis artis emulos) dilaniari oporteat. Miror, inquam, id ipsum
miror item istoc factitantem triumphi, nam sortem ipsum censeo
pugilem. Quid, zodes, o **Erfurdensis** uniuersitas insignis, tante
obliuionis tuorum pignorum masculus ad te in fiduciali confugien-
tis confidentia tam repentino furtu semouet scedulas ? Quis, o
mater celeberrima, tam etrocliti capitis homuncio easdem infringere
suapte audet, cum nusquam gentium factum itidem facto mihi
sciret, et plurima cum perlustrauerium studiorum loca, collegia
quoque preterea illustria ? Opinor ercle, an id propterea esternas
meas detestati fuerunt cedulas nonnulli deuoti, quoniam de amore
significarunt. Possunt tamen religiosi illi patres (qui nihil unquam
eiuscemodi commiserunt facinoris), priusquam easdem discerperent,
experiri, quid rei esset. Ego nempe studentibus preclaris scurri-
litatis tradidi (hic vel alibi) haud quitplam : periculo id per se
ipsos demonstrari potest. O venerandi huius alme uniuersitatis
magistri ! hoc lepidum dignemimi (hortor) exagitare caput, ne
posterius me tanti discriminis subiciat dedecori. Attento quod
nulles preter festiuas vestras dominationes habeam, quis conquerer
[conquerar] illatas michi inepcias, ad vos per ecastor desideratos
meos confugio tutores; vos quoque haut iniuria defensum me habe-
bitis, cum non instar beani bachantica infuluia [insulsitate ?] educatus sicut [oder sim?] verum presignium velim [veluti ?] studeorum
sorbicio (quantum deus dedit) nutritus. Expedit ergo meum inter
mei generis versari collegas, exteris non communicare artem bachan-
ticis pecudibus.

---

[1]) Wattenbach, a. a. O., 5, 6.

Er hatte also fromme Mönche im Verdacht wegen der Untat; aber er zog sich auch noch andere Gegner zu durch eine Äußerung, die die einheimischen Poeten schwer kränkte, indem er, der Mann sans gêne, behauptete, und gar nicht so ganz mit Unrecht, denn steifleinen waren mindestens die meisten, Erfurt habe nur hölzerne „Metristen". Aus Furcht vor dem längst als Poeten beliebten Samuel wagte sich aber keiner als Verteidiger der Ehre der Universität an ihn, bis der Poet Heinrich Bogor[1]), der mehrere Jahre fern gewesen war, wieder eintraf, der nun, obgleich Karoch schon wieder verschwunden war, auf Bitten seiner Kollegen in Apollo ganz ernsthaft gegen ihn zu Felde zog und seine Invektive[2]) damit sie nicht ein bloßer Libellus famosus bliebe, vor ihrem Ausgange dem Rektor des Wintersemesters 1483/84 Doktor beider Rechte, Propst zu Salza und Dechanten zu St. Mariae Marcus Decker vorlegte:

Cuiusdam Samuelis stolidicapitis ab Erffurdia explodio[3]).

Erffurdensis apex studij, venerande monarcha,
Digne choraula, decens here, prestantissime rector,
Interpres iuris utriusque, verende decane.

Nudius hanc maciem vigili lime Samuelis
Subdere deereui vos visere quippe, priusquam
Hinc emissa foret. Sed quo re teste profectus
Ipse sit, ignoro; mecum ecce diu stetit anceps
Mens mea, nutauit[4]) sententia pendula, discors
Ipse fui, volens[5]) iam iamque nolens, mihi dudum
Corde volutatum tandem perducere ad actum.

Post scrutatus, eum tritum non esse poetam,
Non consulto aliquo renui, suspendere ceptum,
Vestra confidens bonitate huius modo libre
Vix latera equaram, mea pauperies venit ergo,

---

[1]) Zu diesem w. u. im Kapitel IV.
[2]) H. Bogor, Etherologium fol. 48.
[3]) explodio steht für explosio.
[4]) Im Druck steht: mutauit.
[5]) Im Druck steht: nolens.

Heu mendica faui, dulcoris inops, salis orba,
Feda pedes, impexa caput rugosaque ventrem,
Materia facilis, neglecta situ, rea verbo.

Hanc quo baptisem cognomine, nescio, Musam
Si vocitem, plectro non est audita canoro;
Si scriptum, calamus non est huic arte politus,
Pagina et immerito dicetur floris egena.
Cum patule gradiatur, eam non dico poema,
Nec textum dicam tam multo fragmine sutam;
Commentum dicta sapiontum a mente remota est.
Ac alijs multis collata remurmurat illis,
Cum non sit, non ens, quod sit, mi phebe, referto:
Sit pueri musella, refert et scoria scripti,
Paruule paginule sit amurca poesis et umbra,
Simea sit textus commentique assecla clauda,
Vel mauis, carmen dicatur, causa fauebit,
Nam forma hac usi censentur mente carere[1].

Vestem pannosa, vultu oblita, scematis expers,
Non verita est, claros magnatum accedere vultus,
Nec pudet, intonsam phaleralis se addere musis,
Quamuis illepidi sit murmuris, audet, amenis
Se conferre choris, rudens ut turpis asella.
Hac squalens macie mea pauperies venit, inquam,
Vos visura ioci causa ceu noctua phebum,
Que quamuis digitis tractari porro tenellis
Diguetur, numine nec torua fronte repelli
Digna erit, imo velim, medio sub pondere constet.
Mirari poterit dominacio vestra, nec ab re,
Tantillus tanto quare dare tale quid ausit.
Im promptu causa est reuerentia prona minorum
Debita supremis reuera poplite flexo.
Tum prece, tum iussu compulsus nempe meorum
Hoc cecini brodium iuuenili vile coturno,
Obloquljs etenim Samuelis nuper obesi

---

[1] Man beachte das Wortspiel: carmen und mente carere als beabsichtigte Selbstironie und rhetorische Bescheidenheit.

Dicentis, studium hoc se iudice ferre metristas,
Lignea quis¹) merita solum debentur, homellum
Ad vada me modicum statuerunt primo probanda,
Dignum ducentes, infame id habere repulsam,
Sed dedignati penitus certamen inire,
In quo, seu vincant, seu vincantur, tamen alter,
Id quo cum geritur, consuet sedare triumphos,
Huius molis onus ad me voluere²) referre:
Credo expertorum nullum vidisse, quod, usquam,
Nondum plantate folium arboris erret in orto,
Semine non iacto palea exqualescat imago,
Prolis non genite cum pupa ludere querat.
Me tamen elinguem tentare id, mirius extat,
Ut, qui non didici, iam presto docere quid ansim
Nomineque illorum (quibus auditis Maro raucus,
Naso paruiloqnus et mutus Oratins esset)
Verbum habeam ignorans cognomina solis equorum.
Sed tanto affectu matri deuincior alme,
Que veluti terna donauit me genitnra²),
Ut queuis, grania quamuis, tormenta, nec ipsam
Mortem dedigner pro illius honore subire.
Quos pene innumeros ab origine sonit, alumnis
Laudatu dignis est egra iniuria tali,
Tam ignauo prorsus a presumptore nigrari.
Multorum ipse togis inijcit conuicia, quorum
Plantis vix digne daret oscula, culpat inique
Artes nostratum siliquis indignus earum
Et nunc voce tumens se iactat cespite claro.
De rutilo monte dicam, de valle palustri
Vel de ranifero latone gurgite natum,
Vox illi ranca est, rane⁴) similisque dicaci,

---

¹) quos steht im Druck. Hiernach könnte der Spaßvogel Samuel
gemeint haben, die einheimischen Pooten verdienten für ihre Leistungen
hölzernen Lohn, d. h. Prügel.

²) Im Druck steht: voluere.

³) Die dritte Geburt, die menschliche, die religiöse durch die Taufe
der Kirche und die wissenschaftliche durch die alma mater.

⁴) Im Druck steht vane.

Tum limo gaudet, tum non maledicere cessat,
Si non indigena, sit tibi saltem incola, queso,
Donec peniteat illum sceleris modo tanti,
Cum nec dulcisona volucrum sit pastus in arce,
Nec vim stellarum, nec nomina nouit earum,
Nec iam cecutiens visum omnes spargit in oras.
Nolim, menticole dignetur nomine, verum
Gnato mensipeta vocitabitur aptius, ex quo
Cantum, quem testa mendicauit variatim,
Undique protendit, ubi nouit pabula gustus,
Prima fronte agilis peregrina militat hasta,
Sed non plura potens finem quasi fessus anhelat
Ac iterans verbum, pol sermonem orat eundem,
Quo fit, ut auditum subito fastidiat omnem.
Nolo, ferat graviter, que vere pace sua for,
Terreor ast minime, licet arroget ore prophete,
Sed placet (et vobis mihi spectatore celebri)[1]),
Certet amebeo mecum certamine, posco.
Si vincar, surgent certatim protinus omnes,
Quos hinc anguina studuit subrodere lingua,
Deque redemptore certus non horreo vinci;
Si vincam, ipso in eam iam declinante latebram,
Unde redargutus doleat, plaudens ego dicam:
Victus pigmeo[2]) non occursabit Achilli.
Qui queat hoc vobis[3]) melius decernere, nemo est.

Vestra, velim, valeat pietas, industria crescat,
Integritas maneat, probitas stet, caneat etas,
Culmen, honos nomine vigeat, viuat, memoretur,
Dum caput orbis erit, dum sedes summa nitescat,
Dumque ortus[4]) venie, dum suprema ecclesiarum,
Re, vi, virtute prestans, dum Roma manebit.

---

[1]) Hier ist das dem Humanismus fremde vobis der Anrede als Singular für te mit spectatore celebri zu verbinden.

[2]) Im Druck steht: pigineo.

[3]) Vobis und das folgende vestra sind wieder für te und tua gesetzt.

[4]) Ortus steht in damals noch üblicher Weise für hortus: Hortus venie ist auch Attribut zu Roma.

Nach einer später gedichteten panegyrischen Elegie Achademie Erffurdiensis tunc pestis occasione incipientis dispergi presconisatio[1] sagt dann noch[2] Boger als „ligneus metrista":

In ludibrium dicti Samuelis.

Hos versus nineos, quos ligneus ipse metrista
Cuderat in primis glaciali vomere nuper,
Discutiat Samuel quesiti iudicis instar;
Ocius emondet, que lima novit egere.

Die Preconisatio Bogers ist in ihrer handschriftlichen Überlieferung[3] mit dem Jahre 1484 datiert, die Seuche scheint nicht schlimm geworden zu sein, denn sie störte z. B. das Baccalaureatsexamen nicht, das „in antumpno tempore pestilencie" ruhig vor sich ging, aber aus dem angehängten stolzen ironischen Dichterepigramm ersieht man dafür, daß die freche Lästerung Samuels in Erfurt noch immer nicht verschmerzt war. Karoch hätte sich vermutlich trotz des Angriffes über die Invektive, wenn sie in seine Hände gelangt wäre, wohl mehr gefreut als gegrämt, weil darin stand, daß er kein „tritus poeta" sei. Nicolaus von Bibra hätte vielleicht eine bessere Satire geschaffen als Boger. Und daß Samuel als Poet lange beliebt blieb, brachte seine Verse in die Epistolae obscurorum virorum[4].

Wie später in Ingolstadt Riedners Nachfolger als Lector ordinarius in studio humanitatis, so wurde Konrad Celtis in Erfurt auch sein Nachfolger als fahrender Poet. Die Matrikel weiß nichts von seiner Anwesenheit[5], aber daß er Erfurt nicht bloß als Durchgangsort auf seiner ersten Reise von dem Westen nach dem Osten berührte, verrät die Zahl seiner älteren Freunde

---

[1] H. Boger, Etherologium, fol. 87. Er feiert darin einen Magister Hornus (Hoyer?) als vielseitigen Artisten.

[2] H. Boger, Etherologium, fol. 88b.

[3] Wolfenbütteler Codex 58. 6. Fol., fol. 54. Scrisciens (?) in universum quasi orbem vniuersitatem dispergi hoc effinxit laudis proconium etc. 1484. Dahinter auch hier, doch ohne Überschrift, die vier Zeilen gegen Samuel: Hos versus etc.

[4] E. Böcking, Ulrichi Hutteni Operum Supplementum I, 21.

[5] Die Matrikel hat in W. S. 1467/68 einen Namensbruder von ihm: Conradus Bickel de Martpurg. Ein anderer Namensbruder ist im S. 1440 in Heidelberg eingetragen: Conradus Bickel de Donlanden.

5*

und Verehrer, die noch im Jahre 1497 seiner treu anhänglich
gedachten.

Am 1. Februar 1459 war Konrad Pickel als Sohn des
Winzers Johann Pickel[1]) in dem Dorfe Wipfeld bei Schweinfurt
geboren. Nachdem er von einem Bruder, der Mönch war, den
ersten Unterricht erhalten hatte und vom Vater dem elterlichen
Berufe zugeführt worden war, bewog ihn die Lust zum Studium,
die Heimat heimlich auf einem Mainflosse zu verlassen. Am
14. Oktober 1478 ist er in Köln[2]) immatrikuliert: Conradus
Pyckell de Swefordia diocesis Herbipolensis ad artes iurauit et
soluit, am 1. Dezember 1479 determinierte er sub magistro
Hermanno Cliuio als Conradus Bickel de Sweinfordia pauper
und wurde somit Baccalar der Artes[3]). Am 13. Dezember 1484
ist er als Conradus Celtis de Erpipoli in Heidelberg aufgenommen
und wurde daselbst nach Rezeption als Kölner Baccalar am
19. März 1485 um 10. Oktober 1485 an fünfter Stelle als
Conradus Bickel de Wyttfeld zur Licentia in artibus in via
realistarum zugelassen und determinierte als Magister unter dem
Magister Johannes Heym aus Wynheym am 20. Oktober. Er
hat so den artistischen Kursus rite durchgemacht. Aus der
Namensform Celtis in der Matrikel, die er bald noch durch
Protucius identisch erweiterte, könnte man folgern, daß er schon
bei seinem Eintritt in Heidelberg dem Humanismus nicht mehr

---

[1]) Der Name des Vaters steht in der Krakauer Matrikel S. S. 1489:
Conradus Celtis Protacius Johannis de Herbipoli.

[2]) Die hier zum ersten Male richtig angegebenen Daten über Celtis'
Studienzeit in Köln verdankte ich der Güte des Herrn Stadtarchivars Dr.
H. Keussen. Der Biograph des Celtis, E. Klüpfel, ist überall bei den
Universitätsdaten von seinen verehrten gelehrten Freunden angeführt worden.
Bei Köln hat er, I, 53, 54, einen genauen, aber leider ganz erfundenen
Auszug aus der Matrikel von Professor Thaddaeus Dereser erhalten,
der schon deshalb hätte verdächtig sein müssen, weil der achtzehnjährige
Celtis darin als minorennis, d. h. unter vierzehn Jahren, bezeichnet wird.
Diese Pseudoimmatrikulation soll nämlich im Jahre 1477 erfolgt sein.

[3]) Zwischen 1479 und 1484 hat wohl Celtis schon Wanderungen
unternommen, denn wenn er im W. S. 1484/85 in Köln gewesen wäre, hätte
er dort schon von dem fahrenden Humanisten und Hebraisten Wilhelmus
Raimundus Mithridates Romanus Griechisch und Hebräisch lernen
können. G. Dauch in der Monatsschrift für Geschichte und Wissenschaft
des Judentums N. F. XII (XLVIII) Jahrgang, 79.

fernstand, die tiefere Einführung in denselben verdankte er jedoch Rudolf Agricola, der ihm auch die einfachsten Rudimente des Griechischen und des Hebräischen übermittelte[1]. Das Zusammenleben mit Agricola war nur ein kurzes, ein nicht ganz halbjähriges, denn schon im Mai 1485 ging Agricola mit Dalberg nach Italien, um erst im Herbst (September) 1485 krank wiederzukehren und am 27. Oktober in Heidelberg zu sterben[2].

Mit dem Ende des Jahres 1485 oder dem Anfange von 1486 begab sich Celtis auf die Wanderschaft, in Erfurt hat er wohl am Ende des Wintersemesters und noch im Beginn des Sommersemesters 1486 lehrend geweilt, im Sommer war er bereits lehrend und arbeitend in Leipzig[3]. Daß er noch zu Anfang des Sommersemesters in Erfurt war, darüber belehrt uns das eigene Zeugnis seiner Schülerschaft von Conradus Mutianus Rufus, er spricht zu deutlich[4], als daß man seine Worte falsch verstehen könnte: „Chunradum Celten, preceptorem olim nostrum." Mutianus war im Sommersemester 1486 in Erfurt eingetreten. Auch der bald zu erwähnende Brief des Peter Petz aus dem Anfange des

---

[1] Vergl. das Epigramm des Celtis vor seiner Ars versificandi et carminum (Leipzig 1486):

Ad lectorem.

Non mihi per lacios concessum est irc colonos
Euboias rupes nec superasse datum
Musa tamen tenui calamo dat pangere carmen
Et phœbus varias prestat in arte liras
Quas qui nosse voles trutina et pensare modesta
Non me Rudolfum pange sed Agricolam
Qui secum placidas abduxit vertice musas
Aonio: meque his Hedeleberge fonens
Quique mihi tribuit aliena ydeomata: grecos
Noscere et hebreos: doctus utrosque legens
Cui lacere indigna ruperunt fila sorores
Rudolfum Agricolam fac deus arce beet.

[2] K. Morneweg, Johann von Dalberg, 92, 100, 101.
[3] In der Widmung an Herzog Friedrich III. von Sachsen vor der Ars versificandi sagt er, daß sie in Leipzig „graui caucri estuante sidero" geschrieben sei.
[4] K. Gillert, Der Briefwechsel des Conradus Mutianus, No. 594.

Jahres 1497 setzt voraus, daß Celtis mindestens zehn Jahre früher in Erfurt war[1]).

Hat sich auch gar keine Nachricht über die Lehrstoffe des Celtis in Erfurt erhalten, so ist um so lehrreicher die Beschaffenheit des Kreises seiner Freunde. Dazu gehörte der Theologe und Kollegiat am Collegium maius Peter Petz aus Würzburg, der schon im Sommersemester 1462 in der Matrikel steht, 1465 Baccalar. 1470 Magister wurde und 1472 sich zwar als Magister artium in Ingolstadt immatrikulieren ließ, aber wieder nach Erfurt zurückkehrte, und im Sommer 1482 das Rektorat führte, während dessen Doctor theol. wurde[2]). Er war ein Anverwandter von Celtis und sein Gastfreund, jedoch ein herzlich schlechter Lateiner[3]. Dann ist der Landsmann von Petz und sein Mitkollegiat am großen Kolleg Magister Nicolaus Lörer aus Würzburg zu nennen, er war im Sommer 1471 immatrikuliert, 1473 zum Baccalar und 1476 zum Magister promoviert worden und wird bis 1494 öfter als Rektorwähler aufgeführt, im Wintersemester 1493 bekleidete er das Rektorat. Das waren Franken. Als dritten kennen wir[4]) den poetischen Magister und Kollegiaten des großen Kollegs Konrad Schechteler aus Alsfeld, der im Sommersemester 1459 schon als Scholar immatrikuliert, 1462 zum Baccalar, 1466 zum Magister befördert worden war und im Winter 1476/77 das Rektorat verwaltet hatte. An diese Artisten und Theologen reiht sich der Magister und Doctor med. Nicolaus Institoris von Gengenbach, dieser gehörte der Universität gar schon seit dem Sommer 1449 an und

---

[1]) Daß Celtis, wie Erhardt a. a. O., II, 12, 13, annimmt, mit dem im S. S. 1485 immatrikulierten Conradus Scheffer de Sweinfort nichts gemein hat, ist heut leicht nachzuweisen, da wir Celtis' artistische Studien kennen. Konrad Scheffer ist im W. S. 1474 in Leipzig immatrikuliert. wurde dort im W. S. 1475 Baccalar und in Erfurt 1486 Magister. Später, 1491, war er Schulmeister in Schweinfurt. V. Völcker, Geschichte der Studienanstalt Schweinfurt, 8, 9.

[2]) Petz war noch im S. S. 1505 Rektorwähler. Vielleicht ist er auch der c. 1509 von Mutianus erwähnte Freund Herbords von der Marthen Petns. K. Gillert a. a. O., No. 116.

[3]) Das bezeugt sein Brief an Celtis. In dem Briefe sagt er: „Et utinam nunc sicut olim altissimus conrictum concederet utriusque eum saluto". In der Überschrift sagt er von Celtis suo affini colendo.

[4]) S. oben in diesem Kapitel, 51.

war, seit 1452 Baccalar, seit 1458 Magister, in den Sommern 1474 und 1483 Rektor gewesen. Schon im Wintersemester 1478 wird er als Rektorwähler Dr. med. genannt. Und damit auch die Juristen nicht fehlen, so ist der berühmte Henning Goede aus Werben, gewöhnlich als Havelberger bezeichnet[1]), anzuführen, der im Sommersemester 1464 nach Erfurt gekommen, 1466 Baccalar und 1474 Magister geworden war, während Celtis' Gegenwart für den Sommer 1486 zum Rektor gewählt, in seiner Amtszeit Licentiat und 1489 Doctor beider Rechte wurde. Ein derber, doch heiterer Genosse war endlich noch Bavarus, der von Konrad Schechteler in seinem Rektorat, Winter 1476/77, aus gutem Willen gratis immatrikulierte Albert Peyer oder Beyer aus Nürnberg.

In einem Briefe[2]) vom 27. Februar 1497 gibt Petz Celtis noch Auskunft über diese Männer. Von sich selbst erzählt er, daß er seit neun Jahren Canonicus beatae Mariae virginis sei und eine schöne Kurie, die für Celtis als Absteigequartier bereitstünde, besitze. Bavarus, der einst, wie Celtis sich erinnere, im Namen von hundert Teufeln die Stimmung Unverschämter zu bändigen pflegte, sitze bei ihm, dem Schreiber, denke immer noch mit großer Zuneigung an Celtis und grüße ihn ungezählte Mal. Bavarus ist Notar und durch Verheiratung mit der damals schon so oft besuchten Margarete Weberin wohlhabend geworden. Magister Nicolaus Lörer, der einstige Mitkollegiat, ist eben

---

[1]) Zu Goede vergl. Th. Muther, Zur Geschichte der Rechtswissenschaft, 121 f., 235 No. 67, 875 f.

[2]) Im Codex epistolaris des Konrad Celtis auf der Wiener Hofbibliothek, IV, 5, mit dem Datum Ex Erford in secunda feria post Oculi mei in Quadragesima Anno 94. Das Jahr 1494 ist falsch, weil der im Briefe als „pridem defunctus" bezeichnete Lörer noch im Wintersemester 1494/95 Rektorwähler war. Und da Petz erzählt, er sei vor der Pest in Erfurt nach Nürnberg gewichen, so stimmte auch das Jahr 1495 oder 1496 als Briefdatum nicht. Nach der Matrikel der Artisten war die Pest in Erfurt im Jahre 1496, in Nürnberg war sie gerade 1494, und so bleibt nur das Jahr 1497 übrig. Bei dem Baccalaureatsexamen von 1495 steht schon: Examen anticipatum de octoginta personis et nonem, quod peractum debuisset fuisse in autumno, sed in die inventionis sancti Steffani (3. August) propter instantem epidemie morbum celebratum est. Bei dem nächsten Examen in der Passenzeit 1496 gab es nur acht Baccalaureanden und bei dem Magisterexamen Nicolaus Marschalks 1496 steht: tempore pestilencie.

gestorben. Magister Alsfeld ist noch im alten Stande, aber Priester geworden, doch ein beschaulicher, denn er celebriert selten, und grüßt lebhaft. Ebenso Dr. Gengenbach, dem es gut geht. Dr. Henning gedenkt Celtis' oft in würdiger Weise.

Der Brief mutet wie ein altväterliches Stillleben an und er gibt damit unverkennbar ein gutes Bild von dem friedlichen Zustande zwischen Altem und Neuem in Erfurt. Celtis hat gewiß zu seinen Freunden auch gut gepaßt, denn er war damals noch nicht der radikale, gegen die Scholastik anstürmende Poet wie später in Ingolstadt und Wien (1492 und 1497); in seiner ersten gedruckten Schrift, der Ars versificandi et carminum, Leipzig im Sommer 1486, zeigt er sich noch recht abhängig von Alexander Gallus und der mittelalterlichen, den Reim liebenden Dichtungsweise[1]. Ein guter, umgänglicher und aufgelegter Gesellschafter war er außerdem immer. Als berühmter Mann konnte er damals auch noch nicht auftreten, an Durchbildung außer in der Dichtung wird er kaum Publicius und Riedner übertroffen haben, er war nur „Poeta quidam“, dem noch die Weihe des Besuches von Italien fehlte und der sich erst die goldenen Sporen verdienen mußte. Er sollte bald erleben, daß sich ihm ein Erfurter Humanist durch die rücksichtslose Aufdeckung eines von ihm sorglos verübten Plagiats[2] bei dem steilen Anwege zum Ruhme als lästiges Hindernis entgegenstellte. Leider ist nicht zu erweisen, daß dieser unliebsame Vorfall sich schon bei Celtis' Aufenthalt in Erfurt ereignete[3], vielleicht aber hat er die fatale Sache erst bei seinem römischen Aufenthalte, über den er so schweigsam ist, erfahren.

Aus den Beziehungen Goedes zu Celtis die Folgerung zu ziehen, daß er zu den besonderen Gönnern des Humanismus gehört habe und von ihm auch beeinflußt gewesen sei, wäre etwas zuviel gesagt. Mutianus, der seine forensische Routine voll anerkannte[4], spricht ihm das ab, er gesteht ihm nur ein einmal

---

[1] G. Bauch, Geschichte des Leipziger Frühhumanismus, 17, 18. Derselbe in den Mitteilungen der Gesellschaft für deutsche Erziehungs- und Schulgeschichte, VI, 164 f.

[2] S. u. in Kapitel IV bei Jakob Questenberg.

[3] Questenberg war 1485 und wohl auch noch 1486 und dann weiter in Rom, s. w. u.

[4] K. Gillert a. a. O., No. 52. Muther, a. a. O., 122.

„umbram et simulachrum oratorix" zu[1]), setzt aber ausdrücklich
hinzu: „re vera nihil preclarum in eodem inuenio." Nur im
Deutschen erklärt er ihn für gewandt[2]), aber für einen Verächter
der humanistischen sprachlichen Studien[3]). Dabei war aber Goede
doch als einflußreicher Mann seiner Zeit dem Humanismus nicht
ganz fremd. Er übersandte als Gönner[4]) oder aber auch, um
Verse Mutians dafür einzutauschen, die ersten Dichtungen des
Cordus[5]) an Mutian, er hatte sich und sein Haus von diesem
besingen[6]) lassen, und auch Eobanus Hessus dichtete ihn an[7]).

Wenn man nun noch, obgleich damit die Grenze des Frühhumanismus überschreitend, die Zahl der wandernden Poeten voll-
machen wollte, so müßte man nach der Tradition zuerst den
Westfalen Hermann von dem Busche berühren[8]), der wohl
etwa 1500, 1501 und 1502 die Stadt besucht haben kann, auf
dem Wege von Köln nach Leipzig, von Leipzig nach Köln und
von Köln nach Wittenberg[9]). Von einer Tätigkeit als Lehrer vor
den Scholaren der Universät ist nichts bekannt und ganz sicher
falsch ist die mit genauen Einzelheiten ausgestattete Erzählung
Hamelmanns, daß er 1506 auf die Einladung des Euricius
Cordus, Dietrich Ulsenius, Georg Sturtz, Jakob Montanus
und Eobanus Hessus, indem er anderswo gebotene günstige

---

[1]) K. Gillert a. a. O., No. 52.

[2]) K. Gillert a. a. O., No. 115.

[3]) K. Gillert a. a. O., No. 145.

[4]) Die Angabe Kampschultes a. a. O., 41, 42: „Er erbietet sich
zur Hilfe als Maternus Gefahr für die junge, von ihm geleitete Poeten-
schar besorgte", werden wir weiter unten als starkes Mißverständnis nachweisen. Goede erscheint dort als Freund der Scholastiker.

[5]) K. Gillert a. a. O., No. 58. Hierzu das folgende Gedicht.

[6]) Euricius Cordus, Opera poetica, Frankfurt, 1564, 102: Ad
Henningum Goedum. Auf Goedes Haus.

[7]) K. Krause, Helius Eobanus Hessus, I, 26.

[8]) Zu Buschius vergl. die gründliche, aber leider durch Hamelmanns
Einfluß getrübte Arbeit von H. J. Liessem, Hermann van dem Busche,
3 Kölner Programme, 1884 f. Den in der nächsten Anmerkung zitierten
Brief kannte Liessem noch nicht.

[9]) Im April 1502 war Busch in Köln. Vergl. den Brief Martin
Mellorstadts an Hermann Kaiser, a. O., 5. April (1502). Gotha, Herzogl.
Bibliothek, Cod. 395, 2. Von 1502 bis 1503 war Busch in Wittenberg
angestellt. 1500 und 1501 war er in Leipzig.

Positionen ausschlug, dahin gekommen sei, wie allein schon daraus
hervorgeht, daß Dr. Dietrich Ulsenius[1] ebenso wie Jacobus
Montanus Spirensis[2] niemals in Erfurt gewesen ist, daß Eobanus
Hessus zwar schon seit dem Wintersemester 1504/5, Georg
Sturtz seit dem Sommer 1505 und Euricius Cordus seit dem
Wintersemester 1505/6 in Erfurt waren, daß aber die beiden
armen, noch ganz unbekannten Scholaren Hessus[3] und Cordus[4],
die damals noch Koch und Solde hießen, kaum imstande gewesen wären, eine so bekannte Größe zu sich nach Erfurt zu ver-
locken, und der junge Sturtz war doch damals auch noch zu
unbedeutend und ebensowenig wie Cordus schon Mediziner.
Überdies war Busch 1502 bis 1503 in Wittenberg und 1503
bis 1507 in Leipzig als ordentlicher, besoldeter Lehrer der Poetik
und Rhetorik fest angestellt[5]. Daher ist auch, was Hamelmann

---

[1] Ulsenius war 1504 bis 1505 Dozent der Medizin in Freiburg i. B.,
1505 auf dem Reichstage in Köln und von 1505 bis 1508 Arzt in Lübeck
und Leibarzt der Herzöge von Mecklenburg. Vergl. G. Bauch, Prolegomena
zum Briefwechsel des Konrad Celtis. Die Erfurter Matrikel weiß auch
gar nichts von ihm. Busch lernte Ulsenius vermutlich in Rostock kennen,
wo er wahrscheinlich erst 1506 und vorübergehend war.

[2] Bei Jacobus Montanus mag wohl die Konjektur Hamelmanns
daher stammen, daß er viele Jahre Vorsteher des Hauses der Brüder vom
gemeinsamen Leben in Herford war. Ein von K. Krafft und W. Crecelius,
Beiträge zur Geschichte des Humanismus am Niederrhein und in Westfalen,
60, abgedruckter Brief des Montanus hat daher ebenso die falsche Angabe:
Ex Erphordia.

[3] Für die Verhältnisse des jungen Hessus vergl. K. Krause a. a. O.,
I, 14, 20. 1506 erschien seine erste Dichtung. Krause, I, 30.

[4] Zu der Armut des Cordus vergl. K. Krause in der Einleitung zu
seiner Ausgabe von Euricius Cordus Epigrammata, IV. Das von Mutian
1507 erwähnte Gedicht des Cordus auf Goedes Haus ist das erste
bekannte. Mutian kannte damals Cordus noch gar nicht.

[5] G. Bauch, Geschichte des Leipziger Frühhumanismus, 168 f.
Ein Gedicht, das Busch in Beziehungen mit einem Erfurter, aber wohl
aus der Leipziger Zeit des Busch, zeigt, ist:

Otto Boockman carmen extemporale.
Buschius a Bloche tractatur amere perhenni,
Blechius a Buscho verus amicus erit.
Buschius a Blocho vates vulgatur in annes
Nestoris et Buschus Blochius alter erit.

Wolfenbütteler Codex 58. 6. Fel., fol. 90. Zu Bleck s. w. u. in Kapitel IV

von der durch ihn veranlaßten und patronisierten öffentlichen
Abschaffung der noch üblichen barbarischen Lehrbücher erzählt,
nur leere Phantasie; von diesen Büchern gehörte z. B. Alanus
gar nicht zu den in Erfurt gebrauchten und die üblichen wurden
bis 1519 beibehalten. Es wäre dringend geboten, doch endlich
einmal dem phantasievollen Hamelmann, dessen Einfluß sich
die Niederdeutschen noch immer nicht entziehen können, als
einem üppigen Compilator und willkürlichen Combinator, kritisch
gründlich auf die Finger zu sehen[1]), und das Leben Hermanns
von dem Busche[2]) böte eine gute Handhabe dazu.

Vielleicht nur scheinbar, da er nur in Erfurt als solcher
angesprochen werden kann, reiht sich der im Sommersemester 1504
ohne Gebührenerlaß immatrikulierte Hieronymus Emser, magister arcium Basiliensis, den echten fahrenden Humanisten ein[3]).
Er las über Johann Reuchlins Sergius und zählte auch Luther
zu seinen Hörern. Um persönlich größeren Einfluß zu gewinnen,
blieb er zu kurze Zeit, denn schon im nächsten Semester ist er
in Leipzig eingeschrieben, wo er gewiß, wenn auch zuerst neben
Busch und dann neben Johannes Rhagius Aesticampianus,

---

[1]) Die glänzenden Anerbietungen, die Busch anderswo ausgeschlagen
haben soll, sind ein Zusatz von Erhardt und Kampschulte, 66.

[2]) Separat: De Vita, Studiis, Itineribus, scriptis & laboribus Hermanni
Buschii nobilis Westphali, V. Cl. Narratio Hermanni Hamelmanni.
Excusa Anno M. D. LXXXIIII. 8°. In der grösseren Sammlung Hermanni
Hamelmanni Opera genealogico-historica, Lemgo 1711, steht unsere Stelle
Seite 294. Sie lautet: „Inde (von Frankfurt a. O., wo er nie war) discedit
(1506)... et recta via so recepit Erphurdiam, quo erat vocatus aliquot literis
Euritii Cordi, Theodori Ulsenii et Sturciadae medicorum et Jacobi
Montani Spirensis et Eobani Hessi, ibi cum istis diu connersatus est
et praelegit Vergilii librum 6., Statii et Lucani aliquos libros, cum
Nonnii et Antonii Illuminati grammaticorum scriptis et omnes isti cum
multis studiosis audiuerunt Buschium in scholis solerter docentem et illo
praesente vel etiam praesidente omnes inepti et barbari scriptores ut Alani
et similium barbarorum insulsi libri sunt publice abdicati". Nun, Ende 1506,
ging er endlich nach Leipzig, wo er schon seit 1503 war!

[3]) Zu diesem Manne vergl. G. Kawerau, Hieronymus Emser, 1—10.
Emser ist in Basel im W. S. 1497 immatrikuliert als Jeronimus Emßer
de Widarsletten Augustensis diocesis. Er wurde in demselben Semester
Baccalar und 1499 Magister als Jeronimus Emser de Wittenstätten.
Seine ersten Studien hatte er in Tübingen gemacht. Dort steht er unter
dem 19. Juli 1493 in der Matrikel als Iheronimus Emser de Geldorff.

mit denen er befreundet war, mehr gewirkt hat. Als Denkmal
seiner Tätigkeit dürfte die Ausgabe von Reuchlins Sergius
anzusehen sein, die Wolfgang Schenck ohne Jahresangabe
druckte[1]), und da er aus Straßburg kam und mit Wimpfeling
befreundet war, wohl auch das 1504 erschienene Opusculum de
syllabarum quantitatibus Jakob Wimpfelings[2]). Der Boden
war in Erfurt durch Nicolaus Marschalk und Maternus Pistoris damals schon so gut durchgearbeitet, daß Poeten die Bedeutung,
die ihre Vorgänger gehabt hatten, nicht mehr gewinnen konnten,
wenn sie nicht längere und gründliche Arbeit leisteten. Dazu wäre
aber Emser nach Marschalk wohl kaum imstande gewesen, ob
er auch schon etwas Ruf besaß. Für Erfurt hat er dadurch Bedeutung, daß dort Reuchlin durch ihn bekannt gemacht wurde,
dessen Prozeß mit Pfefferkorn und den Kölnern durch Mutians
und seiner Getreuen in Erfurt feurige Parteinahme einst den
Erfurter Scholastikern, insbesondere den Theologen, so große
Schmerzen bereiten sollte. Daß Emser Beziehungen zu den
Erfurtern behielt, belegt sein Gedicht zu Spalatins Ausgabe
von Thomas Wolfs Psalmenkommentar (1507).

Nicht mehr bedeutend als Emser, aber ihm als Poet über-
legen war der im Sommersemester 1505 erscheinende Publius
Vigilantius Axungia oder Arbilla, Gregor Schmerlin aus
Straßburg[3]), der sich in jugendlichem Überschwang, er war zwanzig
Jahr alt, damals Gregorius Aramannus Torquacius und
Benarius Traborces oder Dobotes nannte[4]). Auch er wurde
als poeta et orator gratis eingetragen und erwarb sich gute Freunde

---

[1]) Comoedia cui nomen Sergius Joannis Capnionis vulgo Reuchlin
phorcensis LL. doctoris latine grece et hebraice doctissimi. O. O. u. J. 4°.
Centralblatt für Bibliothekswesen, XII, 364 No. 24 a.

[2]) Opusculum de syllabarum quantitatibus non modo utile verum cuique
poetices studioso apprime necessarium etc. Erphordie per Wolfgangum
Schencken 1504. 4°. G. Knod, C. f. Bl., V, 472, b; H. Holstein, Zeitschrift
für vergl. Litteraturgeschichte, N. F. IV, 251.

[3]) Wir möchten vermuten, daß der am 19. Juni 1500 in Heidelberg
immatrikulierte Georgius Schmerlin Surburgensis Argentinensis diocesis
unser Vigilantius ist. Die Verwechselung zwischen Georgius (Georius)
und Gregorius ist häufig. Vigilantius ist Übersetzung von Gregorius.

[4]) Zu Vigilantius vergl. G. Bauch, Die Anfänge der Universität
Frankfurt a. O., 7, 9-11, 23-25, 47, 64, 97-99, 101, 102, 108, 113-116, 117.

und Anhänger in Erfurt, wie Peter Eberbach und Herbord von der Marthen. Die im Sommer ausbrechende Seuche mag ihn schnell wieder vertrieben haben[1]). Im Januar 1506 begann er in Frankfurt a. O. als erster von allen Dozenten seine Tätigkeit als ordentlicher Poeta et Orator, noch bevor die Universität eröffnet war, am Inthronisationstage (26. April) hielt er die offizielle Festrede. Dem Kanzler der Universität Dietrich von Bülow lieb und wert, machte er sich.1512 auf den Weg nach Italien, um Griechisch zu studieren, und besuchte dabei noch einmal Erfurt, um von den Freunden Petreius Eberbach und Herbord von der Marthen Abschied zu nehmen. Er kam nicht nach Italien, aber auch nicht wieder nach Frankfurt heim, denn er wurde bei Ravensburg in Schwaben von Schächern angefallen und durch einen Schuß getötet[2]). Mutianus[3]), Hermann Trebelins und seine Schüler[4]) und auch Thiloninus Philymnus[5]) widmeten ihm poetische Nachrufe.

---

[1]) Der letzte fahrende Poet in Erfurt, ein recht später Epigone, war der im W. S. 1533 eingetragene Johannes Leus alias Linck de Glogaw maiori in Schlesia inferiori ad Oderam poeta intitulatus gratis pro honore universitatis. Diese Vorzugsbehandlung ist deshalb merkwürdig, weil zu dieser Zeit Eobanus Hessus, der im Mai 1533 von Nürnberg nach Erfurt zurückgekehrt war, als Poet an der Universität wirkte.

[2]) Über die Reise und den Tod des Vigilantius berichtet der Brief Petreius Eberbachs an Hermannus Trebelins, V. Nonas Julii 1512, bei der Nenia des Trebelius.

[3]) K. Gillert, a. a. O., No. 190. Mutianus hatte die traurige Nachricht durch Horbord von der Marthen erhalten.

[4]) Bei Nenia Hermanni Trebelii Notiani poetae Laureati: et LL. Prolyte in obitu pudicias. feminę Dorotheę de Clunis. Cum aliquot Epitaphiis P. Vigilantij . Poetę. Frankfurt a. O., Joh. Hanau, 1512. 4⁰.

[5]) In seinen Eulogia funebria bei der Ausgabe der Batrachomyomachia, Wittenberg 1513. 4⁰.

Viertes Kapitel

Friedlicher einheimischer Humanismus

Keine Scheidung zwischen Humanismus und Scholastik bis 1500.
Humanisten des Zeitraums (bis 1503): Thilemann Rasche (Zierenberger), Poet und Historiograph. Jordan Unbehauen. Caspar Elyan.
Heinrich Albert. Engelhard Funck, Epigrammatiker. Jakob Wimpfeling. Theodoricus Rhenanus. Heinrich Thobing. Johann und Georg
Eberbach. Heinrich Boger, seine poetische Determination, gekrönter
Poet, sein Freundeskreis. Henricus Aquilonipolensis, gekrönter
Poet. Gabriel von Eyb. Johann Biermost. Johann Wolf von
Hermannsgrün. Henricus Eutycus. Heinrich von Bünau. Heinrich
Sickte. Johann Doring. Bartholomäus Locher. Dietrich von Bülow.
Dietrich Block. Dietrich Raven. Jakob Scholl. Johann Sömmering.
Hartmann Burggraf von Kirchberg. Andreas Hundern, seine Arsepistolandi. Henning Jordan. Jakob Questenberg. Gregor Lengsfeld (Agricola). Conradus Mutianus. Thomas Wolf Junior. Amandus
Wolf. Maternus Pistoris. Johann von Ottra. Valentin von Sunthausen. Nicolaus Marschalk. Sebastian von Rotenhan. Rembert
Algermissen. Henricus Urbanus. Matthäus Zell. Johann Brandis.
Johann Schram, sein Monopolium der Schweinezunft. Johann
Rode. Jakob und Andreas Fuchs. Laurentius Arnoldi (Textoris).
Herbord von der Marthen und seine Brüder. Heinrich und Peter
Eberbach. Ludwig Platz. Ludwig Trutebul der Ältere. Georg
Spalatin. Johannes Crotus Rubianus. Johann Babel, Erfurter fahrender Poet, sein Dialogus. Jakob Horlaeus. Andreas Karlstadt.
Jakobus Cerutinus, Gräcist. Hermannus Trebolius, gekrönter Poet
und Gräcist. Christian Beyer. Johann Lang, Gräcist. Ludwig
Londergut. Ludwig Christiani. Arnold von Glauburg. Heinrich

Bemmingen. Thiloninns Philymnns, sein Streit mit den Poeten
Femelius und Cordus. Heinrich Mushart. Johannes Pistoris, letzter
frühhumanistischer Poet. Beginn der Hochrenaissance.

Wenn es auch ein vergebliches Bemühen wäre, bei allen den
Männern, die als Scholaren oder als Dozenten der Universität
Hinneigung zum Humanismus erkennen lassen, die Schülerschaft
zu irgend einem der fahrenden Poeten oder zu einem einheimischen
Lehrer nachweisen zu wollen, so bleibt doch die Tatsache bestehen,
daß von dem Ende der fünfziger Jahre an eine ununterbrochene
Reihe solcher Männer erscheint, die in Erfurt längere Zeit oder
doch wenigstens einige Zeit für den Humanismus wirkten oder
freundlich zu ihm standen, die später answärts ihre humanistische
Gesinnung betätigten oder sie schon nach Erfurt mitbrachten. Diese
Männer gehören in eine Geschichte des Erfurter Humanismus,
auch wenn nicht jedesmal wie mit einem Manometer genau anzu-
zeigen ist, was bei ihnen Erfurter Erwerb war oder was sie Erfurt
zugebracht haben.

Daß sich bis in die achtziger Jahre hinein die Entwicklung
ohne größere Fortschritte vollzog, belegt die Äußerung des
Mutianus Rufus, der ohne die Absicht, tadeln zu wollen, von
seiner eigenen Studienzeit, der er dankbar gedenkt, 1512 bemerkt,
damals sei auch bei solchen, die humanistische Vorlesungen hielten
und tüchtige Arbeit leisteten, von Eloquenz nichts zu finden gewesen[1]. In diesem langsamen Fortschreiten der Bewegung, das,
besonders wegen des Haftens am Alten, zugleich ein Argument
für die Notwendigkeit des Anzuges von fahrenden Poeten ist, liegt
auch ein Schlüssel dafür, daß sie einen friedlichen Charakter trug,
der die Möglichkeit gewährte, daß auch den scholastischen Studien
sonst gänzlich Treubleibende mit dem so bescheidenen Humanismus in guten Beziehungen blieben, ja sich bis zu einem gewissen
Grade von ihm beeinflussen ließen, wenn nicht weiter, so doch
wenigstens bis zu der Anschauung, ihn als etwas zur Universität
Gehörendes zu betrachten und ihn daher selbst bei scholastischen Akten
zuzulassen. Je weiter diese friedliche und zuerst fast unmerkliche

---

[1] K. Gillert a. a. O., No. 197. 8. w. u. bei Johann Sömmering,
wo der Wortlaut der Stelle wiedergegeben ist.

Beeinflssung bei Studenten und Dozenten um sich griff, desto
größer wurde mit der Zeit die Unterlage für die Weiterentwicklung
des Humanismus.

Der friedliche Charakter prägt sich selbstverständlich — andere
Quellen fehlen — vor allem in den Werken der Erfurter Humanisten dieses Zeitraumes aus, von beabsichtigten oder gar ziel-
bewußten Angriffen gegen das Alte, wenn es sich nicht um formale
Kleinigkeiten handelte, ist keine Rede darin [1]), die Poeten waren
fast alle selbst noch zu sehr Scholastiker und machten ohne Wider-
willen fleißig und gewissenhaft den artistischen Lehrgang durch.
Wie die fahrenden Poeten begehrten sie nur Duldung für ihre
Amateurstudien, die niemand störte, freundliche Anerkennung für
ihre Leistungen, eine solche genügte aber schon, wenn sie bei Mit-
strebenden zu finden war, und dabei gab es vielleicht Anstöße,
und unsterblichen Ruhm, der ihnen im Poetenstolz jedoch nach
ihrer Meinung schon damit sicher war, daß sie sich entschlossen,
Verse zu schreiben.

War nach Mutians Äusserung noch 1486 von Eloquenz so
wenig zu merken, wir werden darnach bei einheimischen Schriftstellern noch am Anfange des letzten Jahrzehnts des Quattrocento
vergeblich suchen, so war bis dahin auch die Poesie trotz der
fremden Poeten weit von den klassischen Vorbildern entfernt, es
hielt sich vielmehr konservativ mit großer Zähigkeit, fast ungestört
durch die wachsende Kenntnis klassischer und moderner Muster
und Anleitungen, der Einfluß der mittelalterlichen Lehrbücher und
Beispiele, von denen nach und nach erst sich die humanistische
Poesie wie die Prosa abhob und emanzipierte. Dieses Moment
der Kontinuität vom Mittelalter zur Neuzeit wie das Verschwimmen
der Grenze ist bisher noch niemals richtig gewürdigt worden.
Trat im Laufe der Weiterbildung bei einzelnen jene Weiterentwicklung rasch ein, so erfolgte das meist durch den Besuch
von Italien [2]), bis das Ende des Jahrhunderts auf Erfurter Boden

[1]) Nur bei Rudolf von Langen haben wir oben, 43, vermutungs-
weise Reibungen angenommen, die dann erst nach Langens Abgang von
Erfurt litterarische Folgen hatten.

[2]) Manche recht Lernbegierige, wie Heinrich Boger und Heinrich
Fischer, lernten auch in Italien nichts zu oder legten doch ihre mittelalterliche Barbarei auch dort nicht ab.

selbst solche Fortschritte brachte und damit ziemlich plötzlich vom
Frühhumanismus zur Hochrenaissance überführte.

Damit schwand aber auch der Friedenszustand zwischen
Humanismus und Scholastik; wie das Mittelalterliche in der prosaischen und poetischen Sprache und Form weichen sollte, so
verlangte dann auch der auf dem Altertum fußende Inhalt nach
Anerkennung, nicht mehr bloß nach Duldung, und so trieb die
Sache dem Kampfe entgegen ¹), der aber erst in der Hochrenaissance
zum Austrage kommen konnte und in Erfurt ohne schwere Wehen
vor sich ging.

Manche der Männer, die wir jetzt an uns vorbeiziehen lassen
wollen, sind uns schon bekannt geworden und einigen von ihnen
werden wir erst, nachdem sie über die Grenzen ihrer Lehrjahre
hinausgediehen sein werden, näher treten.

Bei der Revue über die fahrenden Poeten haben wir des
Nicolaus Institoris aus Gengenbach (W. S. 1449), des Dietrich
Gresemund Senior aus Meschede (W. S. 1455), der beiden
Heroen des Humanismus Rudolf Agricola und Rudolf von
Langen (S. S. 1456), des Konrad Schechteler aus Alsfeld, der
Nürnberger Johann Löffelholz und Gabriel Baumgartner
und Johanns von Dalberg u. a. schon gedacht. Ein wenig
genauer müssen wir uns noch mit dem im Sommersemester 1459
immatrikulierten Tylmannus Rasche de Cyrenborch oder Zierenberger beschäftigen, der als Humanist den Namen Telomonius
Ornatomontanus annahm, seinen ganzen artistischen Kursus,
1461 Baccalar und 1467 Magister, in Erfurt vollendete und dort
auch seine humanistische Bildung empfing. Er ist der erste
humanistische Poet und Historiograph, den Erfurt im XV. Jahrhundert hervorgebracht hat. Er wurde vor 1479 Rektor ²) der Stadt-
schule in Braunschweig und sein Schüler, der Baccalar Heinrich
Boger aus Höxter, sein Unterlehrer, wie dieser sagt³):

---

¹) Im Jahre 1509 sagte ein Benedektiner von der Kanzel; „Poeten ver-
terben die universiteten". Das war eine Privatmeinung, aber gewiß dachte
mancher Scholastiker an der Universität wie er. K. Gillert a. a. O., No. 128, 129.

²) Die Zeit wird dadurch festgelegt, daß in dem sogleich zu nennenden
Gedichte der Adressat Heinrich Fischer noch Baccalar genannt wird.
Dieser wurde 1472 Baccalar und 1479 Magister.

³) Leibniz, Scriptorum Brunsvicensia illustrantium Tom. III, 677. Die
dort (zumteil unvollständig) abgedruckten Gedichte stammen alle aus dem

Gymnos rectoro mihi Brunsuick hospita fiet,
Archiregens quorum vir Tilemannus erit.

Die Stellung mag für ihn keine recht befriedigende gewesen sein,
er mußte auf humanistischen Unterricht verzichten und auch das
Einkommen war ein schwankendes, daher seine Klage[1]: „Nulla his
studia gentilium litterarum, poeticam oratoriamque prorsus ignorant,
grammaticae dumtaxat ac dialecticae operam adhibent. Confluunt
huc ex vicinioribus oppidis adolescentes, quibus ex eleemosyna
victus est. Magister vero, qui ipsis preest, modicam ab auditori-
bus collectam recipit, ex publico nihil". Er erlebte dort, wie es
scheint, 1492 den Krieg zwischen der Stadt und den Herzögen
Heinrich dem Älteren und dem Jüngeren, und als sein Neffe
Ludwig, der im Wintersemester 1487 als Lodewicus Rasche
de Czyrenberg[2] in Erfurt immatrikuliert ist, ihn bat, ihm die
Geschichte der Fehde niederzuschreiben, tat er dies 1494 wahrscheinlich in Hildesheim[3] und schuf damit ein einfaches, anspruchs-
loses Werk[4], das aber in seinen Sätzen und den eingestreuten
Versen doch den Humanisten zeigt: Telomonii Ornatomontani
descriptio belli inter Henricos Juniorem et Seniorem duces
Brunsu. et Luneb. ciuitatemque Brunsuicensem circa annum
MCCCCXCII gesti. Heinrich Fischer spielte auf diese Schrift
1500 mit den Versen[5] an:

Stoicus Ornato de monte patens Tilemoni,
Brunonie dominis si populo es[6] placidus.

Nach dem über die Bildungszustände in Braunschweig geäußerten
Unbehagen könnte man ihn für einen frühen Gegner der Scho-

Wolfenbütteler Codex 58. 6. Fol. Durch die große Liberalität der Wolfenbütteler Bibliotheksverwaltung war es mir möglich, den Codex in Breslau
zu benutzen und damit manches Dunkle in der Geschichte des Erfurter
Humanismus aufzuhellen.

[1] Leibniz, a. a. O., II, 89.
[2] In der Matrikel steht außerdem noch im S. S. 1465 Arnoldus
Rasch de Zierenberg.
[3] Die Widmung an seinen Neffen datiert: „H. Idibus Junii 1494."
[4] Leibniz, a. a. O., II No. XIII, 88 f. Handschriftlich im Clm. 428,
fol. 88 f.
[5] In der Cithara sophialis. S. w. u. in Kapitel V.
[6] Es ist hart, aber si es ist hier in sies zusammenzuziehen!

lastik halten. Dagegen spricht das ihm von Boger gesetzte
Epitaph[1]):

Diligentissimi preceptoris nostri M. T. Czirenbergensis.

Artes, flete, bone, Musarum congenie cetus,
Fronteque lugnbri, philosophia, pate:
De monte ornato Tilemannum hic cernite virum,
Celo animam, ossa solo liquerat, era pijs;
At si sacra fides sophia est, tum illius amator
Catholicns, verus philosophator erat[2]).

Als ganz in Vergessenheit versunkenen Humanisten müssen
wir des im Sommersemester 1465 nach Erfurt gekommenen, 1466
zum Baccalar und 1472 zum Magister promovierten Jordanus
Unbehawer (Unbehawen) de Bercka gedenken, der noch 1483
Dekan der Artisten war. Aufbewahrt ist von ihm eine Rede zum
Lobe der Philosophie, die die scholastische Philosophie vor Juvenes,
wohl Baccalaureanden, humanistisch preist, und einige heroische
Gedichte, die nicht ohne Fehler sind. Eins dieser Gedichte ist
an Erfurt gerichtet, ein anderes hat die Historia de Sancto Feli-
ciano martire et episcopo und ein drittes einen Teil der Historia
XI millinm virginum zum Gegenstande[3]).

Zu dem vom Humanismus berührten Männern ist auch der im
Sommersemester 1467 in Erfurt erwähnte Schlesier Caspar Elyan
de Glogania[4]) zu zählen. Dieser hatte vom Sommersemester 1451
ab in Leipzig studiert und war dort am 14. September 1455
Baccalar geworden. Im Sommersemester 1461 war er in Krakau.
Später wird er Baccalar und Licentiat des kanonischen Rechts
genannt. 1475 war er Succentor an der Kollegiatkirche zum heil.
Kreuz und 1477 wurde er Kanonikus an der Kathedrale zu St.
Johann in Breslau. † 1485. Elyan ist dadurch merkwürdig, daß

---

[1]) H. Boger, Etherologinm, fol. 113b.

[2]) Nach Rascho hätte man den im W. S. 1462 immatrikulierten
Johannes Bonemelch (Bonemilch, Bonaemilius) de Laspbe einschie-
ben können, von dem aber doch nur bekannt ist, daß er ein Gönner des
Eobanus Hessus war. Später Lic. theol., Titularbischof von Sidon und
Vicarius in pontificalibus des Erzbischofs von Mainz. K. Krause, Helius
Eobanus Hessus, 55.

[3]) Alles in dem Wolfenbütteler Codex 58. G. Fol., fol. 61 bis 63b.

[4]) Hierzu O. Bauch, Deutsche Scholaren in Krakau, 22 No. 1.

6*

er 1475 eine private Druckerei einrichtete und damit den Buchdruck in Schlesien, in Breslau, einführte. Unter seinen meist
kirchlichen oder religiösen Drucken befindet sich auch der höchst
schlüpfrige Liber facetiarum Pogii Florentini secretarii apostolici[1].

Obgleich seine Poesien heut fast völlig verschwunden sind,
müssen wir den im Wintersemester 1467 inskribierten nachmaligen
Doctor med. Heinricus Alhert de Gottingen (Göttingen) als huma-
nistischen Dichter angeben[2]. Aquilonipolensis[3] sagt 1500 von
ihm als Poeten: „Theopolis, nitida patria (plaudit), Alherde, tibi“.
Und noch später (1504) zählt er ihn[4] neben Sebastian Brant und
Heinrich Boger unter die namhaften Satiriker: „et Alherdus,
Theopolensis honos“. Die einzigen von ihm erhaltenen Verse[5] sind:

Subsequentia compegit dominus doctor Henricus Alherdi
de Gottingen (phisicus, que subiunxit suo almanach)[6].

Fauisti, altitonans, nos per duo tempora Jani
Pestifera horrendam transsilijsse necem.
Sit magis incolumis, faueas, quem cepimus, annus,
Ut quisquis mente et corpore sanus eat,
Quos tibi tranquillos tenuit modo vita superstes,
Quisque pepercisti non sine marte teri[7].
Sit quoque fausta Ceres, populos pax alta per omnes
Et tranquilla quies, Juppiter alme, faue.

Ein nicht unbedeutender Humanist war der im Sommersemester
1468 eingetretene Engelhardus Fungk de Swobach[8], der wohl
auch Scintilla benannt wird[9]. Im Jahre 1470 wurde er zusammen

---

[1] G. Bauch in Silesiaca, Bibliographie der schlesischen Renaissance,
149, 150, No. 1—8.
[2] Mit Albert kam der Namensbruder des Celtis in die Matrikel:
Conradus Bickel de Martpurg.
[3] In der Cithara sophialis. S. w. u. in Kapitel V.
[4] In der Sophologia. S. w. u. in Kapitel V.
[5] Wolfenbütteler Codex 58. 6. Fol., fol. 54 b.
[6] Hiernach ist vielleicht Albert auch den Erfurter Mathematikern
oder Astrologen einzureihen, besonders da er Mediziner war.
[7] In der Handschrift steht corj. Der Sinn ist unklar, vielleicht sollte
„martirio“ dastehen.
[8] Johannes Trithemius, Opera, I, 179.
[9] H. Holstein, Zeitschrift für vergleichende Litteraturgeschichte, 1891,
446 f. Im W. S. 1471 kam ein Georius Funck de Swabach nach Erfurt

mit Johann von Dalberg Baccalar. Den größten Teil seines
Lebens brachte er als Sachwalter in Rom zu. Das Buch der
Bruderschaft der Deutschen bei Sancta Maria de Anima[1]) nennt
ihn zwischen 1483 und 1485 procurator causarum famosus. Er
verkehrte in Rom mit vornehmen Herren, so z. B. mit dem Kardinal Johannes Antonius de s. Georgio aus Mailand, Bischof von
Alexandria, der vorher Lehrer der Jurisprudenz in Pavia gewesen
war, und mit dem Schwestersohne des Aeneas Sylvius, dem
Kardinal Franciscus de Piccolominis Senensis[2]), nachmals
Papst Pius III. Mit Johannes Antonius wechselte er Verse.
1500 war Funck Dechant am Neuen Münster in Würzburg.
Trithemius, der 1506, von seinen Mönchen aus Sponheim verdrängt, nach Würzburg als Abt zu St. Jakob übergesiedelt war,
rühmt ihn als Dichter und einzigen Kenner des Griechischen mit
ihm in Würzburg[3]). Funck starb dort am 29. November 1513.
Seine zahlreichen Gedichte, meist Epigramme, harren zum großen
Teile noch des Druckes[4]). Er war auch in Rom ein guter Deut-
scher geblieben und war besonders scharf in seinen Versen gegen
Papst Alexander VI. und die deutschen Landsleute geistlichen
Standes, die selbst die römischen Unsitten und Laster annahmen,
um ja als Italiener zu erscheinen. So sagt er z. B. in seinen
Endecasyllabi ad lectores[5]) von seinen Versen:

> Isthac iussimus ire longe nostros
> Versus, ne patriam suam negarent,
> Ut nunc Teutonici solent Cynedi,
> Qui sese Italicos volunt videri,
> Mox ut rite nates mouere coeptant.
> At vos, versiculi mei, cauete,
> Ne tales imitemini Cynedos,

---

[1]) Liber confraternitatis etc., 107.
[2]) Er hieß eigentlich Francesco de' Todeschini.
[3]) J. Trithemius, Opera, II, 557. Vergl. auch I, 179.
[4]) Clm. 716 Fol. 149 b f. Gedruckte Gedichte bei H. Holstein,
a. a. O., 448 f. Gedichte Funcks schickte, Leipzig, 19. April 1516, Johann
Apel an Georg Spalatin: „Mitto humanitati tuae epigrammata duo
Engelardi mei, sed non ea, quae religioni et aetati suae deceant, sed quae
adolescens adhuc quondam Romae luserit, ea lege, ut remittantur“. J. F.
Hekel, Manipulus primus epistolarum singularium, 26.
[5]) Clm. 716. Fol., fol. 157.

Nam prestantius est honestiusque,
Ut vos Teutonicos rudes, ineptos
Dicatis, numine concitatos nullo,
Qnam, dum mox fieri latiniores
Velletis, velnt a Marone facti,
Laruam vos repntarier latinam.

Im Jahre 1514 führte ihn Beatns Rhenanns in einem Briefe[1] an den Franzosen Jacobus Faber Stapnlensis unter den Deutschen auf: „detersa barbarie omnem latinorum splendorem complectentes".

Kurze Zeit gehörte anch Jakob Wimpfeling (geb. 1450) der Erfurter Universität an[2]). Als 1469 in Freiburg i. B., wo er seit 1464 stndierte und 1466 Baccalar geworden war, die Pest ansbrach und die Universität zerstrente[3]), ging er im Sommer nach Erfurt. Die Matrikel enthält seinen Namen nicht[4]). Er fand hier den Humanismus vor und lernte Engelhard Fnnck kennen[5]), dessen moralische Verse er stets hochschätzte nnd anch der Jugend empfahl. Für ihn aber war Erfurt mehr nach einer andern Seite von Bedentung, er legte hier den jugendlichen Leichtsinn ab und bekam seine fromme Richtnng. Nach einigen Monaten rief ihn sein Oheim, der Sulzer Pfarrer Ulrich Wimpfeling, der Vater-

---

[1] A. Horawitz und K. Hartfelder, Briefwechsel des Beatus Rhenanus, 41. Fnnck wird dort fälschlich als Schwabe bezeichnet, er war ein Franke.

[2] C. Schmidt, Histoire littéraire de l'Alsace, I, 7, 8.

[3] J. Wimpfeling erzählt von seinem Erfurter Aufenthalt selbst in seiner Expurgatio contra detractores, die mit Isocratis de regno gubernando ad Nicoclem liber und mehreren andern Schriften in Straßburg 1514, 4° gedruckt ist.

[4] In der Matrikel steht im S. S. 1468 ein Jacobus Coci de Sleczstat, der schon im Herbst 1467 als Freiburger Baccalar rezipiert ist und mit Wimpfeling nichts zu tun hat.

[5] H. Holstein, a. a. O., 446, 448. Wimpfeling empfiehlt ihn als christlich denkenden Dichter an erster Stelle im sechsten Kapitel seiner Schrift Contra turpem libellum Philomusi Defensio theologie scholastice et neotericorum. O. O. u. J. 4°. In seiner Ansgabe von Magnencli Rhabani Mauri de landibus sancte crucis, Phorce 1503, empfahl Wimpfeling die Lektüre der Epigramme Fnncks und Hermanns von dem Busche anstelle derjenigen Martials. Wimpfeling druckte auch mehrere Gedichte Fnncks bei eigenen Produktionen ab.

stelle bei ihm vertrat und krank geworden war, zurück, weil er seiner Hilfe bedurfte und ihn mit geistlichen Benefizien versorgen wollte. Da der Neffe jedoch körperlich noch wenig entwickelt war, schickte er ihn nach Erfurt zurück. Jakob erkrankte unterwegs und schleppte sich nur bis nach Speier, wo er lange im Hospital blieb, bis es ihm möglich wurde, nach Heidelberg überzugehen, wo er einen tüchtigen Arzt fand. Wiederhergestellt, wollte er nach Erfurt aufbrechen, wegen der winterlichen Jahreszeit jedoch erlaubte ihm der Oheim, in Heidelberg zu bleiben (in der Matrikel am 2. Dezember 1469), und so sah er Erfurt nicht wieder. 1471 schrieb er sein erstes größeres Gedicht[1]), eine Lobelegie auf Friedrich von der Pfalz.

Der im Sommersemester 1470 intitulierte Landsmann Wimpfelings Thidericus Rino (Rheinau) de Sletzstadt ist der unter dem Namen Theodoricus Rhenanus[2]) bekannte Freund des Konrad Celtis. Er ging, 1472 Baccalar geworden, von Erfurt nach Basel, wo er 1489 als Dekan des modernen Weges Sebastian Brant mit der Rede zur Promotion von Baccalaren beauftragte[3]). 1492 zog er nach Italien und hörte in Rom Pomponius Laetus[4]). Dann siedelte er nach Wien über, wo er im Sommer 1504 das artistische Dekanat führte und Jurisprudenz studierte. Als Rektor des Sommersemesters 1508 war er Doctor iuris. Um 1510 ist er in Wien gestorben. Irgend welche Werke hat er nicht hinterlassen.

Aus einer bekannten Familie Lüneburgs, die zahlreiche Literaten hervorgebracht hat[5]), stammte der gleichfalls im Sommersemester 1470 in Erfurt eingetretene Hinricus Thebing (Thobing) de Lunenborch, der am 15. April 1472 in Rostock immatrikuliert ist. Der alles wissende Aquilonipolensis hat auf ihn als Poeten ein Distichon gemacht[6]), in dem leider der Name der Stadt, die ihm Beifall spendet, ein Rätsel bleibt:

---

[1]) C. Schmidt, a. a. O., 10.

[2]) Hieran J. Gény, Die Stadtbibliothek zu Schlettstadt, I, 17, 18, wo er aber mit dem älteren, in Erfurt im S. S. 1440 immatrikulierten Tidericus Meister de Slecxstadt verwechselt und fälschlich als Theologe bezeichnet wird.

[3]) C. Schmidt, a. a. O., I, 204.

[4]) Nach einem Briefe des Theodoricus Rhenanus an Celtis in Celtis' Codex epistolaris, Kloster Zwettel, 21. September 1492.

[5]) S. die Matrikeln von Erfurt, Wittenberg, Rostock, Frankfurt a. O.

[6]) In der Cithara sophialis, u. w. u. in Kapitel V.

Thobingo pariter Hinrico denique nostro
Johannis nostri rite Venustapolis.

Im Wintersemester 1470 trat Johannes Eberbach de Rotenburga ein und im Sommersemester 1471 Georius Eberbach de
Rotenburga. Der Name Eberbach spielt in der Geschichte des
Erfurter Humanismus eine angesehene Rolle. Dieses Verdienst
fällt aber weniger Johann als Georg Eberbach zu. Beide
wurden Mediziner. Johann Eberbach wurde 1472 Baccalar und
1474 Magister. Am 6. November 1475 ist er in Ingolstadt immatrikuliert und im Sommersemester 1482 in Rostock als Dozent der
Medizin angestellt: Johannes Eberbach doctor in medicinis
honoratus 26. Mai. Georg Eberbach erwarb 1475 das Baccalaureat und 1482 das Magisterium[1]), dann begab er sich, wie
vielleicht vorher auch Johann, nach Italien, wurde in Ferrara
Doctor der Medizin und vertrat nun in Erfurt das Fach an der
Universität, als Arzt hochgeschätzt, bis zu seinem 1507 erfolgten
Tode. Thiloninus Philymnus setzte ihm 1518 ein lateinisches
und ein griechisches Epitaph[2]), auch Eobanus Hessus widmete
ihm ein Trauergedicht[3]). Der Humanist Nicolaus Marschalk
gedenkt 1499 seiner mit Hochachtung[4]) und aus seinen Worten
geht nicht nur hervor, daß Georg Eberbach eine tüchtige humanistische Bildung besaß, sondern daß er auch schon von der durch
die Renaissance wiedererweckten klassischen Medizin beeinflußt
war. Seine Söhne Heinrich und Peter ließ er durch Marschalk
humanistisch bilden.

Ein merkwürdiger Poet war der im Sommersemester 1471 immatrikulierte Henricus Boeuger de Hoxaria, Boger, Flexor oder
Flexilis aus Höxter[5]), ein Mann von unruhiger Lebensführung,

---

[1]) Daher ist es unrichtig, wenn ihn K. Krause, Helius Eobanus
Hessus, I, 66, von 1479 ab als Dozenten der Medizin wirken läßt (1489?).

[2]) In den Eulogia funebria hinter der Batrachomyomachia, Wittenberg 1513.

[3]) K. Krause, Helius Eobanus Hessus, I, 66.

[4]) In der Widmnng des Interpretamentum Ieue in Psollum (1499).
S. w. u. in Kapitel V.

[4]) Eine Biographie gibt in den Jahrbüchern für mecklenburgische Geschichte und Altertumskunde, 47. Jahrgang, 111 f., K. E. H. Krause: Dr.
theol. Hinrich Boger oder Hinricus Plexor, der Begleiter Herzogs

aber in allen Lebenslagen als Dichter unermüdlich tätig. Obgleich er
auch andere Universitäten gesehen hat und mehrmals in Italien, in
Ferrara, Padua, Bologna und Rom, gewesen ist, pries er doch Erfurt
treulich als seine alma mater und kehrte immer wieder einmal dorthin zurück. Als seine Lehrer verehrte er Thilemann Rasche[1]) und
den späteren Juristen[2]) M. Johann Klockereyme[3]) aus Nordheim.
Nach dem Baccalaureat 1473 verließ er Erfurt und pilgerte 1475
zum ersten Male nach Italien[4]) und traf dort, in Rom vermutlich,
mit Hartwig von Bülow[5]), der im Wintersemester 1471 in
Erfurt als Hildesheimer, Hamburger und Lübecker Kanonikus
immatrikuliert worden war, und mit dessen Freunde Hermann
Langenbeck aus Buxtehude, der im Sommersemester 1467 als
Rostocker Student nachweisbar ist und später Bürgermeister in
Hamburg war, zusammen. Einige Zeit, vor 1479, war er, wie
schon berührt[6]), Unterlehrer seines Erfurter Lehrers und nun
Rektors in Braunschweig Thilemann Rasche. Zum Abschlusse
seines artistischen Kursus kam er etwa im Wintersemester 1483/84
wieder nach Erfurt und wurde 1485 Magister. Auf einer zweiten
Reise nach Rom, um 1490[7]), erwarb er das theologische Doktorat.
Hartwig von Bülow († 1490) hatte ihn zuerst nach der baltischen
Küste gezogen, und 1490 schon war Boger Kanonikus in Hamburg.
Nachdem er 1492 nochmals in Rom gewesen war, berührte er

Erich nach Italien 1502 — 1504. Krause hat sein reiches Material nicht
bewältigt. G. Knod, Deutsche Studenten in Bologna, 52 No. 355.

[1]) S. o. sein Epitaph für Thilemann Rasche.
[2]) Th. Muther, Zur Geschichte der Rechtswissenschaft, 232, No. 60.
[3]) H. Boger, Etherologium, fol. 32: Cuiusdam preceptoris sui a cam-
pana denominati mors opinata. Klockereyme wurde 1463 Baccalar und
1466 Magister.
[4]) Die Jahreszahl für die erste Romreise, 1475, gibt Wolfenbütteler
Codex 58. 6. Fol., fol. 58 b:
Cronographia ostendens quando ibat Romam.
En te Roma tulit regnans Henrice parens
Cui polus est parens te pater hinc repulit.
[5]) H. Boger, Etherologium, fol. 83 b: Ad d. doctorem Hartwicum
de Bulow Sapphicum.
[6]) Wolfenbütteler Codex 58. 6. Fol., fol. 57: Primum dictamen metricum Baccalaureo Henrico Visscher missum.
[7]) Vielleicht 1488, wo er in Rom war. S. w. u. das Gedicht Dietrich
Ravens.

1496, zur Zeit der Pest, Erfurt wieder[1]). 1499 verweilte er in
Rostock als Lehrer des Herzogs Erich von Mecklenburg, 1501
nahm ihn die Matrikel der Universität als „honoratus" auf und
von 1502 bis 1504 begleitete er Herzog Erich als Mentor nach
Bologna, wo er mit Philippus Beroaldus dem Älteren poetische Bekanntschaft machte[2]). Auf der Reise hatte der Herzog
das kaiserliche Hoflager berührt, und dabei verlieh Maximilian I.
Boger den Dichterlorbeer[3]). Der kaiserliche Rat Matthäus Lang
war der Vermittler bei dieser Ehrung. Zu seinem Hamburger Kanonikat erwarb Boger durch die Gunst seines Fürsten ein Kanonikat
und später die Dechanei zu St. Jacobi in Rostock. Die Zugehörigkeit zum geistlichen Stande verhinderte nicht, daß er einen Sohn
Martin besaß, der ihm 1494 starb, und daß er in Italien als
„romipeta" der Syphilis verfiel[4]), die seine Lebenskraft schwächte:

Tandem franca lues carnis releganerat utrem.

Anfang 1505 etwa muß er gestorben sein, da im März des
Jahres sein Hamburger Kanonikat als durch seinen Tod erledigt
angegeben wird[5]).

Für Erfurt ist Boger von großem Interesse als ausgeprägter
Repräsentant der echten frühhumanistichen Poeten und weil man
aus den erhaltenen Dichtungen ersieht, wie sich der Frühhumanismus in dem Leben der Universität zur Geltung brachte.
Man kann beobachten, wie bei ihm der Humanismus allmählich aus
dem mittelalterlichen Lehrpensum der Universität erwuchs, aber
auch, daß derselbe sich nie ganz, trotz der Besuche von Italien
von diesem seinem Urboden losmachte[6]).

---

[1]) H. Boger, Etherologium, fol. 169: Achademio Erffurdiensis ob
pestem lugubris dispersio.

[2]) Die Verse sind abgedruckt bei Krause, a. a. O., 127—131.

[3]) H. Boger, Etherologium, fol. 76—77 b: Sorenissimi d. domini
Maximiliani Regis Ro. prima beniuolentio captatio. Ad eundem Carmen
quadratum cum sensu querundam ad lauream hortaretur. Precia arenga in
presentatione quadrati. Panegiris regie Maiestatis posteaquam annuisset
Actori se daturum esse Lauream. Boger nennt Lang fälschlich Mathias.

[4]) H. Boger, Etherologium, fol. 116 b.: Docursus vite Actoris verum
Epigramma. Das von Boger gebrauchte Wort „romipeta" ist auch eine
Vokabel des Nicolaus von Bibra.

[5]) G. Knod, a. a. O., nach Staphorst, Hamb. K. G. I, 2, pag. 285.

[6]) Seiner Verehrung für den großen Humanisten Agricola gab er,
Heterologium, fol. 114, durch drei Epitaphien Ausdruck: Singularis viri

Da den Baccalaren gestattet war, über Grammatik und Rhetorik zu lesen[1]), lud er in Hoffnung auf klingenden Lohn mit dem Hinweise auf die Nützlichkeit die armen Studenten, die eines Lexikons noch entbehrten, zu Vorlesungen über den Vocabularius Exquo ein[2]), als angehender Poet tat er dies poetisch:

Ad colligendum vocabularium exquo intimacio exhortatoria.
Henricus Bogher, est cui lur patrius Hoxer,
Pro male nummatis mediocriter atque probatis.
Hij, quorum minime si magna queunt cumulare,
Illi, si valeant, studio tamen hec minus aptant.
Vocetenus releget librum, qui nomine claret
Exquo, quid includat, iam pluribus admodum constat:
Papia, nostrum, Brito, das, Ugucio, librum,
Vera loqui testis. Ysidore, cernere fortis.
Adueniunt celeri pede gliscentes onerari
Mole bone dotis instar comprendere fascis,
Quam monstrant, grati qui sunt bonitate, moderni,
Verba gerent precij primum de pondere dandi.
Absit liuor edax, maioris sit, volo, mordax.
Liuor celsa petat ceu turbo cacumina perflat.

Als er zum Schluß gelangt war, hängte er die Nachrede an:

Finito eodem vocabulario hec fuit excusatio.
Heccine lecta putas aliquas comprendere mendas,

M. Rudolfi Agricole († 1485). Ein Gedicht, Ethcrologium, 106, wendet sich an Hermann von dem Busche: Ad lepidissimum Hermannum Buschium Poetam Panegyris cum figmento musarum. Darin:

Si nomen retinos, iam tibi notus adest
Ausonije tecum contriuit tempora terris
Magnificique viri dignata nosse potes,
Quem scia Parisius, quem docta Colunia nouit,
Insuper innumerc vestra por arua scole.
Saxonia occidua conuellimus hunc ut coe,
Gloria ploridum clarest eius ope.

Das Gedicht ist 1503 in Bologna entstanden.

[1]) S. o. in Kapitel I, 16, nach H. Weißenborn, Acten der Erfurter Universität, II, 141 § 99.
[2]) Wolfenbütteler Codex 58. 6. Fol., fol. 56 b. Der Vocabularius Exquo ist 1477, vielleicht schon 1475, in Köln gedruckt worden. Vergl. Voullième, Der Buchdruck Kölns, 536 No. 1256, 597 No. 1257.

Es iustus vindex, si pius inquis, habent.
Non alit orbis eum, vitij qui nullius extet,
Rite ve cui liceat dicere: rectus ego.
Inueniat si quis quequam lima polienda,
Carpere me cesset et magis apta locet.
Ultimo quero dari grates mihi pro bene lectis
Sit laudique datus trinus et unus herus.

Obgleich selbst noch ein Lernender trat er doch auch schon
als Leiter von praktischen Übungen in der Poetik [1] auf:

Intimacio pro metrificatura.
Praxim pro metris vult explanare cudendis,
Planicie munda dum tangitur hora secunda.
Metrorum fructus tamen scire parat modo mutus,
Prendet eos quiuis ad tempus, si studet illis.
Adueniant coleri pede gliscentes fore gnari
Verbum facturi precij de pondere dandi.

Wie eine lustige Ironie [2] steht hinter diesem Anschlage in
der Handschrift: Ista duo consuenit subijcere:

Henricus Bogher, est cui lar patrius Hoxer,
Hec metra non rapido donat arata stilo.

Wenn Nicolaus von Bibra hätte als Revenant erscheinen
können, würde er Boger gewiß als seinen Zeitgenossen anerkannt
haben. Der Vocabularius Exquo, der seinen Namen nach den
Anfangsworten führt [3], ist ein lateinisch - deutsches Wörterbuch,
das hauptsächlich aus dem Catholicon des Johannes de Janua
(1386) kompiliert ist [4]. Ducange sagt darüber: „est ex insulsis
istis lexicis, a quibus barbaries ipsa fovebatur." Papias Lom-

---

[1] Wolfenbütteler Codex 58. 6. Fol., fol. 56.

[2] Scherzhafter ist noch, daß die zweite Zeile des Distichons ein Plagiat
aus Nigellus' Speculum stultorum (P. Leyser, a. a. O., 754) ist:

Suscipe pauca tibi veteris, Guilelme, Nigelli
Scripta minus rapido nuper arata stilo.

[3] E. Böcking, Ulrichi Hutteni Operum Supplementum, II, II, 496.
Die Quellen des Exqno sind im Titel der oben zitierten Kölner Ausgaben
ausführlich angegeben.

[4] E. Böcking, a. a. O., 399; F. Haase, De medii aevi studiis philo-
logicis disputatio 34. Das Catholicon war besonders aus Papias und
Hugutio kompiliert.

bardus[1]), den Boger, wie die folgenden Quellen des Catholicon
bei seiner Interpretation heranzog, Vocabulista genannt, schrieb
c. 1163 De linguae latinae vocabulis, Hugutio Pisanus[2]),
Bischof von Ferrara, verfaßte im XIII. Jahrhundert einen Liber
derivationum und Guilhelmus Brito[3]) aus Cumberland ordinis
minorum, der in Paris lehrte und 1303 Procurator der englischen
Nation war († 1356), gab mehrere lexikalische Werke heraus.
Von den Schriften des Isidorus[4]) Hispalensis (c. 630) sind
vielleicht die Etymologien gemeint. Selbstverständlich kann man
Boger wegen der Benutzung dieser Bücher keinen Vorwurf machen,
im Gegenteil muß man erkennen, mit welchen Schwierigkeiten
auch Strebsame bei dem Mangel an besseren Hilfsmitteln zu
kämpfen hatten, die sich aus der Barbarei herausarbeiten wollten,
und nur wenigen gelang das nach und nach unter heißer Arbeit,
bei längerem Aufenthalt in Italien und nachdem sich endlich eine
allmähliche Zunahme der Hilfsmittel und der antiken Autoren
durch den erstarkenden Buchdruck eingeleitet hatte. Auch die
besten unter den älteren Humanisten, ein Agricola, Langen und
Celtis, behielten dann trotzdem immer noch Spuren von dem in
jungen Jahren ihnen angeflogenen mittelalterlichen Rußse in ihren
Schriftwerken. Auch diese Beobachtung weist wieder auf die
Wichtigkeit der Anregungen durch fahrende Poeten. Erfurt hat
davon nur zu wenig gehabt.

Der gebräuchlichste Vers Bogers ist noch immer, wie bei
Nicolaus von Bibra, der gereimte leoninische Hexameter, aber
er verwendet doch auch schon das elegische Distichon ohne Reime.
Am meisten Anstoß erregen in seinen Dichtungen die barbarischen
Wortneubildungen, und davon hat er nie gelassen; solche Formen
wie icit, solor, dustria, storia u. s. w. erschweren auch das Verständnis seiner Gedichte, wie er ebenso bis zu seinem Lebensende
an der mittelalterlichen Namensform Arestotiles für Aristoteles

---

[1]) F. Haase, a. a. O., 32; Böcking, a. a. O., 496.

[2]) F. Haase, a. a. O., 32.

[3]) E. Böcking a. a. O., 318. Dieser Guilhelmus Brito ist von einem
gleichnamigen Poeten zu unterscheiden, der ein Gedicht auf Philipp
Augustus von Frankreich schrieb. Vergl. P. Leyser, a. a. O., 990.

[4]) Johannes Trithemius, Opera, I, 245. Der Vers, in dem Isidorus
angerufen wird, ist nur für einen Oedipus verständlich.

festgehalten hat. Später hat er die seltensten antiken Metra nachgebildet[1]); wie diese mit oft ganz banalem Inhalt bei seiner Gestaltung der Sprache wirken, kann man sich vorstellen, besonders wenn man dazu auch noch sieht, daß er sich über prosodische Vorschriften bisweilen ohne jedes Schwanken hinwegsetzt; er hielt das eben für poetische Licenz. Und er fand trotzalledem zahlreiche Bewunderer unter den Zeitgenossen und erhielt sogar den kaiserlichen Lorbeer für seine Leistungen. In Italien erwarb er von einem gewissen Julianus[2]) auch die Rudimente des Griechischen[3]). Wie er dieses anwendete, zeigen z. B. die Worte[4]):

„Tinctor idearum noys alma polaris usia“.

Nachdem Hoger nach seiner Lehrerepisode in Braunschweig zur Universität zurückgekehrt war, fand er die Entrüstung über die Schmähungen Samuel Karochs vor und wurde als der beste Erfurter Dichter, wie wir hörten[5]), zur Wahrung der Ehre der Universität gegen den frechen Verkleinerer vorgeschickt. Mit dieser Gloriole ausgestattet, trat er als „Metrista“ nun auch 1485 bei seiner Promotion zum Magister in öffentlichem Akte auf, ohne daß er dadurch bei den Scholastikern angestossen hätte[6]). Er erreichte dabei eine damals gewiß reizvolle Abwechslung durch die Mischung scholastischer Argumentation und poetischer Zwischenreden. Beispiele für einen solchen eigenartigen Vorgang dürften anderweitig kaum erhalten sein. Er determinierte nach dem Examen unter dem Magister Johann Biermost[7]) über die Nikomachische

[1]) Seine recht formalistische Meinung über die Metra außer dem heroischen und dem elegischen drückt er in der Doctrina aus: Rara carminum genera experiri licet, non frequentare, Etherologium, fol. 139b, aber er selbst wagt sich doch öfter nicht „pauenter“ daran.

[2]) Das war wohl Julianus Graecollnus in Bologna, vergl. C. Malagola, Della vita e delle opere di Antonio Urceo detto Codro, 93.

[3]) Ad preceptorem grecum Julianum nomine Epigramma. Etherologium, fol. 72.

[4]) Etherologium, fol. 129.

[5]) S. o. im Kapitel III, 63 f.

[6]) Wolfenbütteler Codex 55, 6, Fol., fol. 60b: Etherologium, fol. 121: Cum auctor Magisterio artium insigniretur ita Ethicam Arcstotilis adortus est. Als Zugeständnis an den poetischen Verteidiger der Ehre der Universität ist der Vorgang auch zu fassen möglich.

[7]) Zu Biermost s. h. w. u. Dieser war dem Humanismus auch nicht fremd.

Ethik des Aristoteles, und der ganze rein formale Akt drehte sich, wie es scheint, nur um den Anfang des Werkes. Er begann mit einem Gebet:

> A virtute dei, patris virtutis et huius
> appreciatoris et ducis eius. Amen.

Juxta primatum nuper decreta meorum
Ethica Arestotilis mihi grata legenda propinquat.
Gratulor et magno iubili conscendo tenore,
Cor salit et sensus viuaci munere gaudet
Mensque sui compos optata luce redundat,
Membra reniuiscunt effecta mole relicta
Ex hoc iniuncto, quid nempe decorius unquam,
Quid certe melius, quid denique dulcius ulli
Rebus in humanis, quam sic virtute domari,
Ut tandem restet paradisus nescia mete?

O celeste bonum, dos alma, decus venerandum,
O cibe dulcescens, sapor optime, cordis asilum,
O decor optate, vos[1]), calice talea[2]) mentis,
O nitor etheree, sensus petulantis habena,
Ordo voluntatis, te deprecor, inclita virtus!

Te fouear comite, te remige ducor in orbe,
Te media viuam[3]), te discam quippe magistra,
Tecum ipsa verser, te labens forte resurgam,
Te socia egrediar, mihi dehinc concumbe sepulto,
Teque sub aduersis consoler subque secundis
Rebus te moderer, te nunc pro themate fungar!

Atque iniuncti operis titulus, ne diuager ultra,
Ethica Arestotilis Nicomachica sit Stagirite,
Cuius et inicium forma mox prodit in ista: etc.

Huius in ambiguum sententia vergit et ego
Hoc, licet in cotu celebrando nomine digno

---

[1]) vos steht hier singularisch für tu.
[2]) Im Druck steht: tabea.
[3]) Im Druck steht: unam.

Presto sint plures clarentes dote sophie,
Luce quidem phebi phalerati sorte Minerue,
Quorum ex intuitu pansaret Musa Maronis
Et tuba Lucani tremeret Nasoque paueret,
Quique etiam minimo digitello forte leuarent
Propositi dubij pondus, nichilominus ecce
Funditus exorto prinato ductus amore
Ad presens moueor in vos, preclare magister
Johannes Birmust, humeros submittite moli,
Me quoque discipulum vestri hoc in parte docete: etc.

Quamquam dixeritis consulte verbaque vestra
Sint innixa basi solide, decisor acute,
More tamen dante medio dicta improbo tali: etc.

De dubij assumpti, velut auditum est, oculato
Discussu large grates restant soluende,
Erffurdense iubar, o mi preceptor amande:

Arte fuit nobis eno concordia longo,
Firma tenaxque fides stetit et stat stabit et ultro,
Dum inga montis apor, fluuios dum piscis amabit
Dumque thimo pascentur apes et rore cicada,
Casuum in enentu vobis debebor[1] ad unguem,
Mandetis subero, vigilans ad vota patebo[2]).

Forma graciandi post susceptum gradum[3]).

At quid pro meritis promotori bene soluam?
Multa queat primum mens sana in corpore sano,
Mitis ei nendis in filis parca reludat,
Luceat ac humanum illuminet undique cursum,
Gratia sit superum fauor, orbis pulcra suppellex,
Vita sit illimis, sit tandem fama perennis[4]).

---

[1] Der Druck hat: debebar.
[2] Hier ist vielleicht parebo zu lesen.
[3] Etherologinm, fol. 121b, auch das Folgende.
[4] Hier haben wir die humanistische Sehnsucht nach der litterarischen
Unsterblichkeit.

Presidentis cum responsali gratiarum actio.

Gratibus obstricti, dignas ubi soluere neuter
  Quiuerit, amplificis obses uterque manet,
Deficiente manu voto suppletur honestas,
  Cuique igitur talem reddimus ecce vicem:
Donec sol rutilis superabit sidera flammis,
  Donec diuidui vesper et ortus erunt,
Donec et alterno se cornu luna repandet,
  Sit virtus vite, gloria mortis odor.
Interea corpus valeat, mens spiret honestum
  Proque statu cursus sit mediocre penu.

Ein Poet hat Freunde und Abgönner, war Karoch ein hämischer Tadler aller Erfurter Dichter gewesen, so gab es doch noch schlimmere Menschen unter der Studentenschaft. Was Karoch widerfahren war, geschah auch Boger, ein Böswilliger riß ihm einen seiner poetischen Anschläge ab. Er ließ gegen diesen auf seinen Ruhm neidischen Hund ein bitteres Epigramm los, In detractorem scedule intimationis proteruum[1]), und drohte der versteckten Schlange mit cerberischen Bissen, je mehr er ihm Hörer abzuziehen suche, desto mehr würden zu ihm kommen. Ein anderer Aemulus hatte gemeint, für einen dummen Jungen wie er sei das Dichten noch nicht, und erhielt seine Antwort mit einer Repressio emuli actore scribente aliquid iuuenile[2]). Aber am schlimmsten war doch der Gegner, der, ohne ein Glied der Universität zu sein, geschwätzig auf der Kanzel in der Predigt gegen das Studium der heidnischen Dichter eiferte, diesem antwortete Boger mit einer langen elegischen Inuectiua contra garrulum declamatorem poesim inter sermocinandum floccifacientem[3]). Die Poesie selbst als Traumbild übernahm ihre Verteidigung gegen diesen einen unwissenden Verächter, begleitet von den neun Musen, von den oberen Fakultäten, von den sieben freien Künsten und von Asaph,

---

[1]) H. Boger, Etherologium, fol. 47 b. Das Abreißen der Vorlesungsintimationen war auch später noch ein beliebter Schabernack der Zoili.

[2]) H. Boger, Etherologium, fol. 41 b. Das Gedicht stammt wohl aus den poetischen Anfängen Bogers.

[3]) H. Boger, Etherologium, fol. 39 b. Das war wohl ein Mönch wie der, über den Mutianus sich später (1509) wegen seiner Predigt gegen die Poeten aufregte. K Gillert, a. a. O., No. 128, 129.

Homer und Maro, und bewies, daß wie der hl. Hieronymus nicht ihretwegen von einem Engel gezüchtigt worden sei[1]), es jedem Christen erlaubt sei, die heidnischen Poeten zu lesen.

Treue Freundschaft schloß er schon als Scholar mit seinem Koetanen Heinrich Fischer aus Nordheim[2]), beide verband die Liebe zur Dichtung, und ausgetauschte Gedichte, meist poetische Episteln, geben davon Zeugnis. Die gleiche, sächsische Landmannschaft war wohl der erste Grund zur Freundschaft, und dieses Band läßt sich auch bei den meisten anderen Freunden erkennen. Da ist zuerst Johannes Marquardi aus Göttingen zu nennen, der sich ebenfalls im Sommersemester 1471 in Erfurt eingefunden hatte und, nachdem er 1473 Baccalar und 1478 Magister geworden war, starb[3]). Boger schrieb dem dulcis conmilito ein poetisches Epitaph. Dem Bruder Johanns, dem Franziskaner Heinrich Marquardi (S. S. 1480, Baccalar 1482, Magister 1486), widmete er später ein Trostgedicht[4]). Einen heiteren Genossen gewann er an Gottschalk Piper (Fistulatoris) aus Adelepsen (W. S. 1471, 1473 Baccalar), der ihm öfter süße Weisen sang, dann, als er fern war, aber nicht fleißig genug schrieb. Dessen Bruder Hartmann Piper (S. S. 1473) war auch ein Glied des Freundeskreises[5]). Allmählich erweiterte sich der Poetenzirkel noch. Zu dem nachmaligen Juristen Heinrich Collen aus Oßnabrück (S. S. 1471, 1473 Baccalar, 1479 Magister), den Henricus Aquilonipolensis als Hinricus Thaureapontspolensis und Poeten pries[6]), trat Heinrich Siekte[7]) aus Braunschweig (W. S. 1476), Wedego

---

Loch aus Wernigerode (S. S. 1478, Baccalar 1480, Magister 1483),
den er später als fleißigen Baccalar der Theologie besang[1]), und
Dietrich Raven (Rave, Rabe) aus Hildesheim (S. S. 1478,
Baccalar 1480, Magister 1482), der ihm 1488 ein Scherzgedicht
nach Rom schickte: In pueros Italicos die noctuque Scaramella
cantantes[2]). Dietrich Block aus Hildesheim, der mit Raven
gekommen war und auch selbst dichtete, schloß sich ihm eng an und
sammelte einen großen Teil seiner Gedichte[3]). Block als Doctor
med. und der im Sommersemester 1481 in Erfurt immatrikulierte
Andreas Becker aus Magdeburg, der nach dem philosophischen
Magisterium[4]) zur Jurisprudenz übergegangen war, als Doctor
iuris utriusque trafen mit dem Doctor theol. Boger in Rostock
als Dozenten wieder zusammen, und dieser weihte dem frohen
Ereignis ein langes Gedicht[5]).

Von seinen Schülern in der Poetik ist nur der im Wintersemester 1482 intitulierte Jacob Questenberg[6]) aus Wernigerode als solcher bekannt und zwar darum, weil Boger auf die
poetischen Leistungen desselben und die Anerkennung, die er
fand, stolz war[7]):

Ad M. Jacobum Questenberg Werningrodensem.

Cessit Arestotili Plato Nasonique Tibullus,
    Cedere discipulo non pudet ergo meo.
Me decrescente tua radix pullulat imo,
    Jam pulsas ramis aera quippe tuis.

---

[1]) H. Boger, Etherologium, fol. 55b: Ad M. Wedegonem N. Bacca-
larium Theologie in Collegio Werningroden. pro cursu legentem.

[2]) Wolfenbütteler Codex 58. G. Fol., fol. 66: 1488 Martis 8. Julij Magister Theodoricus Rauen Subscripta carmina misit ad me in urbem
Romam.

[3]) In dem oben zitierten Wolfenbütteler Codex, den er vielleicht von
Boger geerbt hat.

[4]) Andreas Becker wurde 1483 Baccalar und 1487 Magister der
Artes. In Rostock ist er im W. S. 1499 immatrikuliert und war im S. S.
1501 Rektor.

[5]) H. Boger, Etherologium, fol. 54b: Trium doctorum d. Andree
Becker et Theoderici Block actorisque Erffurdiensium mirando conuen-
tionis Rostochii gratulatio.

[6]) Zu Questenborg s. hier w. u.

[7]) H. Boger, Etherologium, fol. 56.

7*

Est tibi Pomponius[1]), mihi mortua carta magistrá,
Quod tibi cultus ager, dat mihi feda palus.
Arte, beneficijs, decore exaltaris egoque
Tristis in Egipto tabeo, ageo, lateo.
Quod tibi Falco, tamen clarus mihi Theodericus[2]),
Dulcis utriqe suus spe duce semper erit.
Ex tegete Hinrici Jacobea palatia[3]) queras,
Inde reuersurum grauiore decasticon arte.

Sehr richtig hebt er in diesen in Rom geschriebenen Versen hervor, wie Questenberg durch den lebendigen Unterricht des
gelehrten Pomponius Laetus gefördert werde, während er nur
aus dem toten Sumpf der veralteten Bücher sein Können erworben habe.

Aus seinen höheren Jahren liegen Verse von Boger auf die
Erfurter Pest von 1496 vor. Mit der Klage über das Ungemach
der Universität vereinigt er darin das Bedauern, daß auch der
Doctor iur. Lampertus Vulpes (Voß) und der Lic. iur. Johannes
Institoris[4]) geflüchtet seien[5]).

Die gewaltige Menge seiner Dichtungen hat unter dem Namen
Etherologium (Heterologium) sein Freund der Propst in Lüne
Nicolaus Schomaker aus Lüneburg, der einst im Wintersemester
1460 seine Studien in Erfurt begonnen hatte, nach Bogers Tode
1506 in Rostock drucken lassen[6]). Wir können den starken Band

[1]) Zu Pomponius Laetus vergl. L. Keller, Die römische Akademie
und die altchristlichen Katakomben, 9; L. Geiger, Zeitschrift für vergleichende Litteraturgeschichte, N. F. IV, 215 f.

[2]) Die beiden Persönlichkeiten Falco und Theodericus sind nicht
zu ergründen. Theodericus ist wohl aber der im W. S. 1457 immatrikulierte Theodericus Arndes de Hamborch, Dechant in Hildesheim,
1492 Bischof von Lübeck.

[3]) Der Palazzo des Kardinals Marco Barbo von St. Marcus, zu dessen
Familia Questenberg gehörte, s. w. u.

[4]) Zu L. Voß Th. Muther, Zur Geschichte der Rechtswissenschaft,
225 No. 37, zu Institoris oder Johann Kremer de Elspe a. a. O., 233
No. 62.

[5]) H. Boger, Etherologium, fol. 169: Achademie Erffurdiensis ob
pestem lugubris dispersio.

[6]) Etherologium Eximij et disertissimi viri domini et magistri Hinrici
Boger theologie doctoris Ecclesie Collegiate Sancti Jacobi Bostochiensis
Decani, non minus ad legentium eruditionem quam solatium ab eodem In

nicht voll besprechen und ausnutzen und erwähnen nur, daß die
Sammlung in die zwölf Distinctiones [1]): Oracinncule, Historie, Jnuec-
tiue, Familiaria, Panegirica, Epitaphia. Arenge, Doctrine, Querele,
Dialogi, Hymni und Apologi, zerfällt. Empfehlende Gedichte an
den Leser haben die Rostocker Doctor legum Caspar Hoyger[2]),
Mgr. Barthold Moller[3]), Mgr. Thilemann Heverling[4]) und
der Lübecker Kanonikus Mgr. Johannes Rude-.boigestevet.
Andere Gedichte Bogers befinden sich noch in dem schon öfter
zitierten, von Block gesammelten Wolfenbütteler Codex.

Das Sommersemester 1471 hat, wie eben berührt wurde, noch
einen Scholaren gebracht, der wie Boger das Dichten sein ganzes
Leben hindurch, bis tief in das Greisenalter hinein, übte, Henricus Fischer de Northeym[5]). Sein deutscher Name wurde für
ihn als Dichter bald unbequem und nachdem er sich zuerst
Piscatoris genannt hatte, griff er zu dem entlegeneren Hamifer,
vorübergehend schrieb er sich auch Northemensis, bis er endlich
zu der dauernd von ihm geführten Form Aquilonipolensis[6])
gelangte. Da der größte Teil seiner poetischen Leistungen einer
späteren Zeit angehört, sollen hier nur seine Anfänge betrachtet
werden[7]). Er hat sich viel in der Welt umhergetrieben und daher
bleibt manches in seinem Leben dunkel, er tauchte jedoch immer
wieder in Erfurt auf und ließ nicht bloß leichte Spuren seiner

---

ordinem digestum Anno Christiane salutis Quinto supra Millesimum quingentesimum.

Finis vberrimi operis Heterologij Hinrici Boger, quod sollicitudine
et hortatione Clarissimi viri et domini Nicolai Schomaker In luno propositi etc. In ordinem redactum est, Impressumque Rostochij Anno salutis
nostre, sexto supra millesimum quingentesimum. 4°.

[1]) Es ist doch wohl nur anfällig, daß Boger seine Gedichte wie Bibra
sein Carmen in Distinctiones geteilt hat.

[2]) Zu Hoyger vergl. K. E. H. Krause s. a. O., 132 f.

[3]) Zu Moller vergl. O. Krabbe, Die Universität Rostock, 321 f.

[4]) Im S. S. 1488 in Leipzig: Thilmannus Hefferling de Gottingen.
In Rostock 1495 Mai 1: Tylemannus Henerllngk de Ghottingen, im
W. S. 1496 Baccalar, im W. S. 1498 Magister. O. Krabbe, a. a. O., 261 f.

[5]) In der Matrikel steht schon im S. S. 1442 ein Gyscleruo Fißcher
de Northeym nnd im W. S. 1500 ein Fridericus Fischer de Northeim.

[6]) Nur einmal findet sich Aquilopolensis. S. w. u. in Kapitel V.

[7]) Seine gedruckten Werke s. u. in Kapitel V.

Anwesenheit zurück, sondern wirkte, obgleich er sich wie Boger das Mittelalterliche und das bäurische Frühhumanistische in seinen Werken niemals abgewöhnte, doch auch bei der Weiterentwicklung des Humanismus mit. Seinen ersten Bildungsgang hat er in einem 1463 in Rom, als er sich krank fühlte, verfaßten eigenen Epitaph[1] kurz erzählt:

Viue, Aquilonipolis, genitrix mea, Saxonie flos,
    Theopolis, pueri, viue, magistra tui,
Viue magisterij datrix, Erphordia, nostri,
    In sancta Hinricns pace poeta cubet.

Er war also von Göttingen, wo er die Trivialschule besucht hatte, nach Erfurt gekommen. Hier wurde er 1472 Baccalar und erst 1479 Magister. Die Gedichte an seine Freunde und Mitpoeten Heinrich Boger und Dietrich Block öffnen einen Blick in seine Weiterentwicklung. Scherzend setzte sich Boger mit ihm auseinander[2], daß er nach dem Vorbilde des Rabanus Maurus die Versus cancellati, das heißt hier Hexameter, von denen immer je zwei paarweise denselben Endreim haben, liebe, aber er antwortete ihm doch in demselben Metrum. Block hat seine poetischen Anschläge für Resumptionen der Poetria noua[3] des Galfrid Vinesauf aufbewahrt. Galfredus (Ganfredus) de Vinosalvo oder Anglicus hatte in der ersten Hälfte des XIII. Jahrhunderts gelebt und seine Poetria, die ein sehr beliebtes Schulbuch wurde, Papst Innocenz III. gewidmet, ein Beigedicht richtet sich an den Kaiser Friedrich II. oder Otto IV. und erinnert ihn an das Geschick des verstorbenen Königs Richard Löwenherz von England. Aus diesen Andeutungen wird der folgende Anschlag[4] verständlich:

---

[1] In seinom Epitaphiale. S. u. in Kapitel V.
[2] Wolfenbütteler Codex 58. 6. Fol., fol, 51 b: Cancollatos edere versus M. Henrico Vischer multum placuit more Rabani etc., fol. 52b: Cancollato quondam M. H. Vischer per istum cancellatum rospondit etc. (sc. H. Boger).
[3] Die Poetria nova ist abgedruckt bei Polycarp Leyser, Historia poetarum et poematum medii aevi, 861, 862 f.
[4] Leibniz, Scriptorum Brunsvicensia illustrantium tomus III, 677, 678; Wolfenbütteler Codex 58. 6. Fol., fol. 64.

Magister Henricus Vischer volens resumere poetriam
Gunfredi nouum valuis collegij maioris Erffordiensis
hanc affixit scedulam.

Scribendi comptam miro dulcedinis artem,
Pontificis summi teneras qua mulserat aures
Anglicus et regem fecit post fata reuerti
Ad venie portus [1] celebri sermone Richardum,
Facundis opibus insignem, principiabit,
Quando septenam sol vespere verget ad horam.

Eine zweite Intimatio, er hat deren fünf verfaßt, lautet [2]:

Quo pede transcurrat, quo passu perspacietur,
Quo siquidem flore depingat rethor apricos
Rethorice campos, qua vel ratione locos tres
Commiscere solet, ars scribendi noua monstrans
Vespere cingetur septena primitus hora
Peruigili cura pars illius inicialis.

Aus diesem Anschlage geht hervor, daß Fischer eine Handschrift benutzte, die etwa den Titel führte De modo et arte
dictandi oder dicendi et versificandi [3]). Das Buch war dem
Humanismus natürlich fremd und gehörte, wie aus dem Worte
resumere, d. h. wiederholen, zu erkennen ist, zu den üblichen
Fakultätsbüchern, aber Fischer und seine humanistischen Schüler
haben damit den Grund für ihren Humanismus gelegt und Fischer
hat sich nie ganz davon entfernt.

Ein Gedicht an Block [4]) zeigt dann Fischer auf seinem
wechselvollen Lebenspfade begriffen:

Magister Henricus Piscatoris de Northeym tuus
Artium et philosophie magistro commendabili Theoderico
Block de Brunswick, alteri mihi caro.

Henrici, Theoderice, tui, percare, salutem
Sume caballino letior amne bibens.

_____

[1] Venie portus soll wohl Roma heißen. Boger sagte dafür ortus
(hortus) venia.
[2] Wolfenbütteler Codex 58. 6. Fol., fol. 64.
[3] Vergl. P. Leyser, a. a. O., 857, 859.
[4] Wolfenbütteler Codex 58. 6. Fol., fol. 64.

Hospes Saxonum recreatur in urbe pedester,
Certior ipse suo factus in officio.
Urbe ut lunaris me linquet, Missna fouebit,
Hospita cum viridi palmite terra vivet.
Crede, studebit, eris, nisi tunc fallamur, eidem
Successor. Que mens sit, replicato. Vale.

Ob er Schulmeister oder vielleicht Stadtschreiber in Lüneburg und Meißen gewesen ist[1]), ist aus den Versen nicht klar zu ersehen[2]).

Über einen Abstecher von Erfurt nach Leipzig vor 1494 berichten die Verse[3]) seiner Dinetromachia:

Me mea viniferax iam Erffordia docta magistrum
Alma ferat nutrix, non fuga Pieridum,
Tum noua delicijs prefulgens hospita vatum
Inclita Liptzk, Misne flos, neque diffugium.

Im Jahre 1500 war er wieder in Erfurt, beteiligte sich mit Maternus Pistoris und Nicolaus Marschalk an einer fortschrittlichen humanistischen Publikation[4]) und gab eigene poetische Werke heraus.

Bei seiner Romreise, die er 1503 unternehmen mußte, da ihm eine Erbschaft von kirchlicher Seite streitig gemacht wurde[5]), traf er in Bologna mit seinem Jugendfreunde Boger zusammen, beide waren indes grau geworden[6]), wie Boger wehmütig bemerkt:

Romula canus adis iam menia, Felsina canum
Me fouet. Antiqui sub fide amoris aue.

---

1) Wegen seiner Verheiratung ist das Letztere wahrscheinlicher.

2) Nur Klagen über seine Lage enthält das Gedicht, a. a. O., Magister Henricus Viseber Tuus ad placita Honorabili viro domino Theoderico Block de Brunswick artium ac philosophie Magistro admodum colendo. Viue Theoderico.

3) Man beachte auch die Endreime, der Reim in verschwenderischem Gebrauch wurde seine Spezialität.

4) S. w. n. in Kapitel V.

5) Nach seinem Testament in dem Epitaphiale. S. folg. S. Anm. 3.

6) H. Boger, Etherologium, fol. 134: Secundum eius alloquium denuo principem salutantis.

Nach einem andern Gedichte Bogers[1]), wenn wir es recht verstehen, hat Aquilonipolensis damals schon den Dichterlorbeer getragen und zwar auch durch die Güte Kaisers Maximilian I.:

Sic tandem intonuit laudi spectandus honore,
Qua se[2]) cesareus clarificauit apex.

Als er in Rom erkrankte, verfaßte er auch ein poetisches Testament[3]), in dem er seiner Familie gedenkt, denn er war verheiratet. Seine Frau Sophia hatte ihm drei Kinder, Jodocus, Theodorus und Anna, geschenkt. Auf dem Heimwege las er wieder kurze Zeit in Leipzig[4]) und ging dann 1504 nach Wittenberg, wo wir seiner später gedenken wollen.

Aus einer Familie, die früh humanistische Studien hegte, war der im Jahre 1455 geborene, und im Wintersemester 1471 in Erfurt eingetragene Gabriel de Eyb, ecclesiarum Babenburgensis et Eystauiensis canonicus, der noch Ostern 1475 als Rektorwähler mitwirkte. Erfurt hatte vor ihm auch dem bekanntesten Humanisten der Familie, seinem Vaterbruder Albrecht von Eyb[5]), als Knaben, zuerst 1436 und dann 1440, den ersten Unterricht gegeben. Gabriel von Eyb ist am 15. Oktober 1475 in Ingol-

---

[1]) H. Boger, Etherologium, fol. 133 b: M. Hinrici Visseher poete principem salutantis reconuentio.

[2]) Für das „se" müßte „eum" stehen.

[3]) Gedruckt a. a. O. Darin als Veranlassung zur Reise:

Nudum noctis amans me fecit noctue ocellus
Contra ius et fas eum Olmuciense furens.
Possideant solum, sed non quo iure habeant: heu
Veros heredes mis spoliare student.
Angustinus opes veris heredibus inquit
Debori missas: non sibi: et ecclesiae:
Nec satis est ut non obsis nisi profure discas
Quisquis es: est lucem noctua nulla colens.
Ipsa inopem populit rigidas transire per Alpes
Per maro per terras saxa per et scopulos.

Die Überschrift sagt: Testamentum Hinrici Aquilonipolensis ab eodem in egrotatione sua Rome conditum.

[4]) Henningus Pyrgallius Ascalingus, θρηνος, Leipzig 1528, 8°. Darin von Aquilonipolensia: „Hic vir legit aliquamdiu in Academia Lypsensi post reditum eius ex Italia."

[5]) M. Herrmann, Albrecht von Eyb, 19, 20, 43.

stadt immatrikuliert und wurde nach 1475 Doctor decretorum in Pavia [1]). 1511 gab er den Spiegel der Sitten seines verstorbenen Oheims heraus[2]). Von 1496 bis 1535 war er Bischof von Eichstädt.

Als Gönner des Humanismus und wohl frühzeitig humanistisch gebildet erscheint der im Sommersemester 1474 immatrikulierte Johannes Biermost de Erffordia. Er muß schon als Knabe eingetreten sein, denn erst 1480 wurde er Baccalar und dann 1482 Magister. Als Rektor des Wintersemesters 1492 war er (seit Wintersemester 1490/91) Baccalar beider Rechte und wurde während des Rektorats Licentiat und 1494 Doktor[3]). Er trat in den Dienst Friedrichs des Weisen als Rat und Kanzler[4]). Seine humanistische Bildung pries Eobanus Hessus 1507 in einem Gedichte[5]) zum Lobe der Universität:

> Te quoque florentis commendat gratia linguae,
> Quam Cicero probet et vulgi latialis ad aurem
> Deferat inuitus . . .

Hessus nannte ihn auch noch 1512 von Preußen aus als seinen Gönner und voraussichtlichen Helfer für seinen Rücktritt zum Lehramt[6]), das er mit Spalatins Hilfe vielleicht in Wittenberg erhoffte: „Habes preterea", schrieb er, „rerum nostrarum fautorem, immo, ut spero, promotorem doctorem Biermostum, virum optimum, integerrimum, doctissimum" etc. Mutian verlangte von Heinrich Urban und Spalatin ausdrücklich[7]), daß sie an Biermost „rhetorice, ut scitis" schreiben sollten. Biermost war 1508 einer der Vermittler für Spalatins Berufung an den sächsischen Hof[8]) und ein stets hilfsbereiter Freund Mutians. Er starb 1512.

---

[1]) Th. Muther, Zur Geschichte der Rechtswissenschaft, 410.

[2]) M. Herrmann, a. a. O., 379.

[3]) Th. Muther, Zur Geschichte der Rechtswissenschaft, 237 No. 73.

[4]) K. Gillert, a. a. O., No. 119.

[5]) De Landib. Et Praeconiis Incliti Atque Tocius Germaniae celebratis. Gymnasii litterarorii apud Erphordiam. Eobani Hessi Francobergii eiusdem litterariae commanipulationis alumnuli Juuenis Ephebi Carmen. succisiuis horis deductum. Formatum Typico Charactere Erphordiae apud Magistros Vuolphii Sturmer diligentia Anno Christi M. D. VII. 4°.

[6]) K. Gillert, a. a. O., S. 368.

[7]) K. Gillert, a. a. O., No. 102.

[8]) K. Gillert, a. a. O., No. 106.

Stolz konnte Erfurt auf den adeligen Scholaren sein, den es im Wintersemester 1474 als Johannes de Hermannßgrün, Johann Wolf von Hermannsgrün[1]), einschrieb[2]). Dieser war seit dem Wintersemester 1471 in Leipzig gewesen und dort im Winter 1473/74 Baccalar der Artes geworden. Er war ein vornehmer, gelehrter Bildung außerordentlich geneigter Mann und von Überzeugungstreue und Wahrheitsliebe. Als Freund wissenschaftlicher Bestrebungen und besonders des Humanismus hat er noch 1500 in dessen Entwicklung in Erfurt mit eingegriffen. Er zählte zu den frühen Kennern des Griechischen in Deutschland. In Rom bildete er sich unter Pomponius Laetus[3]) weiter und wurde dann Rat und Orator des jugendlichen Erzbischofs von Magdeburg Ernst von Sachsen, der von dem italienischen Humanisten Fridianus Pighinucius aus Lucca erzogen und von ihm und dem Leipziger Juristen und Humanisten Ivo Wittich aus Hamelburg gebildet wurde. Auf der Rückreise von der Hochzeit der Schwester des Fürsten Margareta mit Herzog Heinrich von Braunschweig-Lüneburg im Februar 1487 unterhielt sich Wolf in Halberstadt mit Pighinucius über römische Geschichte, man kam dabei auf Florus zu sprechen; Wolf besaß eine Handschrift davon, die er nach einigen Tagen Pighinucius schickte[4]), der mit Ivo Wittich den Autor 1487 herausgab und so die erste gute Originalausgabe eines klassischen Textes in Leipzig schuf[5]).

[1]) Johann Eck nennt den vollen deutschen Namen: „Joannes Vuolf de Hermanagron Thuringus, orator eloquentissimus", in Joannis Eckij Theologi Ingolstadiensis orationes tres, Augsburg 1515 (Additio) 4°.

[2]) Zu Johann Wolf vergl. H. Ulmann in den Forschungen zur deutschen Geschichte, XX, 67 f. Die Identifikation mit Luppold von Hermannsgrün ist unbegründet. M. Naumann, Einige Beziehungen Magdeburgs zum Humanismus, in den Geschichtsblättern für Stadt und Land Magdeburg, XXII, 79 f.

[3]) L. Geiger, Johann Reuchlins Briefwechsel, 43 No. 49. G. Bauch, Geschichte des Leipziger Frühhumanismus, 100.

[4]) Nach der Widmung der Florusausgabe von Pighinucius an Ernst von Magdeburg.

[5]) Luclj flori historigraphi Epithomata. L. Annaei flori Epithoma hoc emendatum Fridianus Pighinucius lucensis Et Iuo Uittigis ere premendum curauerunt. Quod arte una Conradus galliens In opido liptzensi perfecit xij. Calend. Junij Anno salutis. M. CCCC. lxxx. septimo 4°.

Wittich las dann auch zuerst in Leipzig darüber[1]. Vor 1495 unternahm Wolf eine weite Reise, die ihn bis nach dem heiligen Lande führte[2]. 1495 war er als magdeburgischer Gesandter bei dem Reichstage in Worms und trat um diese Zeit mit Johann Reuchlin, den er wegen seiner Kenntnisse im Griechischen hochschätzte, in Briefverkehr[3]. 1497 ging er als Gesandter zu dem Könige von Böhmen und Ungarn Wladislaw nach Prag[4] und knüpfte dort Verbindung mit dem gelehrten Bohuslav von Hassenstein an[5]. Im Jahre 1500 regte er in Erfurt den Humanistenführer Nicolaus Marschalk zur Abfassung seiner reformierenden Werke, der Ortographia und der Grammatica exegetica, an[6]. Im Laufe des Jahres 1504 fuhr er mit dem Grafen Hoyer von Mansfeld und Heinrich von Thuen nochmals nach dem heiligen Lande[7]. Er hielt auf der Reise eine Rede an den Sultan von Ägypten und beschrieb unterwegs die ganze Fahrt[8]. Mit seinen Gefährten besuchte er auf dem Heimwege im Februar 1505 Rom, wo er mit ihnen in die deutsche Bruderschaft bei St. Maria de Anima eintrat[9]. Seine Rede an den Sultan fand den Beifall des Papstes Julius II. und mehrerer Kardinäle; sie ist leider ebensowenig wie der Kommentar über die Wallfahrt erhalten. Was er als Gelehrter und Staatsmann seiner Zeit galt, drücken die Worte Marschalks[10], Hermann Kaisers von Stolberg und Reuchlins[11] aus. Marschalk sagt 1500: „Unde fit, ut omnes te non immerito

---

[1] G. Bauch, Geschichte des Leipziger Frühhumanismus, 22, 149.

[2] L. Geiger, a. a. O., 43 No. 49. Ulmann denkt hierbei an die Wallfahrt Friedrichs des Weisen, an der Luppold von Hermannsgrün beteiligt war.

[3] L. Geiger, a. a. O., No. 19—53, 59.

[4] L. Geiger, a, a. O., 52 No. 59.

[5] J. Truhlář, Listář Bohuslava Hasišteinského z Lobkovic 121. 137.

[6] S. w. u. in Kapitel V.

[7] Von dieser Pilgerreise ist außer Kaisers Bericht nichts bekannt.

[8] Nach dem Briefe von Hermann Kaiser an Hermann von dem Buscho, Venedig XIII. cal. April. 1505, bei In hoc opusculo hoc continentur. Hermanni Buschij Spicilegium. XXXV. illustrium philosophorum auctoritates utilesque sententias continens etc. Leipzig 1507, 4°, Dijb.

[9] Liber confraternitatis etc., 39.

[10] In der Widmung der Orthographia. S. w. u. in Kapitel V.

[11] L. Geiger, a. a. O., 43 No. 49.

synchronismi nostri principes et sophi omnes diligant ant, ut ἐμφανιώτερον dicam, plurimum ament, tametsi parum id tibi videatnr et quod litteratura ntraqne et conditione plurima et consilio presentissimo et prudentissimo praestare ceteris et antecellere pnblicitus ab omnibus praedicaris, nisi modestia etiam et humanitate vincas non solum alios sed etiam te ipsum". Kaiser[1] schrieb 1505 ans Venedig an Hermann von dem Busche[2] über ihn: „vir profecto nobilis genere, virtutibns et litteris, nobilior bonorum omninm et litteratorum patronus ac cnltor . . orator bonus, historicus pene summus, omnis eruditionis mirus amator. Scripsit commentarios sue pereginationis terris iactatns et alto stilo admodnm eleganti" etc. Sehr lebhaft beschäftigten ihn die wachsende Türkengefahr, die Zerfahrenheit im dentschen Reiche nnd Maximilians I. sprunghafte Politik. Seine Anschauungen über die Reichsverhältnisse hat er zum Gegenstande einer männlich geraden, scharfen patriotischen Schrift gemacht, die er vor dem Wormser Reichstage von 1495 Friedrich dem Weisen von Sachsen widmete und als Traumbild (somnium) bezeichnete[3].

Ein wohl schon vorgebildeter Humanist war der im Sommersemester 1476 immatrikulierte Mediziner Dominns Henricns Geralwol de Noua cinitate prope Eysch, doctor medicine, der spätere Freund des Celtis Henricus Eutycus, der sich, obwohl in Neustadt an der Aisch zu Hause, Noricus, d. h. Nürnberger, nannte[4]. Er war einige Zeit, c. 1485, Stadtarzt in Nürnberg[5], dann in Augsbnrg nnd von etwa 1493 an in Frankfurt am Main publicns physicus[6]. In Augsburg brachte er 1492 Celtis' Panegyris ad dnces Banarie znm Druck[7]) und begleitete sie mit einem Gedicht. In Mainz soll er vergeblich (1495?) Celtis'

---

[1] Hermann Kaiser war 1502 bis 1503 Propst an der Allerheiligenkirche und Dozent in Wittenberg und mit Busch und Martin Mellerstadt schon vorher in Leipzig befreundet.

[2] S. o., a. a. O. Hermanni Buschii Spicilegium.

[3] Abgedruckt von H. Ulmann, a. a. O., 78 f.

[4] Man darf ihn deshalb nicht mit seinem gleichnamigen Sohne verwechseln. G. Bauch, Die Reception des Humanismus in Wien, 77.

[5] B. Hartmann, Konrad Celtis in Nürnberg, 14.

[6] Joh, Trithemius, Opera, I, 173.

[7] G. Bauch, Die Anfänge des Humanismus in Ingolstadt, 35.

Ursula zn heilen versucht haben[1]). Vater und Sohn Eutycus
waren in Frankfurt anch mit Hermann von dem Busche befreundet. Seine Dichtungen bestanden hauptsächlich in Epigrammen, so dichtete er Scommata in curialium mores[2]) und nach
Trithemins[3]) auch eine Satira in sophistas dialecticos et humanitatis studii inimicos u. a. Erhalten ist anch ein Gedicht von
ihm an den kaiserlichen Rat Dr. Johann Fuchsmag[4]) Das
scharfe Gedicht gegen die Scholastiker gehört wohl wie die Scommata einer späteren Zeit als der Erfurter an, da Trithemius
vermutlich erst 1494 durch Celtis davon Kenntnis erhielt.

Gleichzeitig mit Eutycus, Sommersemester 1476, kam der
sächsische Edelmann Heinrich von Bünan, Herr in Teuchern[5]),
der ein großer Freund der humanistischen Studien, besonders des
Griechischen und der Kosmographie wurde. Im Wintersemester
1477 ist er in Leipzig und am 18. November 1484 in Ingolstadt
immatrikuliert. Er trat in die Dienste Friedrichs des Weisen
und Johanns von Sachsen und gehörte zn den intimsten Räten
Friedrichs[6]). 1493 begleitete er den Kurfürsten anf seiner
Wallfahrt nach dem heiligen Lande[7]). 1495 nahm er an dem
Reichstage in Worms teil und brach dort den Unterschenkel[8]).
Die langsame Heilung der Verletzung brachte ihn in lebhafte
Berührung mit dem Kreise nm Johann von Dalberg und Celtis.
Er wurde Mitglied der Sodalitas litteraria Rhenana, lernte von dem
Italiener Franciscus Bonomus aus Triest, dem Sekretär der

---

[1]) Celtis, Libri odarum quattuor, IV, 16: Ad Henricum Enticum
Franckfordensem Physicum.

[2]) Nach dem Briefe des Eutycus an Celtis in Celtis' Codex epistolaris, Augsburg, 9. April 1492, wo er Proben davon gibt.

[3]) Joh. Trithemius, a. a. O.

[4]) A. Zingerle, Beiträge zur Geschichte der Philologie, I, 121. Zu
Fuchsmag vergl. G. Bauch, Die Reception des Humanismus in Wien, 20 f.

[5]) Da der Vorname Heinrich (wie Günther und Rudolf) in dieser
Familie sehr häufig ist und eine ganze Schar von Heinrich von Bünau
in Erfurt und an andern Universitäten studiert hat, hat die regelmäßige
Beifügung seines Sitzes in Teuchern diesen Heinrich allein überall kennt-
lich gemacht.

[6]) Georg Spalatin, Friedrichs des Weisen Leben und Zeitgeschichte,
ed. Neudecker und Preller, 34.

[7]) Georg Spalatin, a. a. O., 90.

[8]) G. Bauch, Die Reception des Humanismus in Wien, 70, 71.

Kaiserin Maria Blanca, mit Feuereifer Griechisch und sammelte
Bücher, zumal griechische, und Globen. Geheilt, wenn auch als
„Stelzner", besuchte er 1496 mit Dalberg und anderen Sodalen
Trithemins in Sponheim [1]. Reuchlin widmete ihm auf der
Rückreise ein Scherzgedicht [2] und Trithemins dedizierte ihm
1496 das Melpomenecon des Jason Alpheus Ursinus [3].
1498 war er mit Kurfürst Friedrich bei dem Reichstage in
Freiburg [4] und besuchte von dort aus Sebastian Brant in
Basel, der ihm bei dieser Gelegenheit eine Abhandlung über die
Baseler Uhr widmete [5]. 1501 war er bei der Reichsversammlung
in Nürnberg und blieb, als Friedrich der Weise abreiste, bis
zum Reichsschluß (14. Sept.) daselbst. In dieser Zeit verhandelte
er mit dem Kardinallegaten Raimund Perandi wegen seines
Einlasses in das Reich und der Verwendung der Gelder des zu
verkündenden Jubiläumsablasses [6]. Damals wirkte er auch als Sodale
des Celtis poetisch bei der Herausgabe der Werke Roswithas
mit [7]. 1504 suchte er noch einmal Trithemins in Sponheim
auf. 1506 war er schon tot [8].

Zwei nur durch Aquilonipolensis als humanistische Poeten
bekannte Scholaren sind die im Wintersemester 1476 verzeichneten
Henricus Sickte de Brunswick [9] und Johannes Doring de
Luneborg. Von Sickte singt [10] er 1500: „Digna dueum sedes
celebris Brunonia Xictho (plaudit)". Sickte, der Freund Bogers,
gibt als seinen alten Familiennamen Bruning an. Er wurde

[1] Joh. Trithemius, Opera, II, 408.
[2] H. Holstein in der Zeitschrift für vergleichende Litteraturgeschichte etc., 1890, 133.
[3] Melpomenecon Jasonis Alphei Vrsini presbyteri etc. Mainz Peter Friedberg 1496. 4°.
[4] H. Ulmann, Kaiser Maximilian I., II, 610, 612.
[5] Explanatio Sebastiani Brant: de anticipatione Horologii Basiliensium, bei Varia Sebastiani Brant Carmina. Basel, Joh. Bergmann de Olpe kl. Maiis 1498, 4", Bog. m. Widmung datiert IX. Kl. Maias 1498. Zu dieser Zeit war Bünau bei Brant.
[6] J. Schneider, Die kirchl. und polit. Wirksamkeit des Legaten Raimund Perandi, 64.
[7] G. Bauch, Die Reception des Humanismus in Wien, 80.
[8] Joh. Trithemius, Opera II, 553.
[9] Von uns oben, 95, schon als Freund Heinrich Bogers erwähnt.
[10] In der Cithara sophialis. S. w. u. im Kapitel V.

1478 Baccalar und 1483 Magister. Als Rektorwähler und Dekan
der Artisten wirkte er im Wintersemester 1496, der Rektor Martin
von der Marthen nennt ihn „acutus et modestus homo". Auch
im Wintersemester 1518 und im Wintersemester 1522 noch war
er Rektorwähler. Im Sommer 1509 war er Rektor der Universität
und bezeichnet sich in dem Rektoratsberichte, dem er sich elegante
Form zu geben bemühte, als Kollegiat des größern Kollegs. Von
Johann Doring, der 1478 Baccalar wurde, haben wir schon
gehört, daß er zu den aus Erfurt hervorgegangenen Musikern [1]) zu
rechnen ist. Als seinem Freunde und als Poeten weihte ihm, den
er als Johannes Thurius Phebipolensis latinisierte, Aquilonipolensis [2]) die Zeilen:

> Nomine Thuringo Panethica Phebipolensi (sc. plaudit)
> Johanni urbs, digna laudis, optima sale.

Die Urbs Panethica mag ein anderer in das richtige Deutsch um-
setzen, es ist vielleicht Halle gemeint. Aquilonipolensis widmete ihm auch seinen in Lüneburg geschriebenen Cathalogus
Platonicus [3]).

Dem Wintersemester 1476 gehört auch Bartholomeus Locher
de Ehingen [4]) an, der ältere Bruder des vielgenannten Humanisten Jacobus Locher Philomusus. Von ihm ist nur bekannt,
daß er in Erfurt 1478 Baccalar wurde, 1493 seinen Bruder Jakob
auf der Reise nach Italien begleitete und später Stadtschreiber und
Schulmeister in Geislingen war. Daß auch er als Humanist zu
betrachten ist, geht allein schon aus seiner Welschlandfahrt hervor.

Unter den edlen Studenten [5]) darf Dietrich von Bülow [6])
nicht übergangen werden. Er hatte seine Studien, wohl noch sehr

---

[1]) S. ob. in Kapitel II, 32, 33.
[2]) In der Cithara sophialis. S. w. u. in Kapitel V. Doring war 1504,
wie wir oben (S. 32) annehmen, noch nicht gestorben, er ist im W. S. 1510
noch einmal in Leipzig immatrikuliert.
[3]) S. w. u. in Kapitel V.
[4]) Hehle, Der schwäbische Humanist Jacobus Locher Philomusus, I, 9.
[5]) Im S. S. 1475 kam auch der spätere Bischof von Würzburg Laurentius von Bibra nach Erfurt.
[6]) Zu Dietrich von Bülow, vergl. G. Knod, Deutsche Studenten
in Bologna, 76, No. 530; G. Bauch, Die Anfänge der Universität Frankfurt
a. O., 3, 106, 107, 111, 114, 115.

jung, im Wintersemester 1472 in Rostock begonnen und war 1477 Baccalar geworden. Vom Sommersemester 1478 ab setzte er sie vermutlich als Jurist in Erfurt und von 1479 ab in Bologna fort. Dort erlangte er 1484 das Doktorat in legibus. Schon 1482 Kanonikus von Lebus wurde er Rat des Kurfürsten Johann Cicero von Brandenburg und durch dessen Einfluß 1490 Bischof von Lebus. Die Söhne Johanns Joachim und Albrecht hat er mit erzogen und blieb auch Joachims I. vertrauter Rat[1]). Ein eifriger Freund der Gelehrsamkeit und des Humanismus wirkte er auch an der Gründung der Universität Frankfurt a. O. mit und wurde deren erster Kanzler und Konservator. Die Humanisten Publius Vigilantius Axungia, Johannes Rhagius Aesticampianus, Hermannus Trebelius u. a. erfreuten sich seiner tatkräftigen Gunst. Vigilantius war sein Vorleser, und als dieser 1512 umgekommen war, sorgte er für den Druck der von ihm nachgelassenen Bellica progymnasmata. Von seinen Studien spricht auch sein Briefwechsel mit Johannes Trithemius, der 1505 und 1506 am kurfürstlichen Hofe in Köln an der Spree weilte und von ihm unter Vermittlung Eitelwolfs von Stein Jamblichus, Proclus, Porphyrius und Synesius entlieh[2]). Noch 1507 korrespondierten die beiden über Apollonius von Tyana, den Trithemius für einen Betrüger erklärte[3]). Bülow starb am 1. Oktober 1523.

Im Sommersemester 1478 trat auch Theodoricus Block[4]) de Brunswick ein, der Freund Hinrich Bogers, von ihm Truncus genannt, und Heinrich Fischers von Nordheim. Er war aus Hildesheim wie Theodoricus Raven, der mit ihm kam, aber von braunschweigischen Eltern geboren[5]). 1480 wurde er Baccalar und 1482 Magister. Als Aquilonipolensis sein Amt in Lüneburg aufgab, erwartete er, daß Block darin sein Nachfolger würde. Block faßte jedoch später eine andere Laufbahn

---

[1]) Wohlbrück, Geschichte des ehemaligen Bisthums Lebus, II, 248 f.

[2]) Joh. Trithemius, Opera, II, 482, 483, 486, 487.

[3]) Joh. Trithemius, a. a. O., 534—536.

[4]) Über Block hat in den Mecklenburgischen Jahrbüchern, a. a. O., 134, 135, K. E. H. Krause kurz gehandelt. Der dort erwähnte Fasciculus poematum ist unser Wolfenbütteler Codex. Falsch ist die Angabe, daß Block 1507 in Wittenberg Augustiner-Prior und Mitrektor wurde.

[5]) Das sagt er in seinem Epitaph. S. u. Es ist auch gedruckt bei Leibniz, Scriptorum Brunsvicensia illustrantium tomus III, 683.

Bauch, Die Universität Erfurt 8

ins Auge, um sein Leben zu sichern, wurde er Geistlicher und als eigentlichen Beruf wählte er die Medizin. Am Ende des Jahrhunderts studierte er in Bologna Medizin bis zum Doktorat und als Commilito des Juristen Christoph Scheurl Humaniora bei Johann Garzo[1]). Nachdem er noch Rom gesehen hatte[2]), wurde er im Sommersemester 1502 in Rostock als Universitätslehrer mit dem Vermerk intituliert: Theodoricus Block artium et medicine doctor honoratus. Hier nahm er die alte Freundschaft mit Boger wieder auf[3]) und hielt mit dem von Hermann von dem Busche angefeindeten Humanisten M. Thilemann Heverling (Levaneus) aus Göttingen freundlichen Umgang[4]). In Rostock wurde er Kanonikus zu St. Jacobi und Pfarrer von Wismar, außerdem besaß er Vikarien in Hildesheim und Halberstadt. Alle diese Pfründen zeigt sein Eintrag in Wittenberg, wo er unter dem Rektorat Christoph Scheurls im Sommersemester 1507 als Ordinarius der Medizin aufgenommen wurde. Im Sommersemester 1508 führte er selbst das Rektorat. Die hergebrachte Lobrede auf den Rektor beim Antritte des Rektorats hielt Scheurl und der italienische Poet Richardus Sbrulius folgte mit einer langen poetischen Deklamation desselben Inhalts[5]). Auch in Wittenberg stand Block freundlich zu den Poeten, zu Sbrulius, Otto Beckmann, Thilo-

---

[1]) Das sagt Scheurl in seiner Rede auf Blocks Wittenberger Rektorat. Nürnberg, Germanisches National-Museum, Ms. Fol. 281, fol. 37.

[2]) S. das unten zitierte Gedicht des Sbrulius zu Blocks Rektorat.

[3]) S. das oben, 99, zitierte Gedicht Bogers und im Wolfenbütteler Codex 58, 6, Fol., fol. 60 b, incip.: Chare phebeo redimito dono. Der ganze Codex ist von Block gesammelt.

[4]) Wolfenbütteler Codex 58, 6, Fol., fol. 69: In titulum Egregij domini doctoris medicinarum Theoderici Block artium ingenuarum magistri Tilemannus Heuerlingh Gottingensis nonnihil substrependo profudit. Ad egregium dominum Doctorem Theodoricum Block Extemporale quoddam Tilemanni Heuerling. Eiusdem carmen inuitatorium etc. fol. 71: Tilemanni Heuerling ex tempore responsum ad Epistolium Doctoris Theoderici Block Rostochio 1506 Sabbati 4 l. fol. 71 b: Tilemanni Heuerlingk Alterl Aulennae Theoderico Block arcium ac medicinae professori disquisitissimo suo patrono.

[5]) Gedruckt in Richardi Sbrulii equitis Foroliuliensis Cleomachia. Wittenberg 1510: Pro magnifico viro artium et medicinae doctore Theodorico Blochio Carmen ad Vuittenburgensem Academiam ex tempore pronunciatum.

ninus Philymnus, Kilian Reuter[1] u. a. Seine eigene humanistische Gelehrsamkeit bewies er 1509 und 1510 in den Promotionsreden auf die Mediziner Simon Stein aus Penig und Christoph Judoci aus Liegnitz[2]). Block muß nicht lange in Wittenberg geblieben sein, 1512 und 1517 wurden noch einmal Anstalten gemacht, ihn dorthin wieder zurückzurufen[3]) 1517 lebte er in Magdeburg. Als Sammler von Gedichten haben wir ihn schon erwähnt. Eigene Verse zeigen nur ein Epitaph, das er sich selbst gesetzt hat, einige kleine Gedichte an Thilemann Heverling in Rostock, an Sigismund von Lobkowitz und Hassenstein, den Neffen Bohuslavs, und an Richard Sbrulius in Wittenberg, sowie auf das Bild seiner Mutter und das Friedrichs des Weisen von Cranach[4]). Er starb 1524 in Magdeburg und wurde dort bei den Prämonstratensern begraben[5]).

Im Wintersemester 1479 ist Jacobus Schol de Offinburga intituliert, er wird sonst stets als Straßburger bezeichnet, 1482 wurde er Baccalar, 1487 Magister und gehörte lange als ordentliches Mitglied der Artistenfakultät an. Im Sommersemester 1494 und im Wintersemeter 1498 fungierte er als Rektorwähler. Aquilonipolensis[6]) nennt ihn 1500 unter den Dichtern: „Argentina (plaudit) Jacobo meo facunda Scholoni", und er selbst legte großen Wert auf seine Neigung für die humanistischen Studien. Deshalb schrieb er, als er im Sommersemester 1504 Rektor war, in die Matrikel: Jacobus Schollus Argentinensis, „ingenuarum et liberalium disciplinarum cultor ac doctor, omni vel conspicua eruditaque litteratura opido quam excultus maiorisque collegii Erphordiensis collega".

Einen guten Namen unter den Humanisten als Freund und Gönner führte der im Wintersemester 1481 der Matrikel einverleibte Johannes Sommeringk de Fuerr (Furra), der 1484 Bacca-

---

[1]) Gedichte dieser Poeten, meist auf die schöne Dienerin Blocks Gess, in dem Wolfenbütteler Codex, fol. 84 b bis 94.

[2]) Wolfenbütteler Codex, fol. 98 f., 104 f.

[3]) Weimar, Sächsisches Gesamtarchiv, Reg. O. 312.

[4]) Wolfenbütteler Codex, fol. 107, 108, 92b, 87.

[5]) Sein Epitaph von Henningus Pyrgallius Ascalingensis bei dessen In obitum Petri Mosellani Protegensis etc. Planctus, Leipzig 1524 8°.

[6]) In der Cithara sophialis. S. w. u. in Kapitel V.

8*

lar und 1488 Magister wurde. Als Baccalar, wir wissen, daß Baccalare über Grammatik und Rhetorik lesen durften [1]), hielt er Vorlesungen über Terenz und hatte dabei Mutianus Rufus zu seinem Hörer. Dieser dachte in einem Briefe an Heinrich Urban noch 1512 daran [2]) und gab dabei die Charakteristik von ihm: „Tui, imo nostri, amantissimum esse Sommeringum non heri et nudius tertius, sed olim cognoui. Fauet Latinis studiis ut qui maxime, odit barbaros ut qui valde. Nam adhuc tenni fortuna et tantum philologie baculo insignis Terencium in scola philosophorum narrabat. Auditor eram. Eunuchum tractauit per ferias caniculares. Satis facundie, multum diligencie prestitit. De eleganeia taceo, que sub idem tempus nondum isthic emerserat. Coluit Thurium (Marschalk) poetam, Crotum honorauit, dilexit Spalatinum". An einer andern Stelle [3]) nennt er ihn „caput latinorum". Und Eobanus Hessus sagt in einem Briefe [4]) an Mutian: „Hodie ad prandium vado ad Sommeringum, communem patronum, cum quo et saepe et libenter sum, qui tui est amantissimus. Dii boni, quam pleno te ore laudat!" Sömmering wurde nach Vollendung seiner artistischen Studien Jurist, 1497 Doktor beider Rechte [5]) und Dozent der Jurisprudenz, Kanonikus und Kantor zu St. Severi und mainzischer Sigillifer, also eine einflußreiche Persönlichkeit, die recht wohl den Bestrebungen des Humanismus von Nutzen sein konnte [6]). Er starb erst 1528.

Von ihm ist sein gleichnamiger jüngerer Bruder oder Vetter zu unterscheiden, der im Sommersemester 1486, gleichzeitig mit Mutianus als Johannes Sommeringen (de Furra) Student wurde, 1489 das Baccalaureat und 1492 das Magisterium erreichte.

---

[1]) S. o. in Kapitel I, 16, nach H. Weißenborn, Acten der Erfurter Universität, II, 141 § 99.

[2]) K. Gillert, der Briefwechsel des Conradus Mutianus, No. 197.

[3]) K. Gillert, a. a. O., No. 201.

[4]) K. Gillert, a. a. O., No. 556.

[5]) Th. Muther, Zur Geschichte der Rechtswissenschaft, 232 No. 59, und 238 No. 77. Muther hat nicht erkannt, daß er mit den No. 58, 59 und 76, 77 das Opfer einer Verwechslung geworden ist.

[6]) Als Sommering 1512 Mutian in den eigenen wie in Herborda von der Marthen Angelegenheiten in diplomatisch erschien, gab er ihm das Pseudonym Cotio. K. Gillert, a. a. O., No. 205.

Er war Vikar an der St. Gotthardskirche und auch ein Freund des Mutianischen Kreises [1].

Ein Gönner des Erfurter Humanismus und selbst eifriger Humanist wurde der im Sommersemester 1482 eingetretene Hartmann Burggraf von Kirchberg, der zu des Poeten Johann Riedner Zeit seine Studien machte [2]. Die Universität erwählte ihn in den beiden Semestern von 1484 zu ihrem Rektor. Im Wintersemester 1491 fungierte er als Legum doctor bei der Rektorwahl. 1507 bis 1513 war er Koadjutor des Fürstabts Johann II. von Fulda und von 1513 bis 1521 selbst Fürstabt. 1507 bei dem Fürstentage zu Konstanz nennt ihn der italienische Poet Richardus Sbrulius Archigrammateus der Kaiserin Maria Blanca und unicus Musarum cultor [3]. Seine unentwegte Gunst genossen Johannes Crotus Rubianus, der ihn auch auf mehreren Reisen, z. B. an den kaiserlichen Hof[4], begleitete, und Mutianus[5]. Mutianus schätzte an ihm auch die Beredsamkeit im lateinischen Stile [6].

Mit Andreas Hundern aus Breslau [7] kommen wir zu dem ersten einheimischen Humanisten, der durch Schaffung einer eigenen prosaischen Schrift für die Einführung seiner Richtung in das Lehrgefüge der Universität und in das praktische Leben tätig war [8]. In Krakau, wo er am 1. August 1480 inskribiert worden war,

---

[1] K. Gillert, a. a. O., No. 306.

[2] Eine Humanistenfreundschaft zeigen zwei Briefe, einer von Hartmann an Hermann von dem Busche, Fulda 27. Dezember (1504) und einer von Buschius an Hartmann, Leipzig XVIII. kal. Febr. (1505), bei Hermanni Cesaris Stolborgij Epistola ad Buschium etc. O. O. u. J. (Leipzig 1505) 4°. Beide waren zusammengetroffen und hatten Freundschaft geschlossen. Hartmann dankt für Übersendung von Busch' Epigrammen (Liber tercius, Leipzig 1504) und schickt ihm den versprochenen Collirius. Busch dankt unter überschwenglichem Lobe Hartmanns für die Übersendung der Descriptio Collirii und den Brief.

[3] R. Sbrulius, Cleomachia, Wittenberg 1510. 4°.

[4] S. hier weiter unten bei Crotus.

[5] K. Gillert, a. a. O., No. 258a, 260, 262, 263.

[6] K. Gillert, a. a. O., No. 8, 257.

[7] Zu Hundern vergl. O. Bauch, Deutsche Scholaren in Krakau, 29 No. 9.

[8] Hundern wird auch als Dichter gerühmt, s. w. u., doch sind Verse von ihm nicht bekannt.

vorgebildet, kam er im Sommersemester 1482 nach Erfurt und wurde hier 1484 Baccalar und 1487 Magister. Im Jahre 1491 erhielt er den Auftrag, öffentlich über den Teil der Rhetorik zu lesen, der sich mit der Lehre vom Briefe beschäftigt. Seine Vorlesungen fanden Beifall und die Hörer baten darum, daß er sie herausgabe. Er tat dies[1]) und widmete seine Ars epistolandi noua (VIII. Idus Sept. 1491) dem nicht mehr jungen Scholaren Otto von Miltz, der Würzburger Kanonikus und Pfarrer von Eisleben war [2]). Nach der langen Widmung, die durchaus noch nicht in ciceronianischem Latein geschrieben ist, folgt eine ebenso ausführliche Vorrede. Er entschuldigt sich, daß er sich als der Geringste unter vielen begabten und angesehenen hochstehenden Männern an die Herausgabe der Kunst, Briefe zu verfassen, wage, doch nichts sei nützlicher, als das mit dem Geiste Erfaßte auszusprechen oder durch Briefe anderen schreiben zu können, denn dadurch erhebe man sich nicht bloß über die Tiere, sondern zeichne sich selbst vor andern aus, und durch nichts anderes schieden sich die Gelehrten von den Ungebildeten als durch den Griffel und die Zunge. Das haben die Alten erfaßt, die, nachdem sie alle Wissenschaften durchgearbeitet, das, was sie durch langes Studium erworben hatten, zum Nutzen anderer durch öffentliche Disputationen oder durch litterarische Darstellung beredt den Nachkommen weiter gegeben haben. Sokrates hat nichts Geschriebenes hinterlassen, aber alles, worüber er disputiert hat, haben seine Hörer Plato und Xenophon niedergeschrieben und sind so unsterblich geworden. Wenn wir deren Beispiel folgen, wird sich daher Niemand über uns wundern oder uns mit Recht tadeln. Die Größeren unter uns sind mit gewichtigen Dingen (mit der scholastischen Philosophie) beschäftigt und überlassen das, was für den Unterricht der Knaben nötig ist, Jüngeren, damit diese an der Behandlung solcher Dinge die Schärfe ihres Geistes durch Übung stärken. Daher habe er nicht in törichtem Wagnis, sondern zum gemeinen Nutzen der respublica litteraria die Lehre vom Briefschreiben anderer Gelehr-

---

[1]) Es ist nur die Ausgabe vorhanden: Ars epistolandi noua Magistri Andreae hundorn de vratislauia. Impressum Erffordie Anno domini. M. cccc. xciiii. 4°.

[2]) Das ist wohl der im Sommersemester 1487 immatrikulierte Johannes de Milcz canonicus maioris ecclesie Herbipolensis.

ter in etwas anderer, für unsere Jünglinge geeigneterer Ordnung
zusammengestellt, ohne dem Ansehen und dem Ruhme Größerer
etwas zu nehmen. Doch ehe er von der Sache selbst zu reden
anfange, wolle er die dieser Kunst Beflissenen an das Eine erinnern,
daß nach Ciceros Meinung jede Disziplin aus drei Dingen bestehe:
arte, imitatione et exercitatione. Er beginnt dann mit der Defini-
tion von epistola, unterscheidet zwei Genera, missiuum und respon-
siuum, die Species generum zählt er nicht auf, Marius Philelphus
unterscheide achtzig species. Die Teile (partes principales) des
Briefes beschränkt er auf drei: Causa, intentio seu enunctiatio und
Conclusio. Principium oder Exordium läßt er beiseite. Bei Cicero
fände man Briefe, die nur aus einem Teile bestünden, „que est
intentio absolute". Bei der Ratio epistolaris behandelt er Argu-
menti ratio, der nach Maßgabe oder Qualität der Person des
Adressaten der Stil anzupassen ist. Cicero unterscheidet drei
Stilarten: grauis, mediocris, attenuatus. Bei allen Stilarten ist
Elegantia claritasque zu beobachten, die darin besteht, „ut unumquodque verbum pure et apte dici videatur, spreta barbarorum
crassa latinitate nouisque aut torniosis vocabulis aut duriter aliunde
translatis". Hierauf bespricht er die drei Teile causa, intentio
und conclusio und die Cautiones für die angemessene Verbindung
der Teile. Nach einer anderen Einteilung der Briefe, die Epistola
simplex und mixta unterscheidet, gibt er Beispiele, wo die drei
Hauptteile nicht in der üblichen Reihenfolge stehen. Dann geht
er noch einmal auf die Ratio der drei Teile ein und schließt die
Partes minus principales daran, Principium oder exordium, salutatio, exitus epistolarum und data litterarum. Bei dem Principium
beachtet er die Qualitas persone des Adressaten, res ipsa, h. e.
epistolare argumentum, hierbei wird genau auf honesta und turpis
eingegangen, laus des Adressaten und titulus oder cognominatio.
Die Tituli und Epitheta folgen ausführlich erst hinter der Salutatio,
sie sind natürlich fern von Klassizität. Das Datum wird hingegen
nur nach römischer Weise gegeben. Die Beispiele sind von Cicero
und Franciscus Philelphus entnommen oder eigene. Die
Sprache des Buches ist bei aller guten Absicht die ungewandte
eines Frühhumanisten.

An gutem Willen fehlte es Hundern auch sonst nicht, fleißig
schrieb er alte Werke ab und eignete sich sogar einige Kenntnis

des Griechischen an; er ist der erste Erfurter, von dem wir kind-
liche Denkmäler dieser Anfänge des Griechischen besitzen in einem
Folianten [1]), der die Aufschrift trägt: Totus liber p. m. Audream
Hundern wratislauiensem comparatus et scriptus existimatur ij
flor. renensibus 1491. Der Band enthält zuerst die Metamorphosen
Ovids und am Ende derselben steht: Per Magistrum Andream
Hundernn Wratislauiensem scriptum Erffordie Anno domini M
cccc xcj⁰ xvj⁰ kalendas Julij. Das erste und zweite Buch zeigen
Interlinearnotizen aus oder für Vorlesungen. Dann folgen Ovids
Heroiden, Sapho Phaoni und In Ibim [2]), gedruckt in Venedig 1484.
Handschriftlich kommen die vier Libri de Ponto mit Interlinearnotizen und endlich der Anfang der Ars amandi. In dem gedruckten Buche zeigt auch ein Teil des Ibis Notizen, darunter
griechische Vokabeln, z. B. ξενλαξιν für ξενηλασιαν, und bei dem
dritten Buche de Ponto sieht man die Seitenlemmata Tercius δε
τουτο oder gar Τερχτους δε τουτου. Hundern kehrte später in die
schlesische Heimat zurück und wurde, man weiß nicht wo, Schulmeister. Als solcher verfaßte er ein Latinum ydeoma [3]), ein Ge-
sprächbüchlein für Schulknaben, das c. 1503 in Breslau gedruckt
wurde und auch der besseren Latinität dienen sollte [4]). Aqui-
louipoleusis feiert Hundern unter den modernen Poeten als
ersten [5]).

Weniger noch als Hundern ist der nachmalige Schulmeister
Henningus Jordan (Jordeus) de Halberstadt bekannt, der im
Wintersemester 1482 seine artistischen Studien in Erfurt aufnahm
und auch den Humaniora Zeit und Lust zuwandte. Als er Rektor

[1]) Breslau, Stadtbibliothek, Hs. 109.

[2]) Hain, Repertorium bibliographicum No. 12195.

[3]) Latinum ydeoma Magistri andree Hundern. Impressum wrat. In
platea seu ponte fabrorum per Conradum baumgarthen. O. J. 4⁰.

[4]) A. Bömer, Die lateinischen Schulgespräche der Humanisten, 56 f.
Dort ist jedoch ein zufällig beigebundenes Blatt als erstes gerechnet.

[5]) In der Cithara sophialis:

> Vite supertitibus arridet Apollo poetis
> Ex elicone suo laurea cuique datur.
> Mathie Andreas Guratislauianus alumno
> Martis belligeri et Palladis armisone.

Der Sinn der Verse ist schwer zu erraten. Mathias ist Mathias Corri-
nus von Ungarn.

der Schule zu St. Maria in Halberstadt war, richtete der Wittenberger italienische Poet Richardus Sbrulius c. 1509 eine Elegie[1] an ihn: Ad Henningum Jordens rectorem scolarium in Albiorastadio ex tempore instante domino Ottone Beeckman[2]), einen Gruß an ihn und „O Dorothea, tue splendida gemma domus". Dieses Gedicht war eine Antwort auf eine Elegie des Jordanus an Otto Beckmann, in der er diesen und Sbrulius zu einem Besuche Halberstadts eingeladen und Freuden durch Galathea, die Musen, durch Amor und die Chariten versprochen hatte. Aus Galathea hat Sbrulius Dorothea gemacht[3]). Von seinen eigenen poetischen Produkten[4]) ist sonst nur eins durch Dietrich Block, der wie Beckmann eine Vikarie in Halberstadt besaß, erhalten: Epitaphium (!) campane sancti Martini in Albisorostadio, editum per Henningum Jordanum, rectorem paruulorum ecclesie beate Marie virginis ciuitatis prefate:

> Exequias pondo funebres, fulmina pello
> Atque cano sonitu festa decora meo.
> Annis quingentis undenis mille peractis
> Me Hinrick de Campen fuderat arte sua.

Zu den Freunden Bogers gehörte, wie wir früher schon berührten[5]), der im Wintersemester 1482 immatrikulierte Jacobus Questenberge de Werungerode[6]), für dessen Lebensgeschichte ganz eigentümliche Schwierigkeiten vorliegen. Die Erfurter nannten ihn Jakob Questenberg aus Wernigerode, Melanchthon sagt[7]), er sei in Freiberg in Meißen geboren, und er selbst schrieb sich

---

[1]) Wolfenbütteler Codex 58, 6, Fol., fol. 85.

[2]) Das ist der Freund und spätere Gegner Luthers Otto Beckmann aus Warburg, den im 8. 8. 1517 die Erfurter Universität honoris causa immatrikuliert hat.

[3]) O. Beckmann, Panegyricus auf den erwählten Bischof von Paderborn und Administrator von Osnabrück Erich von Braunschweig, Wittenberg 1509, 4°.

[4]) In demselben Codex 58, 6, Fol., fol. 92. Epitaphium sagt auch Dietrich Block bei seinen oben zitierten Versen auf das Bild Kurfürsts Friedrich des Weisen.

[5]) S. hier o. bei Bogers Lebensdaten.

[6]) C. F. Keßlin, Schriftsteller und Künstler der Grafschaft Wernigerode, 267. War mir nicht erreichbar.

[7]) Corpus Reformatorum, VIII, 339, 340.

Jacobus Questenbergius oder Jacobus Aurelius de Questemberg. Er wurde 1484 Baccalar und später Magister, unter Boger hat er sich in Erfurt zum Poeten gebildet [1]). 1485 war er in Rom und hörte dort die Rede, die Johann von Dalberg im Auftrage des Kurfürsten Philipp von der Pfalz vor Papst Innocenz VIII. hielt [2]). Boger nennt als seinen Lehrer Pomponius Laetus. In die Familia des Kardinals Marco Barbo de sancto Marco aus Venedig aufgenommen, hörte er bei dem alten Argyropulus Thucydides und lernte vollkommen Griechisch. Er wurde Doctor decretorum und brevium apostolicorum scriba. 1490 schloß er in Rom mit Johann Reuchlin Freundschaft und schickte diesem erbetene Bücher zum Druck [3]). Bei dem Streite Reuchlins mit den Kölnern nahm er sich des alten Freundes an. Er soll 1527 bei dem Sacco di Roma gestorben sein. Von seinen Werken ist eine Übersetzung der Kebestafel vorhanden [4]) und ein Gedicht auf Johann von Dalberg, das etwa 1498 entstanden ist [5]). In Rom sah er auch in der Kirche ad Mariam Nouam auf einem Pergament einen Hymnus des Gregorius Tifernus an die Jungfrau Maria [6]) und als in seine Hände, vermutlich als Einblattdruck, Gedichte des Konrad Celtis auf die Jungfrau kamen und er darunter auch das elegische Gedicht des Tifernus ohne dessen Namen fand, griff er, darüber aufgebracht, zur Feder und schrieb [7]) gegen den „Esel in der gestohlenen Löwenhaut":

---

[1]) S. das oben, bei Boger gegebene Gedicht an Questenberg. Boger nennt ihn Magister.

[2]) K. Morneweg, Johann von Dalberg, 301 No. 162.

[3]) L. Geiger, Johann Reuchlins Briefwechsel, 25 No. 24, 56 No. 64, 86 No. 92a, 87 No. 92b, 213 No. 182, 214 No. 183, 229 No. 195, 230 No. 197, 231 No. 198, 245 No. 215, 247 No. 217, 298 No. 256, 304 No. 265, 307 No. 270, 325 No. 295.

[4]) Chn. 924 fol. 129.

[5]) K. Morneweg, a. a. O., 300 f. Abgedruckt bei Mone, Quellensammlung zur badischen Landesgeschichte, III, 156 f.

[6]) Im Wolfenbütteler Codex 58, 6. Fol., f. 70b steht unten: Innectius doctoris Jacobi Questenberg in Conradum Celtis poetam, qui false titulo asscripsit sibi quoddam Carmen Georgii Tiferni, poete doctissimi, quod reperitur Rome ad Mariam Nouam Antiquissimo ebarte pergamenee inscriptum.

[7]) Wolfenbütteler Codex 58, 6. Fol., fol. 70b.

Jacobi Questenberghe de Werningherodis in Conradum
Zeltis poetam arrogantem et fidentinum hymnum Virgo decus
celi etc. sibi asscribentem inuectiua.

Quis ferat indocti temeraria facta poete,
Dum putat argutum furtiuo carmine vulgus
Fallere et externo vitium pretexere fuco!
Ah stolidum caput et dure ceruici agresti
De genitore satum rigidis aut pectora saxis
Edite dumose tenebris obnoxia terre!
Extremis nequeunt labris attingere fluctus
Ausonios, audent indignis turpiter ausis
Ducere sub proprias aliena poemata[1] laudes. etc.

Questenberg war im Recht[2] und zu gleicher Zeit oder
wenig früher erhob Bohuslav von Hassenstein denselben Vorwurf gegen Celtis, der aber nicht bloß das Plagiat an Tifernus
erwähnte, sondern auch und wohl mit demselben Rechte behauptete,
Celtis habe ihn selbst ohne Namensnennung ausgeschrieben[3]. 1500
sandte Vincentius Longinus Eleutherius aus Rom Celtis das
Gedicht Questenbergs an Johann von Dalberg[4], das hatte
dann vielleicht einen etwas bitteren Beigeschmack für Celtis.

Ein nicht ganz unbedeutender Humanist war der im Winter-
semester 1482/83 mit mehreren anderen Breslauern angekommene
Gregorius Lengesfelt de Vratislauia. Sein Name wird auch
Lengisfelt, Lengsfelt oder Lengefelt geschrieben. Er nannte

---

[1] Das betreffende Gedicht hat den Anfang:

Virgo, decus caeli, virgo, sanctissima virgo.
Quae super angelicos es veneranda choros:
Tu niueas formosa rosas, tu candida vincis
Lilia, tu vultu vincis et astra tuo.

[2] Das abgeschriebene Gedicht steht in Gregorii Tiferni Poetae
Opuscula, Venedig, Bernardinus Venetus, 1498, 4°, auf dem vierten
Blatt: In Beatam Mariam Virginem, und bei Diuinum Conradi Celtis de
intemerata virgine Carmen etc. O. O. u. J. (Drucker Konrad Baumgarten)
4°, auf Seite 2 ohne jede Überschrift.

[3] J. Truhlář, a. a. O., 11, 12. G. Bauch, Geschichte des Leipziger
Frühhumanismus, 17, 18.

[4] Celtis' Cod. epistolaris. G. Bauch in der Zeitschrift des Vereins
für Geschichte und Altertum Schlesiens, XXXI, 129, 130.

sich als Humanist Agricola [1]). Im Jahre 1485 erlangte er das
Baccalaureat und 1489 das Magisterium in den Künsten. Er
betrieb neben seinem scholastisch-philosophischen Kursus in Erfurt
auch das Studium der Humaniora und eignete sich darin eine selbst
von dem feinen Kenner reinerer Latinität Mutianus uneingeschränkt
anerkannte Übung an [2]). Agricola bezeichnet Mutianus selbst
als seinen Lehrer, ein Verhältnis, das man sich schwer vorstellen
kann, da Mutianus erst 1486 als noch nicht ganz fünfzehn-
jähriger Knabe, von Deventer herkommend, die Universität Erfurt
bezog, und doch scheinen die Worte Agricolas [3]), „Indignum
enim visum est mihi . . non consalutare amantissimum mihi atque
semper summo honore mihi afficiendum preceptorem" keineswegs
nur das bekannte leere humanistische Kompliment zu bedeuten.
Wahrscheinlich ist Agricola noch einige Zeit nach seiner Promotion als Magister lesend und sich zugleich weiterbildend in
Erfurt geblieben. Er kam schon dort als Poet zur Geltung.
Boger hat schon damals von ihm und Hundern Rühmliches
gehört und sandte beiden [4]) eine eigene Dichtung:

> Nudins et bibule rumor percrebuit auri,
> Quatenus ornetur achademia nostra duorum
> Flore poetarum, quos Vratislauia misit.

1501 nennt Agricola Martin Polich in seinem Laconismos [5])
gegen Konrad Wimpina in recht vornehmer Gesellschaft als
christlichen Poeten: „An nihil dinini sonant carmina Junenci,
qui, ut inquit Hieronymus, non veritas est, evangelii maiesta-
tem sub metri leges mittere? Nihil Prosperi Prudentii,
Lactantii, Sedulii, Quadrati, Ambrosii et ad unum omnium.

---

[1]) Zu diesem Manno vergl. G. Bauch in der Zeitschrift des Vereins
für Geschichte und Altertum Schlesiens, XXX, 157 f. S. dort meine Umänderung in der Reihenfolge der Mutianischen Briefe, 159.

[2]) K. Gillert, Der Briefwechsel des Conradus Mutianus, No. 258, 319.

[3]) K. Gillert, Der Briefwechsel des Conradus Mutianus, No. 402.
Breslau, 4. Juli 1514 (lies 1513 nach der Handschrift).

[4]) H. Boger, Etherologium, fol. 217b: Dum idem (Carmen de pace
Richardi d. Hildensemonis) aliquot Erfurdianis commune daret sio precinit.

[5]) Laconismos tumultuarius Martini Mellerstadt ad illustrissimos
saxonie Principes in defensionem poeticos contra quendam theologum editos.
O. O. u. J. 4°. Zu dem Streit vergl. G. Bauch, Geschichte des Leipziger
Frühhumanismus, 114 f.

quorum Hieronymus catalogum contexuit? Item qui adhuc vinunt: Baptiste Mantuani, Gregorii Agricole Phratislauii, utriusque Pici[1]), Bohuslai Hassenstein, Conradi Celtis, Petri Bonomi[2]) et mille aliorum" etc. Von seinen Versen ist aber nur eine kleine Probe erhalten. Als Theodoricus Ulsenius, der Freund des Celtis, als Einblattdruck seinen Speculator Consiliorum Enigmaticus microcosmi protheati herausgab[3]) setzte er unter das Bild im Fond elf Verse: Th. Ulsenii Vox, und darunter stehen ebenfalls elf Verse als Wechselgedicht: Gre. Agricole Echo. In die Heimat zurückgekehrt, hat er wohl, da der Breslauer Humanist Sigismundus Fagilucus ihn als seinen Lehrer nennt[4]), in Breslau ein Lehramt, vielleicht das Rektorat der Domschule, übernommen. Er stand den heimischen Gelehrten und dem Bischof Johann IV. Roth, dem bekannten Humanisten[5]), nahe. Seit 1504 war er Kanonikus an der Kathedrale zu St. Johann, 1513 Officialis et vicarius in spiritualibus des Bischofs Johann V. Thurzo[6]), 1517 wurde er Archidiakonus am Dom und starb als solcher 1527. 1513 trat er nochmals in Beziehungen zu Mutianus bei dem Streite zwischen dem stürmischen Humanisten Thiloninus Philymnus mit dem gemäßigten Poeten Johannes Femelius, die durch die Angriffe des Philymnus mitbedrängten Scholastiker schickten in ihrer Ratlosigkeit eine Abordnung von drei Magistern an Mutian, um dessen Hilfe anzurufen, darunter den Magister Mathias Kaumler aus Grottkau in Schlesien[7]) (immatrikuliert S. S. 1507, Baccalar 1509, Magister 1511), der ihm als heimlicher

---

[1]) Der ältere Picus, Johannes, lebte damals nicht mehr, er war schon 1494 gestorben.

[2]) Zu Petrus Bonomus aus Triest, dem Bruder des schon erwähnten Franciscus Bonomus, vergl. G. Bauch, Die Reception des Humanismus in Wien, 22 f.

[3]) Vergl. A. Ruland im Serapeum, XV, 150. Es läßt sich leider gar nicht bestimmen, wie Ulsenius und Agricola mit einander bekannt geworden sind.

[4]) G. Bauch in der schles. Zeitschrift, XXX, 131.

[5]) Johann Roth hat noch keinen Biographen gefunden.

[6]) Zu dem humanistisch gebildeten Gönner der Humanisten vergl. G. Bauch in der schlesischen Zeitschrift, XXXVI, 193 f.

[7]) Kaumler wird in der Matrikel Kunler oder Komeller genannt. Mutian nannte ihn auch Oomilarius oder Calocappa.

Gönner der Poeten und obgleich mit harter Aussprache nicht ungewandt in besserem Latein erschien[1]). Dabei erinnerte sich Mutianus Agricolas und er und sein Freund Heinrich Urban nahmen einen brieflichen Verkehr mit ihm auf. Mutianus forderte Agricola zur Teilnahme an dem Kampfe für Reuchlin auf und schickte 1514 seinen Diener Adam Ascheburg und den Neffen Urbans Andreas Nepotianus zu Kaumler, der in Breslau Rektor geworden war, in die Schule, Nepotian fand Aufnahme im Hause Agricolas[2]).

Im Sommersemester 1486 wurden aus Rücksicht auf den Grafen Wilhelm von Hohenstein Conradus Muth und Johannes Muth aus Homberg in Oberhessen gratis inskribiert. Johann Muth, der jüngere Bruder, schlug in Erfurt schon die juristische Laufbahn ein, wurde im Sommer 1495 Doctor utriusque iuris und später Kanzler des Landgrafen Wilhelm II. von Hessen. Konrad Muth, der sich Conradus Mutianus Rufus[3]), Rufus nach seinem Haare, nannte, kam aus der Schule des Alexander Hegius in Deventer, der auch Erasmus um diese Zeit angehörte, wohl vorgebildet und wurde hier in Erfurt dem Humanismus ganz zugeführt[4]). Er gedenkt noch später dankbar des Konrad Celtis als seines Lehrers[5]) und des älteren Johann Sömmering, der vor ihm als Baccalar den Ennuchus des Terenz las[6]). Baccalar 1488 und Magister 1492, trat er selbst als Lehrer und nicht bloß

---

[1]) K. Gillert, Der Briefwechsel des Conradus Mutianus, No. 277, 350, 351, 356—359.

[2]) Mutian war mit den Fortschritten, die Nepotian 1514 und 1515 in Breslau gemacht hatte, zufrieden. Das ist eine entgegengesetzte Illustration zu der Schilderung des fahrenden Schülers Thomas Platter von den Breslauer Schulen 1515. H. Boos, Thomas und Felix Platter, 20. K. Gillert, Der Briefwechsel des Conradus Mutianus, No. 510 und 512.

[3]) Zu Conradus Mutianus vergl. F. W. Kampschulte, a. a. O. I, 74 f.; K. Krause, Helius Eobanus Hessus, I, 32 f.; K. Krause, Der Briefwechsel des Mutianus Rufus, Vorrede; K. Gillert, Der Briefwechsel des Conradus Mutianus, Vorrede.

[4]) Für die Familie Muth sei auf die Leipziger Matrikel verwiesen: W. S. 1464 Johannes Muth de Humberga, S. S. 1468 Johannes Muth de Homberga.

[5]) K. Gillert, a. a. O., No. 594. 8. o. 69.

[6]) K. Gillert, a. a. O., No. 197. S. o. 116.

als Artist, sondern auch als Humanist auf. Heinrich Urban[1]), der vom Sommer 1494 an sein Schüler war, versichert: „clarebat istic quam qui maxime". Als seinen Lehrer verehrte ihn auch, wie wir gehört haben, Gregorius Agricola. 1500 zählt ihn Aquilonipolensis als anerkannten Poeten mit auf[2]). Frühestens 1495 reiste Mutianus nach Italien, um dort Jura zu studieren und sich in den humanen Wissenschaften zu vervollkommnen. In Bologna hörte er Philippus Beroaldus den Älteren und Antonius Urceus Codrus, in Padua lernte er Baptista Mantuanus kennen. Er sah auch Rom und Venedig. In Bologna schloß er vertraute Freundschaft mit Thomas Wolf Junior[3]). 1498 wurde er in Ferrara[4]) Doctor decretorum[5]), doch erst 1502 kehrte er nach Deutschland zurück. Auf dem Rückwege lernte er Trithemius in Sponheim und Dietrich Gresemund Junior in Mainz kennen. Eine Anstellung in der hessischen Kanzlei gab er bald wieder auf und wurde 1503 regulierter Chorherr von St. Augustin in Gotha, um ganz seinen gelehrten Neigungen leben zu können. Von 1505 an wurden seine Beziehungen zu Erfurt, die er nie abgerissen hatte, wieder lebhafter. Sein Haus, die Beata tranquillitas, in Gotha wurde der Mittelpunkt des Erfurter Humanismus. Sein Einfluß verstärkte sich mit der wachsenden Zunahme des Humanismus so weit, daß er in Erfurt eine Autorität genoß, die selbst von den Scholastikern nicht umgangen wurde[6]). Der Zeitraum seiner größten Einwirkung auf den Kreis seiner humanistischen Jünger war die Periode des Reuchlinschen Streites[7]),

[1]) K. Krause, Der Briefwechsel des Mutianus Rufus, 78 No. 71. Der Brief fehlt bei Gillert.

[2]) In der Cithara sophialis: De modernis poetis. Guilhelmo lepidus noster Mucianus herili Guilhelmi patruo Langins arte Linus.

[3]) K. Gillert, a. a. O., No. 8.

[4]) Nach K. Gillert, a. a. O., Vorrede.

[5]) Codex Gothanus chartaceus 399, fol. 274 b.

[6]) Bei dem Streit des Thiloninus mit Fomel und Cordus schickten sie, wie oben bemerkt wurde, heimlich drei Magister an ihn, um sein Einschreiten herbeizuführen. Sonst nahm sich Mutianus sehr in Acht, die Scholastiker zu kränken oder zu reizen. S. w. u.

[7]) Wie erfinderisch Kampschulte zu Werke geht, zeigen solche Abschnitte wie die Seiten 118 und 119 (I). Was er dort von dem Abrücken der meisten älteren Universitätslehrer von Mutian etwa von 1509 ab sagt,

und damals fiel aus seinem Kreise durch Crotus Rubianus der litterarische Hauptschlag nicht bloß gegen die Feinde Reuchlins, sondern gegen das ganze scholastische System, die Epistole obscurorum virorum. Sein Einfluß als gelehrte Autorität reichte bis nach Wittenberg und Leipzig, seine Anerkennung über ganz Deutschland. Zasius nannte ihn 1506 zu seinem geringen Behagen „alter Varro, Germanorum doctissimus" und „nostrae aetatis Cicero". Geringer war das wirkliche Gewicht seiner Einwirkung auf die Scholastiker in Erfurt, und als 1519 die Reform der Universität, sein so lange verfochtenes Ideal, endlich in Fluß kam, da beklagte man unter den Erfurter Humanisten den Mangel seiner Teilnahme [1]). Mit dem Aufkommen der religiösen Bewegung wurde er als Anhänger der alten Kirche allmählich ganz beiseite geschoben und starb [2]) nach der traurigen Zeit des Bauernkrieges in Vereinsamung und Mangel am 30. März 1526.

Im Sommersemester 1488 erschienen drei Elsässer in Erfurt, von denen einer, obgleich später fern, bis zu seinem Tode in Erfurt verehrt wurde und einer dauernd hierblieb und jahrelang als gemäßigter Führer der jüngeren Humanisten wirkte: Thomas Wolf Junior, sein jüngerer Bruder Amandus Wolf, Söhne des Schulzen Johann Wolf in Eckbolsheim, für deren Studien ihr Oheim Thomas Wolf Senior die materielle Sorge trug, und Maternus Pistoris aus Ingweiler.

Thomas Wolf Junior [3]), geboren 1475, war also erst 13 Jahre alt, aber schon seit 1482 Dechant und Kanonikus zu St. Thomas

---

ist frei komponiert. Ebenso die Erweiterung seines Jüngerkreises im Jahre 1509. Mosardus z. B. lernte er erst 1512 kennen und Femelius kannte er 1513 noch nicht. Draco wurde erst 1519 mit Mutian in Berührung gebracht. Das Immatrikulationsdatum genügt Kampschulte zu fest und sicher ausgesprochenen Folgerungen.

[1]) S. w. u. im Kapitel V gegen das Ende. G. Kawerau, Der Briefwechsel des Justus Jonas, I, 27.

[2]) Crotus klagte: „Mutianus obijt, dimidium animae nostrae, meae tegitur cemiterio suo." In dem Briefe an Johann Heß vom 11. Oktober 1526. G. Bauch in dem Correspondenzblatt des Vereins für die Geschichte der evangelischen Kirche Schlesiens, VIII, 185.

[3]) C. Schmidt, Histoire littéraire de l'Alsace, besonders II, 58—86, aber auch passim. G. Knod, Deutsche Studenten in Bologna, 642 No. 427 8.

in Straßburg, ein Patenkind des Straßburger Humanisten Peter
Schott. Er erhielt in Erfurt, wie Spalatin, der es durch Peter
Eberbach und Herbord von der Marthen wissen konnte, bezeugt [1]), von guten Lehrern Unterricht in den humanen Wissenschaften und zeichnete sich deshalb dann in Italien durch seine
lateinische Eloquenz aus. 1491 wurde er in Erfurt Baccalar und
ging 1492 nach Bologna, wo er am 1. März 1501 Doctor decretorum wurde. In der Jurisprudenz studierte er unter Bartholomaeus Succinus und Vincentius Paleotus. Philippus Beroaldus war dort sein Hauptlehrer in den humanen Studien wie
gleichzeitig der Mutians, des Johannes Baptista Pius, Philippus Beroaldus Junior, des Portugiesen Henricus Caiadus, des
Dietrich Gresemund Junior und Johannes Aesticampianus.
Mit Mutian ging er eine untrennbare Freundschaft ein [2]). Wolf
besuchte auch Padua, Florenz und Rom. Wimpfeling nennt [3])
als seine italienischen Bekannten Picus von Mirandula, Marsilius Ficinus, Matthaeus Bossus, Baptista Mantuanus,
Pomponius Laetus [4]), Petrus Marsus [5]). Antonius Codrus [6])
und seinen intimen Lehrer Philippus Beroaldus [7]). Hieran
wäre noch Johannes Calphurnius [8]) aus Brixia zu reihen, den
er in Padua hörte. Beroaldus stellte er 1500 freundschaftlich
zur Rede, weil er in seinem Kommentar zu Apuleius Maximi-

---

[1]) K. Gillert, a. a. O., No. 641: „Hic est ille Thomas, qui puer
olim Erphordiae sub optimis litterarum professoribus ita profecit, ut inter
aequales conspicuus haberetur et esset quasi exinius, dein Bononiae et Romae
vel ipsos praeceptores quamlibet egregios aequaret omnino latina facundia.
Testis est Philippus Beroaldus" etc.

[2]) K. Gillert, a. a. O., No. 8.

[3]) In dem Antwortbriefe an Wolf, 1. März 1503, bei F. Baptiste
Mantuani Bucolica seu adolescentia in decem aeglogis diuisa etc., Straßburg, Joh. Prüß, 1503. 4°.

[4]) Pomponius Laetus starb am 9. Juni 1498. L. Keller, Die
römische Akademie etc. 35.

[5]) Petrus Marsus hielt Pomponius Laetus die Leichenrede.
L. Geiger, Zeitschrift für vergleich. Litteraturgeschichte, N. F. IV, 215 f.

[6]) C. Malagola, Della vita e delle opere di Antonio Urceo detto
Codro. Bologna 1878.

[7]) Zu Beroaldus vergl. Malagola, a. a. O., 222, 503.

[8]) Zu Calphurnius vergl. Malagola, a. a. O., 82. G. G. Liruti,
Notizie delle vite ed opere scritte da letterati del Friuli, I, 387.

lian I. Imperator Germanorum nnd nicht Romanorum genannt hatte, Baptista Mantuanns machte auf die beiden Freunde Wolf und Albrecht von Ratsamhausen ein Gedicht. 1503 veranlaßte Jakob Wimpfeling, mit dessen Bestrebungen sich Wolf so befreundete, daß man ihn sein Echo nannte, die Heransgabe der Bucolica oder der Adolescentia des Baptista Mantuanus, Wolf schickte ihm dazu die Verse Baptistas an ihn. 1505 gab Wolf die Vita M. Catonis von Cornelius Nepos, Sextus Aurelius de vitis Caesarum, den ihm Johann Botzheim von Saßbach in der Rezension des Laurentius Abstemins aus Italien gebracht hatte, Benoueuntus de eadem re, seinen eigenen Disput mit Beroaldus nnd die Epitoma rerum germanicarum Jakob Wimpfelings heraus[1]). In dem folgenden Jahre edierte er mit Wimpfeling dessen Epistola excusatoria ad Suenos[2]) 1507 ließ er seine Expositio über den XXXIII. Psalm erscheinen[3]). Dieses Buch sandte er durch Maternns Pistoris an Mutian, und, durch Spalatin Mutian gewidmet, erschien der Psalmenkommentar, den Spalatin durch Herbord von der Marthen erhalten hatte[4]), noch einmal in Erfurt (1507). Der Kreis Mntians beeiferte sich, diese Publikation mit Versen zu begleiten, Heinrich Urban, Herbord von der Marthen, Spalatin, Eobanus Hessus nnd auch Hieronymus Emser. Wolf war 1505 schwer krank an Syphilis[5]) nnd wurde wie Peter Eberbach, der 1505 wegen der

---

[1]) Hic subnotati continentur Vita. M. Catonis. Sextus Aurelius de vitis Caesarum. Beneuenutus de eadem re. Philippi Beroaldi et Thomae Vuolphlj Junioris diaceptatio, de nomine imperatorio. Epithoma rerum Germanicarum vsquo ad nostra tempora. Prüs in aedibus Thiergarten Argontinae imprimebat. Mathias Schürer recognouit. Anno M. D. v. quinto Idus Martij. 4°.

[2]) Epistola excusatoria ad Suenos. Mathias Hupuff imprimebat. M. D. vj. 4°.

[3]) Divus Bernardus in symbolum apostolorum. Idem in orationem dominicam. Idem de fido Christiana. Thomas Vuolphius Junior in psalmum Benedicam. Johannes Knoblochus imprimebat. Mathias Schurerius recognouit. 4°.

[4]) Thomae Vuolphii Junioris In Psalmum Tercium Et Trigosimum Expositio. Expressum Erphordiae Anno M. D. VII. (Wolf Stürmer) 4°. K. Gillert, a. a. O., No. 641.

[5]) G. Knod in L. Geigers Vierteljahrsschrift für Kultur und Litteratur der Renaissance, I, 241 f.

Pest in Erfurt sich in Straßburg aufhielt und nach Wolfs Diktat den Psalmenkommentar schrieb, in einem offenen Briefe 1506 sagt [1]), schon damals von seinen Verwandten schlecht behandelt, und dasselbe sagt Zasius 1506 in verschärfter Weise. Sein Bedränger war der Oheim Thomas Wolf Senior, von diesem schrieb Thomas Junior 1508 an Mutianus[2]), daß er Lügen über ihn in Rom verbreitet und dadurch ein Edikt gegen ihn erreicht habe, es handelte sich wohl um eine Pfründe. Thomas Junior appellierte gegen das Reskript an den Papst Julius II. und begab sich nach Rom, um seine Sache vor den Richtern selbst zu führen. Dort erkrankte er am Fieber und starb am 9. Oktober 1509. Einen schönen warmherzigen Nachruf widmete ihm Petreius Eberbach[3]). Mathias Ringmann Philesius hatte schon bei Lebzeiten des Geschiedenen scharfe Verse gegen des Oheims skrupellose Rabulisterei und Habgier gemacht[4]), Mutianus schrieb jetzt nach dem Tode seines Freundes ein Epitaph[5]), in dem auch er den Oheim hart angriff:

Impia fallacis patrui petulantia Thomam
  Dum iugulat, Stygiae nauita puppis ait:
Portitor inuitus modo cepi Thomam trientem.
  Quid facis, obscurum non rediturus iter?
Hei mihi! diuitiis et inani deditus auro
  Ipse senex superest, pestis anara, Lupus. etc.

Wolfs jüngerer Bruder Amandus[6]) bestand mit ihm zusammen 1491 das Baccalaureatsexamen, folgte ihm aber erst 1493 nach Bologna nach, wo er am 6. Juni 1501 Doctor legum wurde. Er

---

[1]) In seinem Briefe an J. Wimpfeling, XII. kl. Februarias (1506), bei der Epistola excusatoria ad Sucuos.

[2]) U. Zasii Epistolae, 391, 392; K. Gillert, a. a. O., No. 81.

[3]) In einem Briefe an Joachimus Vadianus, Olmütz, 31. August 1510. Er erwähnt, daß Wolf 1505 Romanarum antiquitatum collectanea zusammen gestellt und Annales Germaniae geplant habe. E. Arbenz, Die Vadianische Briefsammlung etc., I, (155) 229.

[4]) S. o. in Kapitel III, 52.

[5]) E. Arbenz, a. a. O., I, 89 (13). Diese Verse sind teilweise aus den beiden Gedichten zusammengesetzt, die Mutian an P. Eberbach (Ende 1509) schickte. K. Gillert, a. a. O., No. 153. Bei Gillert ist Amandus für amandus zu lesen.

[6]) C. Schmidt, a. a. O., II, 74. G. Knod, a. a. O., 641 No. 4274.

9*

war Kanonikus zu Jung St. Peter in Straßburg und zu St. Andreas in Worms. Noch jünger als sein Bruder, 27 Jahre alt, starb er am 20. August 1504, nachdem er zuerst durch die Umtriebe eines Übelwollenden in Melancholie verfallen und dann an der Wassersucht erkrankt war [1]. Johannes Rhagius Aesticampianus, der sich mit beiden Brüdern und Albert von Ratsamhausen in Bologna befreundet hatte, damals Dozent der Humanitätsstudien in Mainz [2], sagt von den humanistischen Studien des Amandus in einem Briefe an Thomas: „Non enim dubito, quin feruore adolescentie decocto dulcioribus illis musis paulisper a se remotis grauioribus se studiis penitus dedisset, non enim ludo et luxui incumbebat, et pro Cicerone Paulum, pro Vergilio Hesaiam, pro Liuio Moysen lectitauisset". Rhagius legte dem Briefe vier Epigramme auf den Tod des Amandus bei, diese und die Gedichte von Ulrich Zasius, Theodoricus Ulsenius, Jakob Wimpfeling, Jakob Sturm, Thomas Aucuparius und Mathias Ringmann ließ Thomas Wolf mit seiner Ausgabe von Johannes Garson (Garzo) De miseria humana 1505 drucken [3]. Auch Mutianus Rufus hatte einen Trostbrief an Thomas Wolf gesandt [4].

Anders lauten die Nachrichten über den dritten der Brüder Cosmas Wolf, der im Wintersemester 1503 in Erfurt immatrikuliert ist [5]. Dieser, auch Kanonikus zu Jung St. Peter, war 1504 in Freiburg i. B. und Schüler des Johannes Brisgoicus. Wimpfeling forderte ihn und Johann Harst zum Studium der Philosophie und der sacrae litterae auf, Thomas Wolf ermahnte ihn, seinen Lehrer Brisgoicus nachzuahmen [6]), aber der

---

[1] K. Gillert, a. a. O., No. 639. Sollte dieser Übelwollende etwa auch Thomas Wolf Senior gewesen sein?

[2] G. Bauch im Archiv für Litteraturgeschichte, XII, 336 f., 369 u. 334, 335.

[3] Joannes Garson de miseria humana Epistole consolatorie. Epigrammata & Epitaphia a doctis disertisque viris edita ad Thomam Vuolphium iuniorem in obitum fratris. Joannes Grüninger quarto nonas Martij Anno M. D. V. Argentine imprimebat. 4°.

[4] K. Gillert, a. a. O., No. 640.

[5] C. Schmidt, a. a. O., II, 74.

[6] Die Briefe stehen bei Wimpfelings Adolescentia, Straßburg, M. Flach, 1511, 4°. Der Brief des Thomas Wolf hat das Datum Straßburg 1504 pridie Nonas Decembris.

junge Kanonikus zeichnet sich dann nur durch seine Aus-
schweifungen aus.

Der Erfurt treubleibende Maternus Pistoris, der sich auch
Lucius[1]) Maternus Pistoriensis oder Pistorius nannte, scheint
seine ersten humanistischen Anregungen von dem noch so jungen
Thomas Wolf erhalten zu haben, seine Worte, die er am
26. September 1501 änßerte, lassen sich wohl kaum anders deuten.
In der Widmung seiner Ausgabe der Deklamation der drei laster-
haften Brüder von Philippus Beroaldus[2]) schreibt er, er hätte die
Declamatio „litterisque totiens ab elementario meo preceptore
maiusculis forte negocijs occupato nequicquam expostulassem, qui
paucis ante diebus Bononia[3]) tam litterarum quam librorum dives in
Tribotum metropolim Argentinam residendi, ut vocant, gratia con-
cessit," und das paßt doch wohl nur auf Thomas Wolf. Er blieb mit
diesem auch im Zusammenhange, 1507 erhielt Mutianus Rufus
durch Maternus die Straßburger Ausgabe von Wolfs Expositio zum
XXXIII. Psalm und ein anderes Exemplar für Heinrich Urban[4]).
Daß kein Brief für Urban bei der Sendung war, entschuldigte
Maternus mit Wolfs Krankheit. Maternus schloß, nachdem
er 1490 Baccalar geworden war[5]), seinen philosophischen Kursus
1494 mit dem Magisterium ab und wurde in der Folge ordentlicher
Lehrer der Artistenfakultät. Im Jahre 1505 wurde in seinem
Dekanat[6]) Martin Luther zum Magister promoviert. Wie er
sich neben seinen scholastischen Vorlesungen humanistischen
widmete und dadurch allmählich eine Führerstellung erwarb, soll
später erörtert werden.

[1]) Thiloninus Philymnus gab ihm den Namen Flavius Maternus
s. w. u.

[2]) S. w. u. in Kapitel V. bei der Angabe der Berichungen des Maternus zum Griechischen. Die Declamatio war zuerst 1499 in Bologna gedruckt
worden.

[3]) Thomas Wolf schloß am 6. März 1501 seine juristischen Studien
Bologna mit dem Doktorat ab. Vergl. G. Knod, a. a. O., 642 No. 4278.

[4]) K. Gillert, a. a. O., No. 43.

[5]) Was bei Kampschulte, I, 49, die Phrase soll: „Seit dem Jahre
1488 hatte er in Erfurt als Mitglied des großen Kollegiums den Wissenschaften obgelegen, vorzugsweise unter Anleitung des Trutvetter", etc., ist
unerfindlich. Ein Student als Mitglied des großen Kollegiums ist einfach
Unsinn.

[6]) Als Dekan nennt er sich Maternus Pistorius de Inguiler.

Italienische Anregungen brachte nach Erfurt der Patrizier-
sohn Johann von Ottra[1]. Er trat im Sommersemester 1490
bei der Universität ein, wandte sich aber, nachdem er 1494
Baccalar der Artes geworden war, bald nach Basel, wo er 1497
Baccalar beider Rechte wurde. 1499 suchte er Bologna auf und
traf dort mit Mutianus zusammen[2]. Nach dieser Studienreise
wurde er in Erfurt 1512 Licentiat und 1513 mit Herbord von
der Marthen Doktor der Rechte. Nachdem er zu den juristischen
Dozenten gehört hatte, wurde er Kanzler der Fürstabtei Fulda und
ist als solcher 1535 an der Universität Marburg immatrikuliert.

Dasselbe Semester führte den dem Humanismus nicht fremden
Edelmann und Juristen Valentinus Sunthusen de Sunthusen der
Universität zu. Valentin von Sunthausen[3] war auf der Schule
in Meißen vorgebildet und machte in Erfurt seinen artistischen
Kursus durch. Im Jahre 1499 begab er sich nach Bologna, um
Jura zu studieren und damit auch die Humaniora zu verbinden. Philippus Beroaldus wurde darin sein Lehrer.
1505 wurde er Dr. decretorum und war 1507 bis 1514 als Vertreter des niedersächsischen Kreises Assessor des Reichskammergerichts und daneben kurbrandenburgischer, kurmainzischer und
gräflich stolbergischer Rat. 1514 trat er als Syndikus in den
Dienst der Stadt Frankfurt a. M., ging aber Ende 1514 und Anfang 1415 als mainzischer Abgesandter mit Abt Hartmann von
Fulda nach Erfurt, um den Frieden zwischen dem Patriziat und
der Gemeinde wiederherzustellen[4]. Hierbei erneuerte Mutianus.
der ihn wohl schon von Erfurt und Bologna her kannte, mit ihm
die alte Freundschaft und gewann ihn ganz für die Reuchlinsche
Sache[5]. Nach dem Tode Eitelwolfs von Stein (etwa Mai 1515)
erwartete er, daß Sunthausen dessen Nachfolger werden würde.
und dieser wurde wirklich 1517 kurmainzischer Kanzler. Er setzte
sich aber schon 1520 zur Ruhe und zog sich nach Wernigerode
zurück, wo er 1550 starb.

Im Wintersemester 1491/92 erschien in Erfurt Nicolaus

[1] G. Knod, a. a. O., 394 No. 2690.
[2] K. Gillert, a. a. O., 394 No. 232.
[3] Genauere persönliche Angaben bei G. Knod, a. a. O., 568 No. 3766.
[4] K. Gillert, a. a. O., No. 473.
[5] K. Gillert, a. a. O., No. 459, 473, 514, 516, 517, 583.

Marschalcus de Gronenberg oder aus Roßla, der Mann, der durch sein zielbewußtes, tatkräftiges und vielseitiges Wirken dem Erfurter Frühhumanismus den Kolophon hinzufügte und dadurch der humanistischen Bewegung in Erfurt nicht nur sein eigenes Wesen, sein Wissen und Wollen einimpfte, sondern auch der Weiterentwicklung und dem Einflusse des Mutianus den Weg ebnete, Erfurts hervorragendster Frühhumanist und erster origineler Vertreter der Hochrenaissance. Seine Tätigkeit, die, einmal begonnen, sich sofort zum Mittelpunkt des Erfurter Humanismus entwickelte, verlangt eine eigene Darstellung[1]), da sie von der Periode, die sie abschloß, grundverschieden und seine Bedeutung für die allgemeine Geschichte des Humanismus noch nicht in das rechte Licht gesetzt ist. In Loewen zum Baccalar promoviert[2]), gab sich Marschalk zunächst der Vollendung seiner artistischen Studien hin und wurde 1496 zur Zeit der Pest zum Magister promoviert. Drei Jahre lang verlautet hierauf von ihm gar nichts, dann setzt 1499 seine Tätigkeit mit einem Schlage ein.[3])

Das Sommersemester 1493 führte den späteren Schwager Ulrichs von Hutten nach Erfurt, Sebastian von Rotenhan (de Reppelsdorff) aus Rentweinsdorf bei Bamberg[4]), einen Mann, der die praktische Tätigkeit als Jurist und Hofmann mit wissenschaftlichen Studien vereinigte. Am 2. Februar 1496, also zu Celtis' Zeit, ist er in Ingolstadt immatrikuliert und verfolgte seine juristische Studien 1499 bis 1505 in Bologna, Doktor beider Rechte wurde er 1503 in Siena. Von 1507 bis 1512 war er, durch den fränkischen Kreis präsentiert, Beisitzer des Reichskammergerichts in Worms. Nach großen Reisen, die ihn durch Europa und bis nach dem heiligen Lande führten, wurde er 1519 Rat des Kurfürsten Albrecht von Mainz und 1521 Hofmeister des Bischofs von Bamberg Konrad von Thüngen und starb 1532. Er hatte große Neigungen für den Humanismus. 1520 bot er sich Erasmus zur Hilfe gegen den Kritiker der Ausgabe

---

[1]) Diese folgt weiter unten in Kapitel V.

[2]) In Erfurt 1492 als Loewener Baccalar rezipiert.

[3]) Die Angabe Kampschultes, a. a. O., I, 51, daß Marschalk von altem Adel gewesen sei, ist eine leere Fabel.

[4]) Zu Rotenhan G. Knod, a. a. O., 462 No. 3134. In Erfurt hat im XV. Jahrhundert eine ganze Reihe derer von Rotenhan studiert.

des Neuen Testaments Edward Lee an[1]) in demselben Jahre
widmete ihm Ulrich von Hutten den Dialog Vadiscus oder die
römische Dreieinigkeit[2]), Eobanus Hessus feierte ihn poetisch
1530 bei dem Reichstage in Augsburg[3]). Er selbst war besonders
ein Liebhaber der deutschen Geschichte. 1511 bat er von Worms
aus Sebastian Brant um handschriftliche Chroniken, er besaß
damals schon solche von Thüringen, Hessen, Bayern, Köln etc.
und veröffentlichte eine Beschreibung von Franken. 1521 gab er
in Mainz unter Beihilfe des Humanisten Johann Huttich[4]) die
Chronik des Regino von Prüm, Kaiser Karl V. gewidmet,
heraus[5]), der er sein eigenes Porträt mit dem Familienwappen
beifügte. In einem angehängten Briefe an Wolfgang Fabricius
Capito (Mainz 1521 Id. Julii) zählt er eine große Reihe von
mittelalterlichen mönchischen oder geistlichen Schriftstellern auf,
deren historische Werke er herauszugeben gedachte[6]).

Der im Wintersemester 1493 immatrikulierte Reinbertus
Reinberti (Rembertus Algermissen) Brunsuicensis, 1494
Baccalar und 1495 Magister, ist, wenn auch sonst nicht als
Humanist nachweisbar, später ein Freund des Eobanus Hessus
geworden[7]). Er wurde Jurist und nennt sich 1523 als Rektor
Kanonikus zu Unserer lieben Frauen und utriusque iuris designatus
doctor, er vermeidet also den mittelalterlichen Ausdruck Licentiatus.

Als Humanist und vertrauter Freund von Mutianus Rufus und
Spalatin ist der im Sommersemester 1494 verzeichnete Heinricus

---

[1]) Erasmi Epistolae, Basel 1538, 470.

[2]) D. Strauß, Ulrich von Hutten, 2. Aufl., 305, 356.

[3]) K. Krause, Helius Eobanus Hessus, II, 53.

[4]) Zu Huttich vergl. G. Bauch im Archiv für Litteraturgeschichte.
XII, 361 f. Daß Morneweg Huttich (Johann von Dalberg, 64) als Freund
Dalbergs bezeichnet, beruht auf einem Mißverständnis. Dazu war dieser
zu jung.

[5]) Reginonis Monachi Prumiensis Annales etc. Moguntiae In Aedibus
Joannis Schoeffer Mense Augusto. Anno M. D. xxi. 2°.

[6]) Wir würden sehr gern den auch im 8. 8. 1493 immatrikulierten
Balthasar Hederich de Facha, Baccalar 1499, mit dem Wittenberger
Humanisten Balthasar Fabricius Phacehus identifizieren, es fehlt jedoch
an Handhaben dazu. Phacehus ist als Baccalar nach Wittenberg gekommen.

[7]) K. Krause, Helius Eobanus Hessus, I, 249, II, 155. Krause kon-
fundiert zwei verschiedene Persönlichkeiten, einen Juristen und einen
Mediziner.

Fastnacht de Urba (Orb), gewöhnlich nur Heinricus Urbanus[1]) geheißen, bekannt. In seinem ersten Jahre ein Schüler Mutians[2]), wurde er als Cisterziensermönch und Ökonomus des Klosters Georgenthal nach dessen Aufnahme unter die Kanoniker in Gotha 1503 sein Nachbar und von 1505 ab sein nächster Freund. Er holte, was ihm an humanistischer Bildung fehlte, jetzt unter Mutians Anleitung nach. Der Verdacht, eine Nonne geschwängert zu haben[3]), brachte ihm einen Aufenthalt in Leipzig, wo er im Sommer 1508 immatrikuliert, 1509 Baccalar und 1510 Magister wurde, aber auch von dem Doctor med. Christoph Schönfeld aus Liegnitz[4]), einem Freunde des Celtis[5]), griechisch lernte. 1510 durch Mutians Vermittelung als Verwalter des Georgenthaler Hofes nach Erfurt versetzt, wurde er das beste Verbindungsglied zwischen Mutian und dem Erfurter Kreise, das Mutian auf dem Laufenden erhielt und ihm ermöglichte, auf die Verhältnisse jederzeit Einfluß zu üben. Der von Urban getreulich aufbewahrte Briefwechsel mit Mutian ist daher auch die wichtigste Quelle für die Kenntnis der Blütezeit des Erfurter Humanismus[6]). Urban wurde 1535 auf Spalatins Empfehlung kurfürstlich sächsischer Verwalter des Georgenthaler Hofes in Erfurt und lebte noch 1538.

In Erfurt nicht hervortretend war der im Sommersemester 1494 intitulierte Matthens Zcelle (Zell) ex Keysersberg[7]), ein Landsmann Johunn Geilers. Am 22. Oktober 1502 ist er in Freiburg i. B. als studens Erfordiensis eingetragen, wurde dort 1503 Baccalar und 1505 Magister in via Modernorum. Er lehrte, auch als er Baccalar der Theologie geworden war, Grammatik und

[1]) Zu Urbanus, K. Krause in der Vorrede zu Mutians Briefwechsel und an derselben Stelle bei Gillert: G. Bauch in der Allgemeinen deutschen Biographie.

[2]) K. Krause, Der Briefwechsel des Mutianus Rufus, 78 No. 71.

[3]) K. Gillert, a. a. O., No. 73, 74, 112.

[4]) K. Gillert, a. a. O., No. 126.

[5]) Ein Brief von ihm, der auch das Griechische berührt, an Celtis in dessen Codex epistolaris unter dem Namen Schenefeld.

[6]) Es ist leider nur ein Band der von Urban gefertigten Abschriften erhalten. Vergl. das Vorwort zu K. Gillerts Ausgabe.

[7]) H. Schreiber, Geschichte der Albert-Ludwigs-Universität, I, 95, 96, II, 168. C. Schmidt, a. a. O., II, 74. Enders, Dr. Martin Luthers Briefwechsel, V, 68.

Rhetorik bis 1518, wo er als Domprediger nach Straßburg überging. Er gehörte dann zu den ersten Reformatoren der Stadt. Unter den Satirikern[1] seiner Zeit zählt Aquilonipolensis 1504 auch Johannes Brandius auf:

Pol stupor artitis astree gemma: Joannes
Brandius: Aonidum flos: iuuenile decus.

Die Namensform zeigt, daß unter ihm der im Wintersemester 1494 immatrikulierte Patrizier Johannes Brandiß de Hildensem gemeint ist. 1497 wurde er Baccalar und später Magister. 1499 ist er vorübergehend in Köln gewesen. 1503 ließ er sich als Scholar der Jurisprudenz bei der deutschen Nation in Bologna eintragen[2]) und bediente sich in Bologna auch in dem Epitaph[3], das er seinem gleichnamigen Oheim († 1500) setzte, der 1492 in Erfurt studiert hatte, der Namensform Brandius. Als Doctor legum kehrte er nach Deutschland zurück. 1505 war er Kanonikus in Hamburg und wohl schon früher Kanonikus in Hildesheim. 1524 pries ihn der Leipziger Poet Henningus Pyrgallius (Fuerhane) Ascalingensis (d. h. Hildesheimer) als seinen Mäcen[4]). Von seinen Dichtungen ist nichts mehr bekannt. Ein anderer Poet desselben Namens, Johannes Brandis aus Hildesheim, kam im Jahre 1523 nach Erfurt und lebte in der 1521 von einem Familienmitgliede, Thilemann Brandis, gestifteten Sachsenburse, dort von Eobanus Hessus als Poet begrüßt[5]).

Im Jahre 1494 erscheint, wenigstens nach den uns erhaltenen Quellen, der Humanismus zum ersten Male als anerkannter Mitwirkender bei einem öffentlichen, offiziellen Akte der Artistenfakultät, an dem die ganze Universität beteiligt war, bei einer Disputatio de quolibet. Der als Scholar im Wintersemester 1489 immatrikulierte junge Magister[6]) Johann Schram aus Dachau.

---

[1]) In der Sophologia. S. n. in Kapitel V.

[2]) G. Knod, a. a. O., 60 No. 407.

[3]) G. Knod, a. a. O., 60 No. 406.

[4]) IL Pyrgallius etc., In Obitum Petri Mosellani etc. Planctus. Leipzig 1524. 8°.

[5]) K. Krause, Helius Eobanus Hessus, 1, 249. Die Vornamen Johannes und Thilemann sind in dieser Familie so häufig, daß bisweilen Schwierigkeiten für die Unterscheidung einzelner eintreten.

[6]) Schram wurde 1491 Baccalar und 1494 Magister.

der nur hierbei als Humanist erwähnt wird, durfte im Einverständnis mit dem Quodlibetarius Magister Johann Ganß aus Herbstein[1]) mit einer Questio minus principalis hervortreten. Sie trug als heitere Ergänzung zu den ernsten scholastischen Quaestiones principales burlesken Charakter. Er sprach über das Monopolium der Schweinezunft[2]). Viel Eigenes und Geistreiches trug Schram dabei nicht zu Markte Wie ihm F. Zarncke nachgewiesen hat[3]), war seine Rede wesentlich ein Plagiat aus der Einleitung zu den Facetien des Poggius und aus den quodlibetischen Reden, die der Magister Jodocus Gallus aus Rufach über das Leichtschiff[4]) im Jahre 1489 und der Magister Bartholomäus Grieb aus Straßburg über die Schelmenzunft[5]) schon 1479 unter Wimpfelings Präsidium bei einem Quodlibet in Heidelberg gehalten hatten[6]). Der jedenfalls in Erfurt entstandene Druck der Rede trägt den Titel: Questio fabulosa recitata per magistrum Johannem schram ex dachaw Inclito in Gymnasio Erffordensi sub disputatione quotlibetari Presidente pro tunc concertacioni Uenerabili magistro Johanne ganß ex Herbsteyn theologie baccalario. 1494. 4°.

Das Sommersemester 1496 führte Erfurt eine größere Zahl von Studierenden zu, die zum mindesten dem Humanismus freundlich gegenüberstanden.

Johannes Roet (Rode) de Lubeck ist der Magister Johannes

---

[1]) Johann Ganß wurde 1484 Magister.

[2]) Abgedruckt bei F. Zarncke, Die deutschen Universitäten im Mittelalter, I, 103 f. Sie wurde 1496 in Olmütz nachgedruckt.

[3]) F. Zarncke, a. a. O., 251.

[4]) Abgedruckt bei F. Zarncke, a. a. O., 51 f. Jodocus Gallus ist 22. Oktober 1476 in Heidelberg immatrikuliert, wurde 1478 Baccal. in via moderna und 1480 Magister.

[5]) Abgedruckt bei F. Zarncke, a. a. O., 61 f. Bartholomäus Grieb ist 1470 in Heidelberg immatrikuliert, wurde 1473 Baccal. in via moderna und 1477 Magister.

[6]) Nach H. Holstein, Zeitschrift für vergleichende Litteraturgeschichte N. F. IV, 232, trug Grieb seine Quaestio 1479 vor und Gallus 1489. Gallus kann nicht unter Wimpfelings Präsidium gesprochen haben, da Wimpfeling zu dieser Zeit in Speier war und der Universität zu Heidelberg nicht mehr angehörte.

Mineus, den Aquilonipolensis später als Licht der Stadt Lübeck pries[1]). Er war dort Stadtschreiber und Domherr.

Die beiden fränkischen adeligen Brüder Jacobus[2]) und Andreas[3]) Fuchs de Lacendorff gehörten später zu den Freunden des Crotus Rubianus, der 1517 mit ihnen in Bologna als ihr Begleiter und Lehrer lebte[4]), und Jakob war auch mit Hutten und Joachimus Camerarius befreundet. Daß sie damals schon in Erfurt Crotus nahetraten und Schüler des Maternus waren, wie Kampschulte will[5]), ist möglich, aber läßt sich nicht beweisen. Jakob war als Baccalar der Philosophie und schon Bamberger Kanonikus 1501 unter den Rektorwählern für das Wintersemester. Beide Brüder wurden 1499 Baccalare und 1503 Magister.

Eine freundliche Stellung zu Eobanus Hessus hatte Laurentius (Arnoldi) Textoris aus Usingen[6]), der 1498 Baccalar und 1504 Magister wurde. Er war unter den Magistern, die mit Eoban und anderen Scholaren 1505 vor der Pest nach Melsungen und Frankenberg wichen[7]), und Hessus widmete ihm 1506 mit einem phaleucischen Endecasyllabum sein Gedicht, das die Wanderung behandelte. Nach dem Namen war er ein Verwandter des Scholastikers Bartholomaeus von Usingen.

Deutlicher ist die Stellung der patrizischen Brüder Herbord, Gerlach[8]), Wolfgang[9]) und Leo von der Marthen, der Söhne des späteren Vicedominus Gerlach von der Marthen zum Humanismus.[10]) Herbord war trotz der Schattenseiten seines

---

[1]) In der Adolphels. S. w. u. in Kapitel V.

[2]) G. Knod, a. a. O., 141 No. 1037.

[3]) G. Knod, a. a. O., 141 No. 1036.

[4]) Da die beiden Fuchs schon 1503 in Erfurt Magister wurden, also damals schon 22 Jahre alt waren, kann man sie in Bologna, wie gewöhnlich angenommen wird, doch kaum noch als junge Leute betrachten.

[5]) F. W. Kampschulte, a. a. O., I, 56.

[6]) K. Krause, Helius Eobanus Hessus, I, 29.

[7]) K. Krause, a. a. O., 30, 31.

[8]) Gerlach heiratete 1512 Christine Eberbach, die Schwester des Petroius, K. Gillert, a. a. O., No. 229, 230.

[9]) Gerlach und Wolfgang von der Marthen wurden 1503 Baccalare.

[10]) Über die Stellung Martins von der Marthen, des Bruders von Gerlach Senior, zum Humanismus haben wir nichts Besonderes zusammenbringen können. Immatrikuliert im W. S. 1473/4, Baccalar 1484, Magister

Wesens, in denen er seinem hochfahrenden Vater glich, wegen seiner Begabung und seinen Bildung nachmals ein Liebling Mutians [1]). 1500 Baccalar und 1504 Magister, begab er sich zur Jurisprudenz und wurde, nachdem er wie Peter Eberbach 1505 vor der Pest nach Straßburg geflohen war [2]), im Wintersemester 1507/8 Baccalar und nachdem er 1508 bis 1512 als Nachfolger Spalatins Klosterlehrer in Georgenthal gewesen war [3]), 1512 Licentiat und Doktor beider Rechte. Dann war er von 1512 ab Dozent an der Universität [4]), im Wintersemester 1515 Rektor und von 1514 bis 1516 Großsyndikus der Stadt, mußte aber 1516 flüchten, weil er die geheimen Verhandlungen der Stadt an den Erzbischof von Mainz verraten hatte [5]). Er starb in Mainz. Als Humanisten zeigte er sich durch die Vermittlung der Anknüpfung Eobans mit Mutianus und durch die Verse, die er 1507 mit Crotus und Johannes Christiani [6]) dem Gedichte des Eobanus Hessus vom Lobe und Preise der Universität Erfurt [7]) und Spalatins Ausgabe von Thomas Wolfs XXXIII. Psalm beigab [8]), wie durch das Epitaph, das er 1508 bei Mutian für Konrad Celtis dichtete [9]). Den drei Brüdern Herbord, Gerlach und Wolfgang widmete Hessus als seinen Commilitonen und Freunden 1508 eine Elegie, mit der er Gedichte zum Lobe der Familie von der Marthen verband [10]). Herbord von der Marthen und

---

1487, 1497 Doctor i. u. und Dozent der Jurisprudenz. W. S. 1496 und 1421 S. u. W. Rektor der Universität; Kanonikus zu St. Severi.

[1]) K. Gillert, a. a. O., No. 80, 140.
[2]) K. Gillert, a. a. O., No. 641.
[3]) K. Gillert, a. a. O., No. 115.
[4]) K. Gillert, a. a. O., No. 230.
[5]) Er war dann zuerst bei Albrecht von Mainz und hierauf als Rat von Maximilian I. und Karl V. in kaiserlichen Diensten. Vergl. den Brief von Dr. Bruno Seidel an Joachimus Camerarius, 1. Mai 1543, Libellus Novus Epistolas etc. complectens E 5b.
[6]) Immatrikuliert im W. S. 1504: Johannes Cristiani de Frankenberg, Baccalar 1506, Magister 1509.
[7]) K. Krause, a. a. O., I, 56, 57.
[8]) S. o. bei Thomas Wolf Junior.
[9]) K. Gillert, a. a. O., No. 78.
[10]) K. Krause, a. a. O., I, 64, 65.

Heinrich Urban nahmen sich 1513 des Thiloninus Philymnus an [1]).

Als der Doctor med. Georg Eberbach im Wintersemester 1497 das Rektorat verwaltete, nahm er auch seine Söhne Heinrich und Peter in die Matrikel auf. Beide bestanden 1502 das Baccalaureatexamen und zählten neben dem unumgänglichen Studium der scholastischen Disziplinen in den humanen mit Spalatin zu den liebsten Schülern des Humanisten Marschalk. Heinrich entschloß sich, nachdem er 1505 Magister geworden war, zum Studium der Medizin [2]) und wirkte lange als deren Dozent in Erfurt, von 1513 an bekleidete er wegen des dürftigen Standes der Fakultät sieben Jahre hintereinander das Dekanat [3]). Obgleich ein Freund des Eobanus Hessus [4]) und von Mutian wegen seiner humanistischen Studien geschätzt [5]), hat er doch im großen und ganzen wenig [6]) für den Humanismus getan († 1537). Anders sein Bruder Peter, der sich den verfeinerten Namen Petreius Aperbacchus beilegte und selbst ein eifriger Humanist war. Sein schwächlicher Körper verhinderte ihn, dauernd ein Amt zu übernehmen. Sein liebenswürdiges Wesen, seine feine Bildung und sein Witz erwarben ihm viele Freunde, besonders Mutianus Rufus. Nachdem auch er 1508 Magister geworden war, widmete er sich dem Apothekerberufe und studierte gleichzeitig Jura, blieb aber bei der humanistischen Fahne. Während der Pest ging er mit Herbord von der Marthen 1505 bis nach Straßburg und blieb dort bis in den Anfang von 1506 hinein. Er schloß sich daselbst Jakob Wimpfeling, dem er im Streit mit Locher zur Seite trat, und Thomas Wolf Junior, herzlich an [7]). Wolf

---

[1]) K. Gillert, a. a. O., No. 245, 280, 296; 272, 300. Zu Thiloninus Philymnus s. w. u. in diesem Kapitel.

[2]) Nach dem Briefe Mutians bei K. Gillert, a. a. O., No. 163 scheint er auch in Italien studiert zu haben.

[3]) Auch er scheint wie Petreius in Wien gewesen zu sein. K. Gillert, a. a. O., No. 165.

[4]) K. Krause, a. a. O., I, 59, 67, 139, 143.

[5]) K. Gillert, a. a. O., No. 76.

[6]) K. Krause, a. a. O., I. 242, 408.

[7]) S. s. bei Thomas Wolf, 130, 131, seinen der Epistola excusatoria ad Sueuos Wimpfelings beigegebenen Brief an Wimpfeling und Wolfs Brief an Geiler bei seinem Psalmenkommentar.

diktierte ihm seinen Psalmenkommentar und anderes. In Erfurt befreundete er sich eng mit E o b a n u s H e s s u s, der ihm 1508 seine Schrift De amantium infelicitate dedizierte [1]. Im Jahre 1510 unternahm er einen Ausflug nach Wien, wo er im Sommersemester immatrikuliert ist [2] und in einem Contubernium mit den Humanisten J o a c h i m u s V a d i a n u s und J o h a n n e s M a r i u s R h a e t u s zusammenlebte und 1511 mit Ulrich von Hutten zusammentraf [3]. Ein Gedicht des A r b o g a s t S t r u b aus Glarus, der 1510 starb und ein Epitaph von P e t r e i u s erhielt, zeigt Eberbach bei einem festlichen Mahle, das Strub den vornehmen Ungarn Sigismund von Buchheim, Ulrich von Eytzingen und Wolfhard Strein gab und an dem auch G e o r g T a n n - stetter Collimitius, Joachim Vadianus, Johannes Marius und Simon Lazius teilnahmen. Zu Vadians Ausgabe von Reuchlins Übersetzung der Batrachomyomachia gab Eberbach 1510 ein empfehlendes Gedicht. Bei seinem ersten Aufbruch blieb er mehrere Monate in Olmütz bei einem Conterraneus H i e r o n y - m u s B e n e d i c t u s, der einige Zeit Schulmeister in Brünn und nun in derselben Stellung in Olmütz [4] war, aber nicht im Verkehr, da dieser abwesend war, mit dem Freunde des C e l t i s und Propst A u g u s t i n u s M o r a n u s oder O l o m u c e n s i s, dessen Katalog der Olmützer Bischöfe er mit Hendecasyllaben zum Druck begleitete [5]. In Erfurt zurück wurde er 1512 Baccal. i. u. und trat noch enger als früher in den Kreis des M u t i a n u s R u f u s. Eine neue Wanderung führte ihn 1514 nach R o m, Mutian empfahl ihn für die Reise an T r i t h e m i u s, der ihm schon als Knaben in Erfurt, als er auf seinem Wege nach Berlin den ihm befreundeten Vater G e o r g besuchte, bekannt geworden war. In Rom gewann

---

[1] K. Krause, a. a. O., I, 67. 1509 kam es zwischen Hessus und Petreius zu einem selbst mit Tätlichkeiten verbundenen Streite, den Mutianus schlichtete.

[2] Wien S. S. 1510 unter den Saxones: Magister Petrus Eberbach Erfordiensis.

[3] M. Denis, Wiens Buchdruckergeschicht, 64, 48, 306.

[4] E. Arbenz, Die Vadianische Briefsammlung der Stadtbibliothek in St. Gallen, I, 84 (8), 85 (9), 86 (10), 89 (13).

[5] München, Hof- und Staatsbibliothek, Camerariana, XVI, fol. 61 b. Peter Eberbach an Johann Lang, Olmütz iiij Eid. Sept. 1510: Hieronymus Benedictus, hic ludi magister litterarij, te saluere iubet.

er Freunde an Michael Hummelberg [1]) aus Ravensburg und
Kaspar Ursinus Velius [2]) aus Schweidnitz, mit dem er Homer las.
Dichtungen [3]) an Johannes Corycius aus Luxemburg zeigen ihn
in dem Mittelpunkte des römischen schöngeistigen Lebens. Im
Jahre 1515 suchte er die Heimat wieder auf und lebte in eifrigem
Verkehr mit dem aus Preußen zurückgekehrten Hessus, Eobanus
beförderte ihn zum Dux in seinem trotz des darinnen herrschenden
Mangels lustigen Regnum Eoabanicum. Im Sommer 1520 wurde
er von Melanchthon und Luther als Lehrer des Plinius für
Wittenberg in Aussicht genommen [4]) und von Lang dazu empfohlen [5]).
1528 ging er nach Heidelberg und wurde dort im September 1529
Licentiat beider Rechte. Wenig später, 1531, ist er als Kanonikus
zu St. Mariae gestorben. 1506 schon hatte Zasius seiner rühmend
gedacht [6]) und 1512 hatte ihn Beatus Rhenanus unter den an
klassischer Bildung hervorragenden Deutschen genannt [7]).

Trotz ihrer Beziehungen zu anderen Humanisten sind die
Scholaren des Wintersemesters 1497 Ludeuicus Platz de
Melsungen und Ludewicus Trutebuch de Ascania selbst als
Humanisten kaum genannt. Platz oder Placenta ist durch seine
standhafte Freundschaft mit Eobanus Hessus, dem er zuerst,
aber doch wohl mehr bei den scholastischen Studien, Lehrer
war [8]), der Litteratur erhalten. 1505 nahm er als junger Magister.

[1]) Catalogus Episcoporum Olomucensium. Viennae Pannoniae ab
Hieronymo Philoualle et Joanne Singronio: in re excussoria partiariis,
VIII. Eid. Mar. O. J. 4°. Dabei: Ad Jureconsultos. D. Aug. Regium
auricularium Petrei Aporbaechi. Hend. Nachrichten über Augustinus
Moravus s. w. u.

[2]) A. Horawitz, Zur Biographie und Correspondenz Johannes Reuchlins, 13, 23, 26.

[3]) G. Bauch, Caspar Ursinus Velius, 16.

[4]) In: Coryciana. Impressum Romę apud Ludouicum Vicentinum
Et Lautilium Perusinum. Mense Julio MDXXIIII. 4°. Zu dieser Gedichtsammlung vergl. L. Geiger, Der älteste römische Musenalmanach, in
seiner Vierteljahrsschrift für Litteratur und Kultur der Renaissance, I, 451.

[5]) Corpus Reformatorum, I, 207. Enders, Dr. M. Luthers Briefwechsel,
II, 432.

[6]) J. A. Riegger, Udalrici Zasii Epistolae, 391.

[7]) A. Horawitz u. K. Hartfelder, Der Briefwechsel des Beatus
Rhenanus, 42.

[8]) K. Krause, a. a. O., I, 26.

Baccalar 1499, Magister 1504, an der Flucht vor der Pest nach Melsungen und Frankenberg teil[1]). Im Sommersemester 1520 nennt er sich als Rektor Licentiat der Theologie. Als die humanistischen Studien 1523 von den Prädikanten bedrängt wurden, trat Platz als Helfer für sie ein[2]). In seinem Rektoratsbericht hat er die Stelle eines Briefes, den er 1519 von Erasmus erhalten hatte, an die Spitze gestellt, die von dem bescheidenen Einfügen der humanen Studien in das Lehrpensum der Universitäten handelte. Später wurde er evangelischer Pfarrer[3]) in Walschleben und gehörte der gemäßigten lutherischen Richtung an. Ludwig Trutebul, das ist der richtige Name, der Ältere[4]) aus Aschersleben hat im Jahre 1508 dem Wittenberger Poeten Andreas Crappus, der vorher kurze Zeit in Erfurt gewesen war[5]), einen Brief und Verse geschickt[6]). Im Sommer 1504 war Trutebul, wohl auch nur vorübergehend, nach Wittenberg übergesiedelt.

Das Sommerhalbjahr 1498 brachte zwei wenig mit Schätzen ausgestattete junge Leute, die sich tief in die Geschichte des Humanismus eingezeichnet haben: Georius Borgardi de Spaltz (Spalt) und Johannes Jeger de Dornheym, von denen der erste, Georgins Spalatinus[6]), klug und bedächtig als tatsächlicher Kurator der Universität Wittenberg durch seine Beihilfe und seinen Einfluß bei Kurfürst Friedrich dem Weisen die großen, das Mittelalterliche an den Universitäten vernichtenden Reformen

---

[1]) K. Krause, a. a. O., I, 29.

[2]) S. die Widmung vor De Non Contemnendis Studijs humanioribus futuro Theologo maxime necessarijs aliquot clarorum virorum ad Eobanum Hessum Epistolae. Erfurt, Mattheus Pictor, 1523. 4°.

[3]) K. Krause, a. a. O., II, 156.

[4]) Vergl. das Gedicht Lodoguico Trutebulo natu maiori Ascario bei Andreae Crappus Vuittenburgensis Carmen de duobus amantibus etc. Wittenberg 1508. 4°.

[5]) In der Matrikel steht er nicht, aber er sagt es in einem Gedicht ad Casparem Chalunum, der auch nicht in der Matrikel zu finden ist: Epigramma extemporaneum et succisiuum Erffordie editum.

[6]) Für Spalatin fehlt immer noch der Biograph.

Luthers[1]) und Melanchthons[2]) erst ermöglich machte[3]), und der zweite, Johannes Crotus Rubianus, mit dem ersten, von ihm verfaßten Bande der Epistole obscurorum virorum der erstarrten Scholastik den Todesstoß versetzte, daß sie dem Ansturm des mit der Theologie Luthers und Erasmus' verbündeten Humanismus Melanchthons nicht mehr standhalten konnte und endlich zusammenbrach.

Spalatin, der seine erste Bildung in Nürnberg erhalten hatte[4]), trat, 1499 Baccalar geworden, in ein nahes Verhältnis zu Nicolaus Marschalk, er wurde sein Amanuensis und gab schon 1501 unter den Augen seines Lehrers eine kleine Glosse heraus, in der es nicht an Griechisch und Versen fehlte[5]). Mit Marschalk ging er 1502 nach Wittenberg und ließ sich dort 1503 zum Magister promovieren[6]), kehrte dann aber wieder nach Erfurt zurück. 1505 spannen sich seine intimen Beziehungen zu Mutianus Rufus und Heinrich Urban an, ihnen verdankte er, nachdem er einen Ruf als Stadtschreiber in Zwickau ausgeschlagen hatte[7]), seine Anstellung als Klosterlehrer[8]) in Georgenthal 1505 bis 1508. Im Jahre 1506 widmete er von Georgenthal aus Mutian seine Ausgabe der Expositio des XXXIII. Psalme Thomas Wolfs[9]). Er versuchte 1508, mit Hilfe Wilibald Pirckheimers Nachfolger Heinrich Grieningers als Poetenschulmeister in

---

[1]) G. Bauch, Wittenberg und die Scholastik, a. a. O., 335, 336, 337. 338. An der letzten Stelle ist für Petrus Lupinus Thilemann Plettner zu setzen.

[2]) G. Bauch, Die Einführung der Melanchthonischen Declamationen und andere gleichzeitige Reformen an der Universität zu Wittenberg, 14, 15.

[3]) Die historiographische Tätigkeit Spalatins bespricht A. Seelheim, Georg Spalatin als sächsischer Historiograph.

[4]) K. Gillert, a. a. O., No. 3. Mutian sagt dort: „Urbis Norice lingua inter nationes Germanicas elegantissima habetur, latina vero in omni studiorum genere pernecessaria est. Utraque utitur Spalatinus Iucunde scienterque."

[5]) S. w. u. Kapitel V bei Marschalk.

[6]) In der Matrikel, W. S. 1502 heißt er noch Georius Borkhardus de Spalt, als Magister Georgius Spaltinus.

[7]) K. Gillert, a. a. O., No. 6, 7.

[8]) K. Gillert, a. a. O., No. 6, 9, 11, 21, 22.

[9]) S. u. bei Thomas Wolf, 130.

Nürnberg zu werden[1]), die Schule war jedoch im Eingehen begriffen, und durch Mutians Verwendung erfolgte dann in demselben Jahre seine Berufung als Prinzenerzieher an den kurfürstlich sächsischen Hof[2]) und damit die Versetzung auf die Basis seines späteren Lebens.

Johannes Jäger, der sich zuerst Venatorius, Venatoris oder Venator und endlich (1509) nach dem Schützen im Sternbilde Crotus[3]) schrieb, dazu nach seiner Heimat Dornheim das mißverständliche Cognomen Rubianus oder Rubeanus bildete, wurde 1500 Baccalar und, nachdem er während der Pest 1505 seinen Herzensfreund Ulrich von Hutten dem Kloster in Fulda entführt hatte und mit ihm nach Köln gegangen war, wo Hutten am 28. Oktober und er am 17. November immatrikuliert sind, wieder in Erfurt 1507 Magister[4]). Als Hessus 1504 in Erfurt eintrat, kam er ihm, selbst schon als Poet bekannt, freundlich entgegen[5]). 1507 geleitete er sein Preisgedicht auf die Universität als Johannes Dornheim Venatorius poetisch in die Öffentlichkeit[6]), wie 1509 als Crotus Rubianus sein Bucolicon[7]). Die neue Namensform verdankte er vermutlich Mutianus, mit dem er schon 1507 in Verkehr stand. Nachdem er seit 1508 als Erzieher zweier hennebergischer Grafen Georg und Berthold in Erfurt gewirkt und diese nach Arnstadt begleitet hatte[8]), ging

---

[1]) G. Bauch, Die Nürnberger Poetenschule 1496—1509, 42. J. Heumann, Documenta literaria, 284.

[2]) K. Gillert, a. a. O., No. 105, 106, 119. In dem letzten Briefe betont das Mutianus.

[3]) Zu Crotus vergl. F. W. Kampschulte, Commentatio de Joanno Croto Rubiano; E. Einert, Johann Jäger aus Dornheim, I; Derselbe, Crotus Rubianus, in der Zeitschrift des Vereins für Geschichte und Altertumskunde Thüringens, N. F. IV, 1 f.; G. Knod, Deutsche Studenten in Bologna, 463 No. 3040.

[4]) Was Kampschulte, a. a. O., I, 70, von den unzweideutigen Anzeichen einer veränderten Stimmung bei Crotus (1506) zu erzählen weiß, ist erfunden.

[5]) K. Krause, Helius Eobanus Hessus, I, 27.

[6]) K. Krause, a. a. O., I, 56.

[7]) K. Krause, a. a. O., I, 80.

[8]) K. Gillert, a. a. O., No. 60, 70, 72, 119, 644. Die beiden Grafen, Kanoniker von Köln und Straßburg, sind schon im W. S. 1506 immatrikuliert. Die Matrikel rühmt von ihnen: „ambo sine iactantia litterati et ornatissimi morum integritate."

10*

er nach einem kurzen Aufenthalt in Erfurt 1510 als Klosterlehrer
nach Fulda, besuchte aber hin und wieder mit seinem Gönner.
dem Koadjutor und von 1513 ab Fürstabt von Fulda Hartmann
von Kirchberg, Erfurt und begleitete diesen auch 1512 an den
kaiserlichen Hof[1], wie vielleicht ebenso 1515 nach Wien, da er
erzählt, der König Ludwig II. von Ungarn habe ihm als
Jüngling die Hand gereicht[2]. In Fulda, wo er ein Sacerdotium
besaß[3], entstanden in steter Fühlung mit Mutianus seine
Epistole obscurorum virorum. 1517 war er als Begleiter und
Lehrer der Brüder Andreas und Jakob von Fuchs in Bologna,
wo er Hutten von einer Fahrt nach dem heiligen Lande abhielt[4]
und Freundschaft mit dem Breslauer Juristen und Gräcisten
Johann Metzler[5] schloß. Von Bologna aus besuchte er mit
Johann Heß aus Nürnberg, der seit 1512 mit ihm in Briefwechsel
gestanden hatte, Rom und wurde mit diesem zugleich 1519 in
Bologna Doktor theol.[6]. Im April 1520 ging er, in Italien für
seinen alten Freund Luther gewonnen, über Nürnberg nach
Bamberg zu den Brüdern Fuchs und berührte dann bei einem
Besuche seiner Heimat Erfurt, wo er sogleich für das Wintersemester 1520 zum Rektor gewählt wurde. Als Rektor empfing
er 1521 feierlich seinen ehemaligen Studienfreund Luther auf
seiner Durchreise nach Worms[7] und verewigte die Glanzzeit
der Erfurter Universität durch ein großes Wappenbild in der
Matrikel[8]. Nach Fulda zu seinem Sacerdotium zurückgekehrt.

---

[1] Vergl. bei G. Bauch den Brief des Crotus an Johann Heß,
Fulda, 20. September 1512, Correspondenzblatt des Vereins für Geschichte
der evang. Kirche Schlesiens, VIII, 165.

[2] G. Bauch, a. a. O., 184. Im Jahre 1515 war der große Fürsten-
kongreß in Wien, bei dem Maximilian I., Sigismund I. von Polen und
Wladislaw und Ludwig von Ungarn zusammentrafen.

[3] Er spricht 1520 von seinem vetus sacerdotium in Fulda, bei K. und
W. Krafft, Briefe und Dokumente aus der Zeit der Reformation, 20. Die
Stelle ist dort falsch gelesen.

[4] J. Henmann, Documenta literaria, 27.

[5] G. Bauch in der Zeitschrift für Geschichte und Altertum Schlesiens,
XXXII, 55, 78—88.

[6] Th. Kolde, Analecta Lutherana, 10; K. Gillort, a. a. O., No. 594.

[7] K. und W. Krafft, a. a. O., 15, 20, 28.

[8] Reproduziert bei H. Weißenborn, Acten der Erfurter Universität, II.

ließ er sich durch seinen Bologneser Commilito Friedrich Fischer[1]) 1524 für den Dienst des Großmeisters und bald Herzogs von Preußen Albrecht als Rat gewinnen und, obgleich bald selbst mit sich wegen der Entwicklung der religiösen Verhältnisse uneinig[2]), verließ er Preußen doch erst 1530 als Rat Albrechts von Mainz und Kanonikus in Halle und starb, von seinen alten Freunden bis auf Eobanus Hessus als Fahnenflüchtiger preisgegeben, fast vergessen in den vierziger Jahren.

Ein ganz verschollener Erfurter Humanist ist der im Sommer-semester 1498 eingetragene Johannes Wabel de Norenberga, (Nürnberg) bei dem in der Matrikel die Note „poeta entheus" zugesetzt ist. Er hieß eigentlich Babel[3]), Aquilonipolensis und er selbst latinisierten den Heimatsnamen in Monamontanus: nur ein Berg! Das tiefe Schweigen, das sonst in Erfurt über ihn, den einzigen fahrenden Poeten, den Erfurt hervorgebracht hat, herrscht, brach er selbst, als er 1506 in Frankfurt a. O., wo er als „pauper" immatrikuliert ist, böse Erfahrungen mit dem ehemaligen fahrenden, jetzt aber angestellten Poeta et orator Publius Vigilantius Axungia gemacht hatte. Als Baccalar, 1500 in Erfurt dazu promoviert[4]), durchzog er, noch stark mit dem Wesen eines Bachanten behaftet, die Welt. Er erzählt seine Schicksale in einem schnurrigen heroischen Büchlein, dem einzigen Denkmale seiner Muse: Johan. Babel Monamontani dialogus qui inscribitur Zoilus[5]). Die Leiden Babels beginnen in Erfurt, wo ihn Cimex und Zoilus durch anonyme Verse und spitze Reden kränken. Sie sind Anhänger der Logik, d. h. Scholastiker, er verteidigt die Poetik und hält es mit dem „Sein" statt mit dem

---

[1]) Zu F. Fischer vergl. G. Knod, a. a. O., 128 No. 900.

[2]) Über seine Stimmung berichtet der Brief aus dem Jahre 1526 an Johann Hoß bei G. Bauch, Correspondenzblatt etc. VIII, 184 f. Nach dem Briefe vom Jahre 1525, ebenda 181 f., versuchte er, durch Johann Heß Jakob Fuchs eine Frau aus Schlesien zu verschaffen.

[3]) Zu Johann Babel vergl. G. Bauch, Die Anfänge der Universität Frankfurt a. O. (Texte und Forschungen zur Geschichte der Erziehung und des Unterrichts in den Ländern deutscher Zunge, III), 101—103.

[4]) Das Dekanatsbuch sagt: Johannes Wabbel de Nornberga.

[5]) Impressum Lipczk per Melchior Lotter Anno domini Millesimo quingentesimo sexto. 4°. Widmung an Georg Retzler, o. O. 6. Kal. Oct. 1506.

„operari". Mit seinem Freunde Logus[1] macht er sich auf den
Weg nach Wien, wo nach Cimex' Meinung, ihn, den „stultum
Augustum", die ungarischen Läuse fressen werden. In Wien will
niemand etwas von seinen Versen wissen, ausgebeutelt wandert er,
nachdem er seine Kleider geflickt, mit Logus durch Mähren und
Schlesien nach Frankfurt[2]. Hier hat kaum der „nouus vates"
durch einen Anschlag zu seinen Vorlesungen über die Ars poetica
des Horaz eingeladen und damit angefangen, als Fama das dem
Publius Vigilantius[3], der gerade selbst über die Ars las, mitteilt
und Alecto ihn zum Einschreiten gegen den unbefugten Konkurrenten
auffordert. Er solle nicht dulden, daß jener Niedrige ihm das
Recht zu lesen aufhebe, er, der sich unverdienter Weise Vates
nenne und gewagt habe, die sängerbildende Ars des Flaccus
ebenfalls zu lesen, im Winkel, nicht an offnem Orte. Sie zeigt
ihm den von der Kirchentür losgerissenen Anschlag mit unzähligen
Fehlern. Vigilantius soll den Stümper vor seinen eigenen Hörern
vernichten. Vigilantius antwortet darauf mit hochfahrenden
Worten, daß es ihm zieme, die Magister der Universität zu verbessern, wenn sie die ihm von Jugend auf bekannten, ihnen un-
gewohnten Waffen der Minerva versuchten. Alecto warnt ihn,
er solle von den Wohlbezähnten lassen, oder er würde es mit
zerrissenem Felle bedauern; da könne er jenen jämmerlichen,
elenden, furchtsamen, armen Patron ganz ungestraft angreifen und
in die Flucht schlagen. Vigilantius geht darauf ein und läßt
sich durch Fama vor Babels Haus führen. Alecto stachelt ihn
nochmals an, den Unbequemen vom Katheder zu stoßen, wenn
er nicht freiwillig weiche. Vigilantius fährt den Konkurrenten
heftig an, wie er da, wo der Kurfürst ihn selbst als Dichter und
Redner angestellt habe, es wagen könne, frech und unwissend,
wie er sei, eines solchen Amtes sich anzunehmen. Er wirft ihm
die Vokabel- und prosodischen Fehler seines poetischen An-
schlages schonungslos vor und droht ihm damit, daß ihn seine

---

[1] Wenn Logus eine wirkliche Persönlichkeit war, so läßt sich doch
nicht feststellen.

[2] In der offiziellen Rektoratsmatrikel (A I) steht er im S. S. 1506 als
Baccalaureus Johannes Babel de Nurnberga.

[3] Zu Vigilantius, G. Bauch, a. a. O., 7, 9—11, 23—25, 47, 64,
97—99, 101, 102, 108, 113, 116, 117, und hier oben Kapitel III, 76, 77.

Schulbuben aus der Stadt jagen würden. Babel beklagt sich bitter bei Logus über die schlechte Behandlung durch Vigilantius, vor dem er kaum das Leben gerettet hätte, der ihn wie ein stummes Tier habe abschlachten wollen und ihn mit seinen Jamben bedrohe. Beide gehen ab und überlassen Vigilantius das Feld. Das hin und wieder ziemlich unflätige Pamphlet des Opfers der Erfurter Scholastik, der Wiener Teilnahmslosigkeit und des Frankfurter obrigkeitlich bestallten Humanismus ist trotz des schwerfälligen Lateins, der nicht fehlerlosen Verse und der bisweilen recht undurchsichtigen Dunkelheit keineswegs ohne Talent und Humor. Sieben Jahre trieb sich Babel schon fern von der fränkischen Heimat in der Welt umher, er sah nach seiner Meinung jetzt endlich einen Hafen vor sich, von seinen weiteren Fahrten und Schicksalen ist jedoch nichts bekannt als die Grabschrift, die ihm Thiloninus Philymnus 1513 in den seiner Ausgabe und Übersetzung der Batrachomyomachia[1] angehängten Eulogia funebria gesetzt hat: Epitaphion Joannis Babeli Musarum consectanei. Und davon lautet das bei einem solchen fahrenden Bachanten recht glaubliche Ende:

> Offendes animo Babel, poetam,
> Cui fatum tulerat pater Lyaeus.

In Erfurt erwarb die humanistische und auch poetische Vorbildung der im Wintersemester 1498 eingeschriebene Jacobus Hurle Franckenbergensis, der sich Horlaeus nannte. Er wurde, nachdem er 1501 das Baccalaureat erworben hatte, Schulinhaber in seiner hessischen Vaterstadt, und seine Schule erhielt wegen seiner Tüchtigkeit bald guten Ruf. Zu seinen Schülern gehörten die nachmals so berühmten Dichter Eobanus Hessus und Euricius Cordus[2]. Beide blieben ihm dankbar für das, was sie

---

[1] G. Bauch in Mitteilungen der Gesellschaft für deutsche Erziehungs- und Schulgeschichte, VI, 87 f.

[2] Die Schülerschaft des Cordus stellt K. Krause nachträglich in der Einleitung zu den Epigrammen, XVI, in Abrede, aber mit Unrecht, denn aus dem Epigramm Studiosae iuuentuti geht nur hervor, daß 1529 sein und Hessus' ehemaliger Erfurter Lehrer Ludwig Christiani in Frankenberg lebte. In seinem Gedicht De patria sua sagt er ausdrücklich, daß er nicht weit von der Bestava an einem größeren Flusse (Eder) von den klarischen Göttinnen zum Dichter gemacht worden sei.

von ihm empfangen hatten. Bei Hessus entdeckte er in den poetischen Übungen die auffallende Anlage zum lateinischen Dichter und förderte den fleißigen Schüler in jeder Weise[1]).

Zu den Erfurter Humanisten, später hätte er für die grundlegenden Studien dazu keine Zeit mehr gehabt, zählt auch der im Wintersemester 1499 vermerkte Andreas Bodensteyn de Karlstadt oder, wie er mit seinem echten Namen hieß, Andreas Rudolfus, Bodenstein genannt, aus Karlstadt[2]). Er wurde 1502 Baccalar. Am 17. Juni 1503 ist er in Köln immatrikuliert, wo er als Scholastiker von den Modernen zu den Thomisten überging. In Wittenberg lehrte er später als Thomist und Scotist gleichzeitig[3]). Magister wurde er 1505 in Wittenberg, wo er im Wintersemester 1504/5 eingetreten war. 1507 war er schon Baccalar der Theologie, 1510 wurde er Licentiat und Doctor theol. und außerdem auf einer sonderbaren Romfahrt 1515/16 noch Doktor beider Rechte. Bei dieser unruhigen Vielseitigkeit wäre es doch sonderbar gewesen, wenn der eitle Mann nicht auch noch den Glanz der klassischen Studien an sich gefesselt hätte und er hat in der Tat schon 1507 bei seiner ersten scholastischen Publikation De intentionibus Opusculum[4]) auf dem Titelblatte und bei dem Index empfehlende odische Strophen und elegische Epigramme angebracht, ja, selbst im Text kann er gar nicht anders, er muß in die Propositiones und Corollaria Verse einmischen. Der Gegenstand des Lobes ist überall der hl. Thomas von Aquino, aber auch die Logik geht nicht leer aus, und selbst in seinen Vorlesungen über Metaphysik hat er geschmackvoll alte Fabeln auf die Logik und die zweiten Intentionen angewendet. Noch reicher

---

[1]) K. Krause, Helius Eobanus Hessus, 1, 16 f. Der von Krause, a. a. O., II, 158, erwähnte Magister Jakob Horle (o. 1534) ist nicht eine Person mit Horlaeus, dieser war aus Bereka.

[2]) Zu Andreas Karlstadt vergl. G. Bauch, Andreas Karlstadt als Scholastiker in Briegers Zeitschrift für Kirchen-Geschichte, XVIII, 37 f.: C. F. Jäger, Andreas Bodenstein von Karlstadt, Stuttgart 1856.

[3]) Hierzu der Wolfenbütteler Anonymus, zuerst herausgegeben von Mader, 1839 neu herausgegeben von Th. Morsdorf fälschlich unter dem Namen Wimpinas: C. Wimpinae Scriptorum insignium etc. Centuria, 82.

[4]) De intentionibus Opusculum Mgri. Andreæ Bodenstein Carlstadij. compilatum ad Scti emulorum Thomæ commoditatem. Impressum Liptzk per Melchiarem Lotter. O. J. 4°.

an poetischem Schmuck sind seine Distinctiones Thomistarum[1]) von 1507, die außer elegischen und heroischen Versen eine odische Widmung an Friedrich den Weisen enthalten. Der Titel aber trägt selbst etwas Griechisch und das 29. Blatt sogar, in Blockdruck hergestellt, das erste Hebräisch in Wittenberg. 1508 gab er zu Scheurls Rede von der Vorzüglichkeit der Wissenschaften und zum Lobe der Allerheiligenkirche[2]) ein Gedicht auf das Freundespaar Christoph Scheurl und Lukas Cranach und ein fälschlich den Proverbien Salomos zugeschriebenes mit Schwabacher gedrucktes hebräisches Sprichwort[3]). Scheurl[4]) nennt ihn „virum latine, graece et hebraice vehementer eruditum", das war jedoch stark auftragendes Freundschaftslob. Karlstadt war aber 1518 mit Luther für die Berufung von griechischen und hebräischen Dozenten nach Wittenberg tätig[5]).

Kein unbedeutender Mann wurde der im Sommerhalbjahr 1500 angekommene Jacobus Theodorici (oder Teyng) de Horn[6]), der sich einen Humanistennamen nach seiner niederländischen Heimat beilegte, unter dem er als Gräcist berühmt wurde: Jacobus Ceratinus. Seine Freunde nannten ihn auch Hornensis. Er blieb lange in Erfurt und gehörte zu den Freunden des Eobanus Hessus. Im Jahre 1501 wurde er Baccalar und 1504 Magister, im Winter 1509/10 wurde er Cursor und im Sommer 1510 Sententiarius der Theologie. Als er im Wintersemester 1519 Rektor wurde, eröffnete er seine Einträge in der Matrikel als

---

[1]) Impressum Wittenburgii per Joannem Gronenberg. Anno. M. D. VIII. III Kalendas Janua: 4º. Centralblatt für Bibliothekswesen, XII, 390 No. 60.

[2]) Oratio doctoris Scheurli attingens litterarum prestantiam, necnon laudem Ecclesie Collegiate Vittenburgensis. Leipzig 1509. 4º.

[3]) Hierzu G. Bauch in der Monatschrift für Geschichte und Wissenschaft des Judentums N. F. XII. (XLVIII.) Jahrgang, 146—148, 151.

[4]) C. Scheurl, a. a. O.

[5]) G. Bauch, Wittenberg und die Scholastik, im Neuen Archiv für Sächsische Geschichte und Altertumskunde, XVIII, 385, 386.

[6]) Die sehr unklaren Nachrichten über das Leben des Ceratinus (Tenyg?) in den allgemeinen biographischen Werken bedürfen einer vollständigen Revision. So ist z. B. das Todesdatum 30. April 1530 (Loewen) ganz unsicher,

humanistischer Poet mit einem Gedichte [1]). In demselben Semester
wurde er Licent. theol. und 1520 Doktor. 1521 lehrte er in
Loewen, ohne eine feste Anstellung am Collegium trilingue zu
erlangen, und dahinter in Tournay. 1523 war er wieder in Erfurt
als Rektorwähler und Dekan der Theologen und Kollegiat des
größeren Kollegs. Auch im Sommersemester 1523 war er Wähler,
aber er verließ das sinkende Erfurt und wurde, von Erasmus,
mit dem er schon seit 1519 in Briefwechsel getreten war und der
ihn sehr hoch schätzte [2]), auf Wunsch Herzogs Georg von Sachsen
angeworben und warm empfohlen, in demselben Halbjahr Lektor
des Griechischen in Leipzig. Die Matrikel sagt: Jacobus Ceratinus Grecus prelector insignis ab Erasmo transmissus. Er war
von Erasmus auch an Private empfohlen, so an den gelehrten
Leibarzt Albrechts von Mainz, Dozenten der Medizin und Rat-
mann in Leipzig Heinrich Stromer aus Auerbach, der ihn als
„homo ut modestus ita graece et latine doctus" lieb gewann [3]).
Wilibald Pirckheimer, der durch Stromer und einen durch
Ceratinus an ihn weitergegebenen Brief des Erasmus von der
Berufung erfuhr [4]), gratulierte Leipzig zur Erwerbung des hoch-
gelehrten Griechen [5]). Die Freude der Anhänger der griechischen
Studien war, wie Erasmus bald vorausgesehen hatte und bedauerte,
jedoch von sehr kurzer Dauer. Als Pirckheimers Glückwunsch

---

[1]) Wenn Kampschulte, a. a. O., 1, 253, sagt, sein Rektorat wurde
durch mehrere kleine Gedichte verherrlicht, so hat sie eben Ceratinus
selbst gemacht.

[2]) Vergl. den unten zitierten Brief des Erasmus an W. Pirckheimer,
Basel, 5. Id. April 1525. Erasmus sagt, daß Ceratinus gleichzeitig einen
Ruf nach der Heimat (Loewen?) erhalten hatte, und stellt ihn hoch über
seinen Vorgänger in Leipzig Petrus Mosellanus und lobt seine fast über-
große Bescheidenheit.

[3]) J. Heumann, Documenta literaria, 213, H. Stromer an W. Pirckheimer, Leipzig, 31. Mai 1525.

[4]) W. Pirckheimer, Opera, ed. Goldast, 280. Erasmus hatte an
Pirckheimer geschrieben: „Si has reddat Jacobus Ceratinus, rogo, ut
hunc velut alterum Erasmum amplectaris. Vir est ita callens graece, nec
minus latine, ut posset cum dignitate vel in omnis Italiae parte profiteri."

[5]) J. Heumann, a. a. O., 214. Stromer an W. Pirckheimer,
Leipzig, 12. Oktober 1525. Da im Text der 1. November als Abzugstag des
Ceratinus genannt wird, muß ein Datum unrichtig sein. Der 1. Oktober
ist das Wahrscheinlichere.

eintraf, war Ceratinus schon wieder von dannen. Am 1. Oktober verließ er Leipzig. „Er wäre länger geblieben", sagt Stromer, wenn er gesehen hätte, daß die Wissenschaften bei denen im Preise stünden, die die Provinzen regieren. Andere Ursachen seines Wegganges [1] ist nicht sicher zu schreiben". Er wandte sich wieder nach Erfurt und blieb nach einem Besuche bei Erasmus im Herbst 1525 und kurzer Wirksamkeit in Loewen, wie es scheint, bis zum Jahre 1532 als Dozent daselbst [2]. 1528 hatte ihn Erasmus vergeblich nach Köln empfohlen. Auf Anregung des Erasmus hatte Ceratinus ein fleißiges Sammelwerk, seinen Dictionarius Graecus, geschrieben, den Erasmus selbst 1524 im Juli mit anerkennenden Worten bei Johann Froben in Basel drucken ließ. Außerdem widmete er von Loewen aus Erasmus sein Schriftchen De sono litterarum praesertim graecarum Libellus und endlich übersetzte er noch zwei Dialoge des Johannes Chrysostomus.

Das Winterhalbjahr 1500 führte wieder mehrere Studenten nach Erfurt, die sich dem Humanismus ganz anschlossen. Da war zuerst der in Eisenach oder Nazza geborene Hermannus Surwynt de Isuaco, der sich später den Namen Hermannus Trebelius Notianus [3] erkor. In Erfurt, wo er als Scholar seine Laufbahn begann, tritt er gar nicht hervor. Er ist dann von 1502 ab in Wittenberg [4] in Beziehungen zu Nicolaus Marschalk, die vermutlich schon in Erfurt angeknüpft waren. Als Marschalk 1504 oder 1505 Wittenberg verließ, suchte ihn Trebelius in gewisser Weise zu ersetzen. Er übernahm schon 1504 dessen Privatdruckerei und arbeitete so fleißig damit, daß sie wie eine öffent-

---

[1] K. und W. Krafft, Briefe und Documente, 165, sagen nach Seidemann, er habe sich als lutherisch verdächtig nicht halten können.

[2] K. Krause, Helius Eobanus Hessus, I, 248. Erfurt 1525 3. Non. Sept. empfahl Hessus den Ceratinus an Jacobus Micyllus in Frankfurt, 1532 grüßte er ihn von Nürnberg aus in Erfurt. Epistolae familiares, 42, 177, 232.

[3] Zu Hermannus Trebelius vergl. G. Bauch in den Mitteilungen der Gesellschaft f. d. K. u. S. G., V, 4 f.; VI, 79, 80; im Centralblatt für Bibliothekswesen, XII, 376—380, und, Die Anfänge der Universität Frankfurt a. O., 47, 66, 69, 98, 110—112, 113—119, 124, 125.

[4] Der rätselhafte Wittenberger Baccalar von Anfang 1503 Hieronymus Lucius ist vielleicht unser Hermannus Trebelius.

liche zu betrachten ist. Viele Drucke tragen auch Verse von ihm, denn er wollte als Poet gelten. Wie Marschalk pflegte er das Griechische und gab dafür eine auf Marschalks und Schencks Anleitungen beruhende Lesefibel, eine Εισαγωγη προς των γραμματων ελληνων, heraus[1]). Nach einem Streite mit dem ordentlich angestellten Poeten Georgius Sibutus Daripinus ging er 1506 nach Eisenach und nahm seine Druckerei dahin mit. Als die Pest dort ausbrach, die ihm, der schon verheiratet war, einen Sohn raubte, schilderte er sie in einem Hecatostichon[2]), das er in Eisenach druckte. Durch Mutians von ihm dringend erbetene und nicht übermäßig gern geleistete Verwendung[3]) wurde er in Friedrichs des Weisen Auftrag im Juli 1506 während des Rektorates des Petrus Lupinus in einem öffentlichen Akte der Universität in Wittenberg als Dichter gekrönt[4]). Auf dem Wege nach Wittenberg überbrachte er Eobanus Hessus die Verse Mutians, die sein Leitstern wurden und den freundschaftlichen Verkehr der beiden einleiteten. Trebelius, der in Eisenach als Lehrer wirkte und als Poet trotz des kurfürstlichen Lorbeers selbst von der Kanzel hart angefeindet wurde, sodaß er sich vergeblich zu halten versuchte, bezog 1508 die neue Universität Frankfurt a. O., wo er zuerst Kurfürst Joachim I. bei einem Besuche in Frankfurt mit einer kleinen Gedichtsammlung[5]) begrüßte und durch eine zweite

---

[1]) Εισαγωγη προς των γραμματων ελληνων. Elementale introductorium in Idioma graecum. O. O. u. J. 4°. C. f. B., 378 No. 43.

[2]) Hermanni Trebelii Isenachi Hecatostichon Elegiacum do Peste Isenachensi. Anno Christianae Salutis Millesimo DVI. Isonachi Excusam. O. J. 4°. C. f. B., 379 No. 45.

[3]) K. Gillert, a. a. O., No. 71, 72.

[4]) K. Krause und K. Gillert datieren die Krönung beide falsch mit dem Jahre 1508 und deshalb sind mehrere Briefe von ihnen falsch eingereiht. Da Trebelius nach seinen Krönungsgedichten in dem wegen der Pest einjährigen Rektorat (Ostern 1506 bis Ostern 1507) von Petrus Lupinus in Wittenberg gekrönt worden ist und Mutian in dem ihm mitgegebenen Gedichte die Erntezeit erwähnt und die Universität Wittenberg am 4. Juli 1506 nach Herzberg verlegt wurde, so fiel die Krönung Anfang Juli 1506.

[5]) Hermanni Trebellij Notiani Poetae laureati ad Dinum Joachimum Sacri Romani Imperij Principem Electorem et Marchionem Brandenburgensem etc. Et alios Heroas Carmina Francophordie nuper tumultuarie deducta. 1508. Transcriptum typis Francophordi Oderae per me Joannem Jamer. 1509. 4°.

größere[1]) die Gunst des Kanzlers der Universität Dietrich von
Bülow, Bischofs von Lebus, gewann, der es ihm ermöglichte, in
freundschaftlicher Konkurrenz mit Vigilantius Axungia als Poeta
und Orator zu lesen. Auch hier war er, wie Irenicus rühmt, für
das Griechische tätig. Im Jahre 1510 veröffentlichte er mit Vigilantius die Querelen seines Freundes Hutten gegen die Lotze.
Als Vigilantius 1512 seinen schnöden Tod fand, widmete er ihm
mit seinen Schülern und Freunden durch Trauergedichte die letzten
Ehren[2]) und half auch dessen letztes poetisches Werk herauszugeben. Von der Poesie ging er zum Studium des Civilrechts über
und war 1514 Dozent des Civilrechts in Frankfurt.

Weniger bekannt als Humanist und doch in seiner Laufbahn
zuerst als solcher lehrend war der ebenfalls im Wintersemester
1500 intitulierte Cristannus Peyer de Inferiori Lanckeym, der
bekannte kursächsische Kanzler Christian Beyer aus Niederlank-
heim in Franken[3]). Er wurde in Erfurt 1502 Baccalar[4]), siedelte
aber im Sommersemester 1503 nach Wittenberg über, wo er 1504
als Baccalar rezipiert und 1505 Magister wurde. Hier verwertete
er seine in Erfurt erworbenen Kenntnisse, besonders als Poet.
Als der gekrönte Poet Georgius Sibutus Daripinus sein während der Pest 1506 entstandenes poetisches Schauspiel Siluula in
Albiorim illustratam[5]) auf dem Schlosse in Wittenberg aufführte,
war Beyer einer seiner Darsteller. In seinem Rotulus der Wittenberger Dozenten[6]) von 1507 führt ihn Christoph Scheurl als
Lector extraordinarius in secularibus litteris auf. 1508 gab Beyer
ein Carmen commendaticium zu Andreas Crappus' Carmen de

---

[1]) Hermanni Trebelij Notiani Poetae Laureati humaniores literas
in celeberr. et florentiss. Achademia Francophordensi ad Oderam proficentis
Epigrammaton et carminum Liber Primus. O. O. u. J. (Frankfurt, Joh.
Hanau) 4⁰.

[2]) S. o. in Kapitel III bei Vigilantius, 77.

[3]) Zu Beyer als Juristen vergl. Th. Muther, Zur Geschichte der
Rechtswissenschaft, 364 f.

[4]) Im Promotionsbuche steht irrtümlich: Cristannus Beyer de
Blanckenhayn.

[5]) Georgij Sibuti Daripini Poeto et oratoris laureati: Siluula in
Albiorim illustratam. Impressum Lipcs per Baccalaureum Martinum lantz-
berg Herbipolitanum: (1507) 4⁰.

[6]) J. C. A. Grohmann, Annalen der Universität zu Wittenberg, II, 84.

duobus amantibus[1]). In seinem Beigedichte zu der 1508 von Scheurl bei Gelegenheit eines großen Turniers in Wittenberg gehaltenen Rede über die Vorzüglichkeit der Wissenschaften und zum Lobe der Allerheiligenkirche[2]) lobte er Scheurl und den von ihm verherrlichten Lukas Cranach. 1509 begrüßte er den ebenfalls aus Erfurt gekommenen Thiloninus Philymnus, als dieser seine Comoedia Teratologia herausgab[3]), poetisch als nouus vates in Wittenberg. Und so ließen sich noch eine ganze Zahl von Gelegenheits-poesien nachweisen[4]) Später ergab er sich der Jurisprudenz, wurde 1510 Doktor beider Rechte und dann kurfürstlicher Rat und Kanzler.

Beyer spielte bei den durch die Reformation in Wittenberg herbeigeführten Vorgängen eine Rolle als kurfürstlicher Rat, Johann Lang[5]) aus Erfurt, der mit ihm zugleich im Winterhalbjahr 1500 in Erfurt immatrikuliert wurde, trat zu der gleichen Zeit als geistlicher Führer der radikalen Lutheraner in Erfurt auf. Obgleich von 1510 ab Augustinermönch hat er sich doch lange, bevor ihm der Kampf für die Reformation zur Hauptsache wurde, den humanen Wissenschaften und besonders dem Griechischen gewidmet. Er gehörte nach seiner Wittenberger Episode zur scharfen Tonart in Erfurt. 1503 wurde er Baccalar. Im Sommersemester 1511 wurde er von seinem Orden nach Wittenberg versetzt[6]) und, nachdem er dort Anfang 1512 als Baccalar rezipiert worden war, wurde er am 10. Februar 1512 Magister[7]). Dann lehrte er als Secundarius am Kloster. aber er hielt auch öffentliche Vorlesungen. Im Jahre 1514 veröffentlichte er das Enchiridion Sixti Philosophi Pythagorici und

---

[1]) S. o. b. L. Trutebul, 145.

[2]) S. o. bei Karlstadt, 153.

[3]) S. w. u. bei Thiloninus Philymnus.

[4]) Als Poet nannte er sich Christianus Baioarius.

[5]) Zu Lange vergl. II. A. Erhard, Überlieferungen zur vaterländischen Geschichte alter und neuer Zeiten, I, I, 6 f.; Th. Kolde, Die deutsche Augustiner-Congregation etc., 262 f.

[6]) Nach N. Paulus, Der Augustiner Bartholomäus Arnoldi von Usingen, 16, war Lang als Partisan des Johann von Staupitz aus dem Erfurter Konvent ausgewiesen worden.

[7]) Im Dekanatsbuch steht nur: Frater Johannes sancti ordinis diui Augustini.

Pythagorae Philosophi aurea verba seu Carmina [1]), beides in
lateinischer Prosa, und widmete das Buch dem bekannten Freunde des
Konrad Celtis und des Bohuslav von Hassenstein Johannes
(Jodocus) Sturnus aus Schmalkalden als Dank für die Zusen-
dung der Schriften[2]) von Jakob Ziegler und Augustinus
Moravus gegen die Waldenser. In der Widmung sagt er bei dem
Danke: „quas si quis vel reiiciat vel suggillet, iure dicitur (iuxta
Platonicum) ων ες φρονησιν ουδεν βελτιον βατραχου τορινου: Cuiusmodi
sunt ii, qui rancidas quaestiunculas et bonis et sacris anteponunt
litteris“. Im folgenden Jahre edierte er einige Briefe des hl.
Hieronymus mit ebenso scharfer humanistischer Tendenz gegen
die Scholastiker: Dini Hieronymi epistola ad magnum vrbis
Oratorem elegantissima. Eiusdem ad Athletam de filiae educatione.
F. Philelphi epistola de Hieronymo & Augustino[3]). In der
Widmung an den Humanisten und späteren Mediziner Magister
Heinrich Stackmann aus Fallersleben [4]), der sich damals theologischen Studien hingab, griff er die drei scholastischen Hauptrichtungen, die in Wittenberg vertreten waren, rücksichtslos an.
Er hatte, wie er sagt, den ersten Brief deshalb ausgewählt, weil
er elegant, keusch und gewichtig sei und eine Verteidigung der
weltlichen (humanen) Wissenschaften gegen die Aristarche oder
vielmehr Momi enthalte, welche die profanen Wissenschaften als
für einen Christen gänzlich untersagt halten, ja, das ausschreien.
Wie es zu dieser Zeit solche gebe, die außer Occam[5]), Scotus[6]),
Capreolus (lies: Thomas)[7]) und den übrigen Schriftstellern von

---

[1]) Excusum Vuittenburgi in officina Joannis Gruuenbergi apud
Augustinianos M. D. XIIII. Men: Nouembri. 4º. Datum der Widmung: Die
diuo Leonardo sacro 1514.

[2]) Zu diesen Schriften vergl. K. Wotke, Zeitschrift des Vereines für
die Geschichte Mährens und Schlesiens, II, 59; G. Bauch ebenda, VIII, 1 f.

[3]) Wittenburgi in aedib. Joan. Gruuenbergi. Anno domini. M. D.
XV. Apud Augustinianos. 4º. Datum der Widmung: IV. Idus Junii 1515.

[4]) Zu Stackmann vergl. G. Bauch in Briegers Zeitschrift für
Kirchen-Geschichte, XVIII, 410.

[5]) Zu Occam vorgl. C. Prantl, Geschichte der Logik, III, 327 f.

[6]) Zu Johannes Scotus vergl. C. Prantl, a. a. O., III, 202 f.

[7]) Lang schweigt mit Bedacht von dem Doctor „sanctus“ Thomas
von Aquino und nennt dafür den „Princeps Thomistarum“ Capreolus.
Zu diesem vergl. C. Prantl, a. a. O., IV, 174 f.

dieser Sorte nichts lesen noch zulassen, bei denen die Autorität Occams größer ist als die des Hieronymus, größer die des Scotus als die des Augustinus und die des Capreolus (lies Thomas) als die des Ambrosius. Von diesen würde wahrlich selbst der geistesgestörte Orestes schwören, sie seien nicht ganz gesund. Man sieht in diesen Worten schon das in Wittenberg heraufziehende Gewitter gegen die Scholastik. Auch Griechisch lehrte Lang in Wittenberg, wie aus einem Briefe [1]) des Kölner Gräcisten Johannes Caesarius an ihn hervorgeht, in dessen Adresse er ihn Graecanicae linguae apud Vitebergam professor nennt und in dessen Inhalt er ihn wegen dieser Tätigkeit belobt. 1516 ging Lang wieder nach Erfurt zurück und dort lernten Eobanus Hessus [2]) und Justus Jonas [3]) von ihm Griechisch. 1519 wurde er Doktor der Theologie [4]) und nahm mit Jonas an der Reform der Universität teil.

Als letzten angehenden Jünger der Humanoria dieses Halbjahrs haben wir Ludewicus Lendergut (Londergut, Lumbergad) de Rayn zu erwähnen. Dieser wurde 1502 Baccalar und 1505 als Nebenmann von Luther Magister. Von 1504 bis 1532 war er mainzischer Vicedominus in Erfurt. Humanistisch wurde er kurz Rainensis oder Rauensis und kühner Mistotheus genannt. Mutianus gedenkt seiner öfter im Briefwechsel. Befreundet war er auch mit Johann Lang [5]) und Eobanus Hessus. 1509 schreibt Mutian an Heinrich Urban [6]), daß Londergut und Hessus, die Absicht hätten, die ländlichen Passionsspiele in Hohenkirchen zu besuchen: „Spectare gestiunt ludos paganicos in vico Spalatineo Rainensis et Eobanus, rarum par amicicie." Im Jahre 1509 besuchte Mistotheus seine

---

[1]) K. und W. Krafft, Briefe und Dokumente, 150.

[2]) K. Krause, Helius Eobanus Hessus, I, 227.

[3]) Helii Eobani Hessi, poetae excellentissimi, et Amicorum ipsius Epistolarum familiarium Libri XII, Marburg 1543, fol. 14.

[4]) Jonas schildert ihn jetzt auch in Erfurt als Gegner der scholastischen Theologie. G. Kawerau, Der Briefwechsel des J. Jonas, I, 20.

[5]) Vergl. den Brief des Johann Heß an Johann Lang, Nürnberg, 19. November 1519, abgedruckt von Küntzel im Correspondenzblatt des Vereins für die Geschichte der evangelischen Kirche Schlesiens, VI, 228, wo aber Rauensis für Rauensis zu lesen ist.

[6]) K. Gillert, Der Briefwechsel des Conradus Mutianus, No. 157.

Heimat und sprach auf der Hinreise und Rückreise bei Johann Reuchlin in Stuttgart vor. Reuchlin, dem er wegen seines gesetzten Wesens gut gefiel, gab ihn einen Brief an Mutian mit[1]). In einem anderen Briefe[2]) an Urban macht sich Mutian über Londerguts Verliebtheit lustig. Dieser 1513 geschriebene Brief zeigt, daß Rainensis trotz übler Erfahrungen auf diesem Gebiete nichts lernte. Im Jahre 1510 nämlich kam in Erfurt heraus: Dialogus Platinae contra Amores et Amatorculos[3]). Diesem Dialog gab Londergut zwei Gedichte bei: Epigramma Ludouici Mistothei Rainensis aduersus Cupidinem et amatorculos und Tetrastichon Ludouici Mistothei in puellam, genere, forma et castitate nobilem, quae olim deperibat Mistotheum. Seine schmerzlichen Abmahnungen fanden jedoch in demselben Buche eine poetische Abwehr: Judoci Jonae iocus in defensionem Cupidinis aduersus Mistotheum[4]), in der er richtig prophezeite, jener werde doch der Versuchung wieder unterliegen. Crotus hat Mistotheus, der von heiterem Naturell gewesen sein muß, auch den Epistole obscurorum virorum einverleibt[5]), indem er ihn scherzhaft als Defensor Ortuini hinstellt, und behauptet, er habe bei diesem die Ars epistolandi gehört. Londergut wird dabei nach Wittenberg zu Spalatin versetzt und er ist wirklich im Jahre 1511 in Wittenberg, wahrscheinlich als Gast, immatrikuliert. 1529 ließ ihn der Breslauer Reformator Johann Heß durch Johann Lang als seinen Freund und Juristen grüßen[6]).

Nur kurz seien drei Scholaren gestreift, die Berührungen mit dem Humanismus hatten. Ludewicus Christiani de Frangkenbergk[7]), der im Sommersemester 1501 in der Matrikel steht, 1503 Baccalar und 1505 Magister wurde, war für Eobanus

---

[1]) L. Geiger in der Zeitschrift für vergleichende Literaturgeschichte, N. F. IV, 218 f.

[2]) K. Gillert, a. a. O., No. 258.

[3]) Erphurdiae ex officina litteraria Stribelitae anno Decime supra sesquimillesimum. 4°.

[4]) Abgedruckt bei G. Kawerau, Der Briefwechsel des Justus Jonas, I, 2.

[5]) E. Böcking, Ulrichi Hutteni Operum Supplementum, I, 59.

[6]) Codex Gothanus A chart. 399, 229. Schon 1519 grüßt Heß von Nürnberg aus durch Lang den Rauensis. A. a. O., 228 b. S. S. 160 N. 5.

[7]) Ludwig Christiani fehlt in dem Registerbande zur Matrikel ganz.

Baach, Die Universität Erfurt. 11

Hessus der Veranlasser zum Besuch von Erfurt, er nahm ihn
bei einem Ferienausfluge nach Frankenberg von dort mit und
wurde in Erfurt sein erster Lehrer wie der des Cordus. Im
Jahre 1529 lebte er, wie es scheint, als Geistlicher in seiner
Vaterstadt Frankenberg[1]). Daß er zu den Humanisten zu rechnen
ist, bezeugen nur die Worte Eobans, der ihn als „in omni sincera
eruditione celeber" bezeichnet[2]). Ein akademischer Zugvogel war
der in demselben Halbjahr gekommene Arnoldus Glaburgk de
Phrangkfordia, der Patrizier Arnold Glauburg[3]) aus Frankfurt a. M., den sich Hutten später zum Schwager ausersah und
1520 in seinem Vadiscus als den Interlocutor Ernhold einführte[4]).
Er war schon 1502 in Wittenberg, 1505 in Leipzig, 1506 in
Frankfurt a. O. und 1511 in Bologna, wurde jedoch in Padua
Doktor der Rechte. Vielfachen litterarischen Mißverständnissen
war der im Wintersemester 1502 inskribierte Henricus Beyming
(Bemmingen, Beymigk) de Butzbach ausgesetzt. Er wurde
lange für Heinrich Urban gehalten[5]) und schließlich mit
Henricus Bennungen de Reinstorff (S. S. 1502) verwechselt.
Er ist ursprünglich Mainzer Student gewesen und 1509 in Erfurt
als Mainzer Baccalar rezipiert, im Winterhalbjahr 1509 ist er in
Wittenberg eingetragen als Hinricus Beminger Maguntinensis
diocesis. Nach Erfurt zurückgekehrt, gehörte er 1518 zu den
Freunden des Eobanus Hessus und zu den Erfurter Erasmus-
schwärmern. Er gab dem zu Erasmus reisenden Eoban einen
Brief an Erasmus mit und empfing eine freundliche Antwort
darauf. Sein lateinischer Stil wurde als fein gelobt. Nicht viel
später (oder etwas früher?) hat Bemmingen die Leitung der
Partikularschule in Butzbach übernommen. Daniel Greiser
(Greser), der dort sein Schüler war, nennt ihn einen trefflich
gelehrten Mann[6]) und vergißt nicht, den Briefwechsel mit Erasmus

---

[1]) S. das oben bei Horlaeus, 151, zitierte Gedicht des Cordus Studiosae iuuentuti.

[2]) K. Krause, a. a. O., I, 20. 26.

[3]) G. Knod, Deutsche Studenten in Bologna, 158 No. 1145.

[4]) D. Strauß, Ulrich von Hutten, 2. Aufl., 309.

[5]) K. Krause, a. a. O., I, 38, 39, 295.

[6]) Historia und beschreibunge des ganzen Lauffs und Lebens des etc.
Daniel Gresers, Pfarrherrs und Superintendent: in der churf. Stadt
Dresden. Dresden 1587.

zu erwähnen. Weiter sagt dieser Biograph: „Bemingus aber
war ein frommer andechtiger Papist, ist auch also nicht weit von
Mentz ein Pfarrer und Papisticus devotarius auff eim Dorff gestorben."

Wir greifen mit den folgenden humanistischen Studenten
zum Teil über unsere Grenze, über die Zeit des eigentlichen Frühhumanismus, schon hinaus, da man nach Marschalks Abgang
aus Erfurt 1502, wie wir noch sehen werden, nur noch von den
Übrigbleibseln des Frühhumanismus reden kann. Aber einige
schon oft gestreifte oder doch noch zu berührende Namen können
wir wenigstens kurz zu nennen nicht ganz umgehen.

Der im Wintersemester 1501 immatrikulierte Kraftmeier
Tilmannus Conradi de Gottingen[1]) ist der erste davon. Er war
in Braunschweig geboren und nahm nach mehrmaligem Schwanken
den bombastischen Namen Thiloninus Conradus Philymnus
Syasticanus an[2]). 1504 wurde er Baccalar. In Erfurt lernte er
nach seinen Angaben die ersten Anfänge des Griechischen. Auch
als lateinischer Dichter trat er dort schon 1507 mit einem Gedicht
auf die Jungfrau Maria, De XVIII annunctiationis diei insigniis[3]),
auf. Mutianus Rufus äußerte über dieses Erstlingswerk sein
höchstes Mißfallen[4]), weil es unreif, dunkel, ja verrückt sei. Euricius Cordus, damals noch Heinrich Solde geheißen, griff ihn
deshalb in einem anonymen Spottepigramm an, Eobanus Hessus
stellte sich dafür auf seine Seite. Seine gesucht altertümliche, schwer
verständliche, mit unverdautem Griechisch prunkende, auf Stelzen
schreitende Schreibweise mußte nicht bloß zum Tadel, sondern zum
Spott herausfordern. Vermutlich nach diesem Zusammenstoße begab
er sich auf eine flüchtige Studienreise nach Italien[5]), nach Venedig,

---

[1]) Schon im S. S. 1471 ist ein anderer Thilmannus Conradi de
Goettingen in Erfurt immatrikuliert, der 1473 Baccalar wurde.

[2]) Über Thiloninus Philymnus hat gehandelt K. Krause vor seiner
Ausgabe von Euricius Cordus Epigrammata (1520), V f., XXI f.; G. Bauch
in den Mitteilungen der Gesellschaft für deutsche Erziehungs- und Schulgeschichte, VI, 82 f., 86 f.

[3]) Panzer, Annales typographici, IX, 458, 16. Das Buch scheint ganz
verschollen zu sein.

[4]) K. Gillert, Der Briefwechsel des Conradus Mutianus, No. 59.

[5]) Auf eine Wanderung vor 1502 deutet seine Angabe in der Widmung
der Batrachomyomachia, daß er eine Handschrift davon bei Hieronymus
Balbus in Prag gesehen habe. Balbus war 1499—1501 in Prag.

11*

Padua und Bologna, wo er weiter Griechisch trieb. Im Sommersemester 1509 fand er sich in Wittenberg ein nnd wurde dort im nächsten Semester Magister. Noch vor der Erreichung des Grades[1] vollendete er eine dem ersten Rektor und Reformator der Universität Martin Polich von Mellerstadt gewidmete Comoedia Teratologia de latini sermonis sanie[2], eine gegen die scholastischen Geistlichen gerichtete tendenziöse dialogische Deklamation. Die Wittenberger Poeten Christian Beyer und Kilian Renter lobten poetisch das Werk nnd selbst Mutianus[3] nannte er milde „comediam iuuenilis audacie plenam", wohl weil ihm die Tendenz behagte. Ein Beigedicht richtete Thiloninus gegen Cordus, den er verächtlich nnr als „poetellus coningalis" bezeichnet[4]. Und trotz der heftigen Angriffe gegen die Unsittlichkeit der Geistlichen in der Comoedia erzählt er in einem Gedicht von seinen Liebesabenteuern mit einer verheirateten Frau. Cordus hat alle diese Dinge nnd die Fehler in den Versen zu Epigrammen benutzt. Eine leere Prahlerei war eine am Schlusse angehängte, sinnlose hebräische Zeile. Im Jahre 1511 ließ er folgen: Triumphus Bacchi. Cupido. Xenia[5], eine Sammlung von überaus anstößigen bacchischen und erotischen Skurrilitäten. Cupido ist eine Schilderung der Liebesfreuden, die ihm seine verheiratete Philoglycia gewährte[6].

---

[1] Die Ausgabe der Teratologia Wittenberg 1507, die K. Krause in der Einleitung zn den Epigrammen des Euricius Cordus angibt, beruht auf einem Irrtum.

[2] Comoedia Philymni Syasticani Cui Nomen Teratologia. Exaratum est Loucorio viuis characterib. per Joannem Gronenberg. Anno virginei partus. M. D & noui sacculi IX. VIII Idus Septemb. Studii autem nostri Instaurationis Anno VII. 4°. G. Bauch, im Centralblatt für Bibliothekswesen, XII, 391 No. 62.

[3] K. Gillert, a. a. O., No. 300. Das Jahr 1513 ist unrichtig (1514).

[4] K. Krause ist dieser Umstand entgangen, da er die Teratologia nicht gesehen hat, und damit die Fortdauer der Feindschaft beider.

[5] Triumphus Bacchi. Cupido. Xenia. Exaratum in Loucorio electorali Academia Anno numeri minoris vndecimo Nonis liberi patris Audrinis (d. h. Januarii). 4°. C. f. B., XII, 392 No. 64.

[6] Johannes Tylus aus Eisenach, der Amanuensis des Thiloninus, der Mutian über das Liebesverhältnis unterrichtete (K. Gillert a. a. O., No. 268) war ein Schüler des Trebelius, der ihm 1506 sein Hecatostichon von der Eisenacher Pest widmete. Von ihm selbst liegt im Wolfenbütteler Codex 58. 6. fol. 92 ein höchst unanständiges Hexastichon vor: Johannis Tilonis ad Magdalenam Augustinianam Albiorenam sibi cubaro volentem.

und der schimpflichen Gefahren, die er dabei bestanden zu haben vor-
gibt. In demselben Jahre gab er eine Εισαγωγη προσ των γραμματων[1]
ελληνων heraus, die auf Trebelius und Marschalk beruht, aber
durch Lesestücke bedeutend erweitert ist. 1513 wagte sich Thiloninus
an die erste griechische Textausgabe in Wittenberg mit der Batrachomyomachia[2] und fügte eine nicht unebene lateinische metrische
Übersetzung und Eulogia funebria bei, lateinische und mißratene
griechische Epitaphien, darunter eins des „Nobilis parasiti Oulen-
spiegel", die erste Erwähnung Eulenspiegels in der Litteratur[3].
Er widmete die Ausgabe (1. Februar) den Erfurter Dozenten
Johann Werlich[4] und Maternus Pistoris und siedelte bald
darauf wieder nach Erfurt über, wo er in sehr geräuschvoller
Weise mit Vorlesungen über Lucanus, Hesiod und Juvenal seine
Tätigkeit aufnahm. Der gemäßigte junge humanistische Magister
Johannes Femilius[5], der später als Kenner des Griechischen
und als „musarum et gratiarum incomparabile decus" von Justus
Jonas gefeiert wurde[6], richtete deshalb satirische Angriffe gegen
ihn. Thiloninus antwortete, da Femilius auch die Fehler der
metrischen Übersetzung der Batrachomyomachia ans Licht zog, mit
groben Versen. Nachdem das so einige Zeit fortgegangen war,
forderte Thiloninus seinen Gegner zu einem litterarischen Zwei-
kampfe in fünfzehn Versmaßen und dreifacher Sprache (lateinisch,

[1]) Hierzu G. Bauch in den Mitteilungen etc. VI, 84, 85: C. f. B.,
XII, 392 No. 65.

[2]) G. Bauch, a. a. O., 87, 88: C. f. B., XII, 396 No. 69.

[3]) Fr. Zarncke, Die deutschen Universitäten im Mittelalter, I, 256,
gibt als erste Erwähnung Eulenspiegels die betreffende Stelle aus der
Erfurter quodlibetischen Rede De generibus ebriosorum vom Jahre 1515 an.

[4]) Werlich immatrikuliert W. S. 1484, Baccalar 1487, Magister 1493.
Mutianus rechnet diesen Mann zu den „Erzscholastikern" (K. Gillert,
a. a. O., No. 418) und Kampschulte, a. a. O., I, 37, spricht von seinen
humanistischen Bestrebungen! Werlich war im W. S. 1512/13 Rektor der
Universität, daher die Widmung des Thiloninus an ihn.

[5]) In der Matrikel erst nach unserem Zeitraum im W. S. 1508: Johannes
Femell Erffordensis. Magister 1513.

[6]) In der Matrikel zum Rektorat des S. S. 1519, wo Jonas Rektor
war, und G. Kawerau, Der Briefwechsel des Justus Jonas, I, 84, Jonas
an Lang, 1522 Januar 8. Femel war zuerst ein Anhänger Luthers und
dann ein Gegner der Reformation. Enders, Dr. M. Luthers Briefwechsel,
I, 65: F. W. Kampschulte, a. a. O., II, 162, 163.

griechisch, hebräisch) heraus. Auf Femilius' Seite stellten sich
schon wohl wegen des Skandals seine Kollegen, die Erfurter
Sophisten, die scholastischen Philosophen und Theologen, darunter
auch der ehemalige Poetenführer Maternus, aber Thiloninus
trieb sie gehörig in die Enge, indem er sie lächerlich machte.
ohne zuerst andere Persönlichkeiten anzugreifen, als Femilius, den
er als unwissenden scholastischen Dummkopf behandelte. Mutian,
der ihn wegen seiner Übersetzung der Batrachomyomachia des
Plagiats beschuldigt hatte[1]), bot ihm jetzt doch Rückhalt[2]) und
freute sich schadenfroh über die Verlegenheit der Scholastiker, die
sogar eine offizielle Abordnung zu ihm schickten, aber heimlich,
um sein Einschreiten zu erbitten[3]). Euricius Cordus trat aus
alter Feindschaft auch gegen Thiloninus auf und ging trotz aller
Abmahnungen Mutians, der von der Zugehörigkeit Femels zu den
Poeten[4]) und von der Feindschaft zwischen Cordus und Thiloninus nichts wußte[5]) und in dem Eingreifen des Cordus zuerst
nur eine Unterstützung der Scholastiker und damit eine Schädi-
gung der Sache des Humanismus und der Reuchlinschen Ange-
legenheit sah, sich aber doch wie auch Hessus endlich für das
größere Talent des Cordus[6]) erklärte und Thilonins convitia gegen die litterarum antesignanos sogar tadelte[7]), Thilonin mit einer
scharfen Ecloge zu Leibe[8]). Da zog es dieser schließlich doch
vor, das undankbare Erfurt zu verlassen, und wendete sich wieder
nach Wittenberg, von wo er Anfang 1515 mit einem heftigen

[1]) K. Gillert, a. a. O., No. 245, 294, 330.

[2]) K. Gillert, a. a. O., No. 273, 277, 280.

[3]) K. Gillert, a. a. O., No. 277.

[4]) K. Gillert, a. a. O., No. 296, 502.

[5]) Daß Mutianus von dieser Feindschaft nichts wußte, geht aus dem
Briefe No. 496 hervor: „Ricius memordit Thiloninum non lacessitus,
nunc remordetur."

[6]) Der Brief des Cordus an Hieronymus Rupertus, Einleitung zu
den Epigrammen des Cordus, XXIV. ist von Krause in ein unrichtiges
Jahr, 1517, gesetzt, er gehört in das Jahr 1520.

[7]) K. Gillert, a. a. O., No. 290, 498.

[8]) In den Opera Poetica Euricii Cordi Simesusii, Frankfurt 1564,
die Ecloga Quinta. Dort erzählt Tityrus dem Alphesiboeus von einem
poetischen Wettkampfe zwischen dem Bestavius Lycidas (Cordus) und
einem Theon (Thiloninus). Theon' wird in schmählicher Weise angegriffen.

Pamphlet, „Choleamynterium in Fellifluum Philymnomastigam Hercinefurdensem[1]). Laes den hunt schlaffen, er beyst dych", gegen Femilius und Cordus loszog. Darauf entgegnete Cordus mit seiner Contra maledicum Thiloninnm Philymnum Defensio[2]), die ihn auf die Höhe des Epigrammatikers hob. Damit hörten Thilonins Beziehungen zu Erfurt auf. Das letzte Wetterleuchten des Poetenstreites findet man in den Dunkelmännerbriefen[3]). Bei dem stürmischen Poeten, der in Wittenberg außer den Anfangsgründen des Griechischen auch die des Hebräischen lehrte[4]), vollzog sich bald eine vollständige Sinnesänderung, 1516 gab er einen poetischen Triumphus Christi heraus, in dem er gegen die Reliquienverehrung und für das Lesen der heiligen Schrift eintrat, 1520 lebte er als Jurist, von Melanchthon hochgeschätzt, in Worms und wirkte dort 1522 für die Reformation.

In dem nächsten Halbjahre, im Sommersemester 1503, kam Heinricus Mushart (Musardus) de Hersfeldia nach Erfurt, der Herbord von der Marthen 1512 als Klosterlehrer in Georgenthal ablöste und bald nähere Anknüpfung mit Mutianus in Gotha suchte, indem er sich ihm als Helfer gegen seine Verkleinerer antrug[5]). Mutian schätzte seine Bildung, lehnte aber die gebotene Hilfe ab, erlaubte sich, an der Auswahl seiner den Mönchen vorgetragenen Dichter Ausstellungen zu machen[6]), und traute ihm auch bald gar nicht mehr, da er ihn nicht für aufrichtig hielt[7]). Mushart wurde in Erfurt 1504 Baccalar und 1509 Magister.

---

[1]) Voran steht noch im Titel: Decii Magni Ausonii: Libellus De Ludo Septem Sapientum. O. O. u. J. (Wittenberg, Joh. Gronenberg, 1515) 4°. Die Annahme von Krause, daß das Buch in Erfurt gedruckt sei, ist falsch.

[2]) Impressum Erfordie per Joannem Canappum ad solenuem triformis Panomphaei feriam Anno Christi M. D. XV. 4°. Wiederabgedruckt bei K. Krause, Enricius Cordus, Epigrammata, 90 f.

[3]) E. Böcking, Ulrichi Huttoni Operum Supplementum, I, 57 No. 38.

[4]) Vergl. G. Bauch in den Mitteilungen etc., VI, 89 f. Zu verbessern ist S. 91 Johann Vigilius, bischöflicher Vikar in Worms, nicht in Speier.

[5]) K. Gillert, a. a. O., No. 184.

[6]) K. Gillert, a. a. O., No. 186, 241.

[7]) K. Gillert, a. a. O., No. 196, 217, 218, 219. Später war Mushart vielleicht in Fulda Schulmeister. K. Gillert, a. a. O., No. 580.

Außer Mushart brachte das Semester Johannes Pistoris Krampff (Kirchburgensis) de Honorum Kirchburgio (vom Hüme Koeck), der 1504 das Baccalaureat und 1507 als unmittelbarer Nachbar und Hintermann von Crotus[1] das Magisterium erwarb. 1509 ist er unter den Freunden des Eobanus Hessus als Poet, er gab mit Herbord von der Marthen, Crotus Rubianus und Jodocus Jonas ein Gedicht zu seinem Burolicon[2]. Mit Hessus vereinigt spendete er 1514 als Johannes Pistorius Kyrchburgius ein Hexastichon zu der Summa in totam physicen Jodocus Trutfetters[3] an den Leser De enixissime cupito philosophiae compendio preceptoris sui polihystoris und ein zweites Gedicht Contra Socratem, in dem ein griechisches Wort vorkommt. Die Freundschaft und das Schülerverhältnis zu Trutfetter, dem Mutianus unsympathischen Haupte der Scholastiker, 'brachte ihn 1513 in unliebsame Berührung mit Mutianus, als dieser dem Streithahn Philymnus gegen die Scholastiker zu Hilfe kommen wollte, Mutianus nannte ihn wegwerfend „macer ille semiuiuus" und regte sich darüber auf, daß Trutfetter zu Kirchberg den Wunsch geäußert hatte[4], Philymnus einen anderen Poeten entgegenzustellen, und ebenso, als Mutian durch ihn die fahle Entschuldigung Trutfetters in betreff des Verhaltens der Kölner gegen Reuchlin, die Kölner hätten das schwäbische Deutsch Reuchlins nicht verstanden, erfuhr[5]. Magister Pistoris war also ein Anhänger der Scholastiker trotz seiner poetischen Versuche und erhielt als solcher auch seinen Platz in den Epistole obscurorum virorum[6]. Er verpflichtete jedoch Mutian 1514 durch die Darleihung von Büchern[7], und wegen seiner Geduld mit dem langen Ausbleiben der Bücher lobte dieser ihn[8] nun

---

[1] Dieses Zusammentreffen ist wegen der unten zu zitierenden Stelle aus den Epistolo obscurorum virorum von Wichtigkeit.

[2] K. Krause, Helius Eobanus Hessus, I, 80.

[3] Impressum Erffordie per Mattheum Maler finitum Feris quinta post Dionisij Anno Millesimo Quingentesimo decimoquarto. 4°. C. f. B., XII, 406 No. 93.

[4] K. Gillert, a. a. O., No. 277.

[5] K. Gillert, a. a. O., No. 280.

[6] E. Böcking, a. a. O., I, 58 No. 38.

[7] K. Gillert, a. a. O., No. 378.

[8] K. Gillert, a. a. O., No. 420.

als „vir bonus, philosophus bonus, imo defloquus et famigeratus concionator, qui, ut audio, amicissime loquitur de nostro Eobano, sui ordinis facile principis." Aber keine Gnade kannte er mit seinen scholastischen Arbeiten. Als Urban, der mit dem Kandidaten der Theologie und Prediger Kirchberg befreundet war, diesem 1514 ein Carmen zu einem von ihm verfaßten Kommentar geben sollte, schrieb ihm Mutian ein Endecasyllabum für diesen Zweck, ergoß aber in dem Begleitbriefe an Urban[1]) seine ganze Galle über diese Sammelsurien längst abgestandener Dinge. Euricius Cordus setzte Pistorius schon 1517 ein Epitaph in seinen Epigrammen.

Hinter diesem nachgeborenen Frühhumanisten beginnt mit dem Eintritt Caspar Schalbes[2]) aus Eisenach (S. S. 1504), dem Mutianus ein treuer Gönner wurde, die Reihe der jungen Humanistengeneration, die in ihrem Tun und Treiben mit dem Frühhumanismus nichts mehr zu schaffen hat und die scholastischen Disziplinen nur noch als Zwangssache betrachtete, wenn sie auch Zusammenstöße mit den Scholastikern an der Universität vermied. Im Wintersemester 1504 folgte der glänzende Dichter Eobanus Hessus, im Sommer 1505 sein wohlhabender und wohlwollender Freund Georg Sturz[3]), im Winter 1505 Heinrich Solde oder Euricius Cordus[4]), der berühmte Epigrammatiker, im Sommer 1506 der zukünftige Reformator Jodocus Jonas, im Winter 1506 Ludwig Trutebul der Jüngere[5]) aus Aschersleben, ein Freund des Wittenberger Poeten Andreas Crappus und selbst Poet, und im Sommersemester 1507 Bartholomäus Kaiser aus Forchheim[6]), der sich als Hebraist einen Namen machte.

[1]) K. Gillert, a. a. O., No. 405.

[2]) K. Gillert, a. a. a. O., No. 294, 324, 326, 345 etc. Bei Schalbe steht in der Matrikel die Note: Sacerdos uxoratus.

[3]) K. Krause, Helius Eobanus Hessus, I. 140, 238 f. etc.

[4]) K. Krause, Euricius Cordus. Eine biographische Skizze aus der Reformationszeit, Hanau 1863, u. Derselbe in seiner Einleitung zur Ausgabe der Epigramme des Euricius Cordus.

[5]) S. Lodoguiei Trutebu li Junioris Ascarii primitie ad Lectorem auf dem Titel von Andreae Crappen Vuittenburgensis Carmen de duobus amantibus, Wittenberg, Joh. Grönenberg, 1508. 4°.

[6]) Zu Kaiser vergl. G. Bauch in der Monatsschrift für Geschichte und Wissenschaft des Judentums N. F. XII. (XLVIII.) Jahrg., 217 f., 223 f.

Fünftes Kapitel

Angreifendes Vorgehen der Humanisten

Drei Männer wenden sich gegen die mittelalterliche Grammatik:
Henricus Aquilonipolensis, Repräsentant des alten Frühhumanismus,
Maternus Pistoris, Vermittler zwischen Humanismus und Scholastik,
Nicolaus Marschalk, Einleiter der Hochrenaissance und Führer.
Werke des Henricus Aquilonipolensis. Publikationen Nicolaus
Marschalks, Einführung des griechischen Druckes, Reformen in
Grammatik und Rhetorik, Wendung gegen die scholastische Logik,
erstes Hebräisch. Tätigkeit und Ausgang des Maternus Pistoris.
Beeinflussung der Scholastiker durch den Humanismus: Jodocus
Trutfetter, Bartholomäus Usingen. Grammatische Werke Usingens.
Schluß: Reform von 1519.

———

Der Verlust so vieler Universitätsbücher[1]) beraubte uns in
dem vorangehenden Abschnitte der Grundlagen dafür, etwa doch
vorgefallene, wenn auch nicht gerade bedeutende, Reibungen
zwischen den Anhängern des alten und des Neuen festzustellen.
für die Folgezeit gewähren Druckwerke der Humanisten und der
Scholastiker wenigstens die Möglichkeit, das Vordringen der
humanistischen Bewegung, ihr Vorschreiten zur Hochrenaissance
und damit zu allmählich angriffslustiger Stimmung zu verfolgen.
Wie in der Natur der Sache liegt, trat kein plötzlicher Umsturz

———

[1]) Es sind weder Acta rectoralia, noch Acta und Conclusa der Artistenfakultät erhalten. Das noch vorhandene Dekanatsbuch der Fakultät ist zwar
mit vielen Bildern geziert, enthält aber nur die Namen der promovierten
oder rezipierten Baccalare und Magister. Berlin, Königliche Bibliothek.
Codex Borussus Fol. 833: Matricula Baccalariorum et Magistrorum artium
liberalium studij Erffurdensis etc.

ein, die längst vorhandenen frühhumanistischen Strömungen vergesellschafteten sich zum Teil mit den fortgeschritteneren neuen, nur nach und nach sagte sich die neue Generation von der alten gänzlich los und die volle Scheidung der Geister erfolgte erst durch die Einwirkung des Reuchlinschen Streites [1]), bei dem nach ihrer Bildung Erfurter unter Mutians Führung, vor allem Crotus Rubianus mit dem ersten Bande der Epistolae obscurorum virorum, nicht nur den schwersten Hieb gegen die Scholastik, Theologie und Philosophie, und ihre Methode führten, sondern auch die humanistischen Elemente beiseite warfen, die sich von der Scholastik noch nicht losgesagt hatten, samt den humanistisch gefärbten Scholastikern, die letzten Vertreter des Frühhumanismus. Das Aufräumen mit der Scholastik nahm dann aber Wittenberg durch Melanchthon und Luther in die Hand [2]). Wie in der Folge die lutherischen Theologen wieder beschneidend und in Erfurt hemmend in die Entwicklung der humanistischen Studien eingriffen, das zu verfolgen überschreitet unser Vorhaben.

An drei Männer, denen wir schon begegnet sind, knüpft sich der Übergang zu der neuen Periode des Humanismus, zum führenden Haupte schwang sich Nicolaus Marschalk auf, seine Bestrebungen unterstützte Maternus Pistoris und als Teilnehmer am ersten Vorstoße der beiden wirkte der alte Henricus Aquilonipolensis mit. Jeder von ihnen repräsentierte eine Spielart des Erfurter Humanismus: Aquilonipolensis vertrat den alten naiven, der Scholastik aufgesetzten, dem Mittelalter nahegebliebenen Frühhumanismus, Maternus Pistoris die Mittelpartei, die bewußt den Humanismus pflegen, aber die bisherige philosophische Schultradition daneben weiterbehalten wollte, und Marschalk den zur Hochrenaissance weiterschreitenden, die Scholastik überflügelnden Humanismus.

---

[1]) Noch 1514 sagt selbst Mutianus, nachdem er seinem Herzen Luft gegen die Scholastiker gemacht hat, zu Urbanus: „Cave enuncies. Nam barbarorum cohors non male sentit de nobis." K. Gillert, a. a. O., No. 418. Bei Kampschulte a. a. O., 1, 159 f., ist diese Periode romanhaft-dichterisch behandelt. Er weiß viel mehr, als was in seinen Quellen steht, und kombiniert bisweilen frei, ohne Rücksicht auf deren Datierung und auf den Zusammenhang, aus dem er die Stellen herausnimmt.

[2]) G. Bauch, Wittenberg und die Scholastik, im Neuen Archiv für Sächsische Geschichte, XVIII, 331 f.

Aquilonipolensis haben wir bei seinen ersten poetischen Versuchen schon belauscht[1]), er wuchs sich jedoch um diese Zeit und später noch als Dichter aus, sodaß wir, um seine Rolle im Kampfe unter den richtigen Gesichtswinkel zu bringen, auch darauf noch eingehen müssen, weil es schwer zu fassen ist, daß gerade er als Bundesgenosse Marschalks erscheint.

Noch vor 1494 vollendete er sein erstes poetisches Werk, das den Druck sah, seine Dimetromachia de virtutum et viciorum conflictu[2]), und schuf damit einen Typus seiner Arbeitsweise, selbst das griechisch gebildete Titelwort ist nicht bedeutungslos. Der Inhalt des Buches ist nicht ganz leicht anzugeben, denn Klarheit war nicht Fischers Stärke, und der ziemlich umfangreiche prosaische Kommentar greift auch störend ein. Der poetische Text ist, abgesehen von dem Schlußgebete, elegisch, in der Regel gehören je zwei Disticha zusammen. Zuerst spricht er von den Tugenden und Lastern oder Untugenden mit teilweise barbarisch zugerichteten Beispielen und Namen aus dem Altertum oder aus der Bibel. Die Tugend ist immer mit je einem entsprechenden Gegenbilde zusammengestellt, z. B. Amicitia und Discolya, Bonitas und Malicia, Faceeia und Inhonestas. Nachdem er dann auf Mythologie zu reden gekommen ist, wendet er sich wieder zu Tugenden, zu den sieben Haupttugenden, und ihren Gegensätzen zurück. Hierauf behandelt er die Erfinder der Buchstaben und die sieben freien Künste, dabei stellte er in der Einleitung z. B. Scientia und Ignorancia und Fides und Mathesis gegenüber. Unter Mathesis oder Vanitas versteht er Aruspicia und Horoscopia. An die Künste reiht er die Musen und endet mit der Besprechung der poetischen Figuren, die er in fabulosa demonstratio und exempla teilt. Ein heroisches Gebet an Gott, womit er sein Werk schließt, ist ein Beispiel für seine von ihm jetzt noch und sogar mit Vorliebe angewandte und von anderen seiner Farbe noch nach zwanzig Jahren bewunderte mittelalterliche Spezialität, die Hexameter sind bis auf die letzten zwei paarweise gereimt und zwar doppelt, in der Mitte und am Ende, bis-

---

[1]) S. o. in Kapitel IV, 101 f., und die zahlreichen Zitate aus seinen Werken.

[2]) Dimetromachia de virtutum et viciorum conflictu Magistri Hinrici Northemensis. O. O. und J. (Leipzig, Mart. Herbipolensis) f°.

weilen auch sonst noch. Eine schöne Probe dieser Versus cancellati sind die folgenden:

Quem celo eiectum presumptio contemerata
Et sinit abiectum proscriptio perpetuata,
Is furit exosus, septemplicat improbitatem,
Terris damnosus, multiplicat anxietalem.

Bezeichnend sind die Autoritäten, auf die er im Kommentar verweist: Theodolus[1]), Tullius (Cicero), Boecius, Virgilius, Franciscus Petrarcha, Seneca, Lucanus, Matheus Vindonicensis[2]), Seruius, Martialis, Horacius, Alanus[3]), Johannes Boccacius, Lactantius, Eberhardus[4]) in suo laborinto, Plinius, Columella, Domicius, Remigius[5]), Hugo de sancto Victore[6]), Fulgencius, Albericus[7]), Isidorus, Hieronimus. Dieser bunten Musterkarte entspricht auch sein Latein, es ist noch ganz mittelalterlich, die klassischen Wendungen und Zitate sind nur neue Flicken auf einem alten Kleide. Man muß ihn nach seinem Stoffe als mittelalterlichen Gelehrten betrachten. Er versteht dabei auch wirklich etwas Griechisch und er hat, wie man noch sehen wird, geradezu Mißbrauch damit getrieben. Wie es aber beschaffen war, zeigt die Etymologie: Dicitur enim Theseus bonus deus, theos enim deus, eu bonum. Er hat diese moralischen Primizien Friedrich dem Weisen von Sachsen gewidmet und in der Dedikation leistet er sich noch das Musterdistichon:

Saxonie illustris dux, Missne marchio, Thurin
Gorum lantgrauius, iure trimembris Atlas.

---

[1]) Zu Theodolus oder Theodulus (c. 980) vergl. Polycarp Leyser, Historia poetarum et pnematum medii aevi, 293 f.
[2]) Zu Matthaeus Vindonicensis (c. 1200) vergl. Polycarp Leyser, a. a. O., 765.
[3]) Zu Alanus ab Insulis († 1294) vergl. P. Leyser, a. a. O., 1012 f.
[4]) Zu Eberhardus Bethuniensis (c. 1212) vergl. P. Leyser, a. a. O., 795 f.
[5]) Zu Remigius († 1312) vergl. E. Böcking, Ulrichi Hutteni Operum supplementum II, II, 453.
[6]) Zu Hugo von St. Victor (c. 1130) vergl. J. Trithemius, Opera, I, 271, 272.
[7]) Zu Albericus (c. 1086) vergl. P. Leyser, a. a. O., 357 f.

Solche Vergewaltigungen von Wörtern waren und blieben auch eine seiner Besonderheiten. Fast schöner noch als die obige Brechung ist die Spaltung des Vornamens von Brant in Sebasti-Janus und kühn die Einschiebung von que, wie in Theorosqueborgi und nonaquegeno, ganz unübertrefflich die Teilung von sies in: si populo es und von preualet in: pre philosophia valet, an der vielleicht Galfrids Poetria[1]) schuld war.

Das kaum erschienene Buch fand sofort seine Rezension durch Johannes Trithemius[2]), der in seinen Scriptores ecclesiastici von dem Verfasser anerkennend sagte: „ingenio subtilis et disertus eloquio, metro excellens et prosa!“

Im Jahre 1500 hielt sich Aquilonipolensis wieder in Erfurt auf und gab eine Umarbeitung oder Erweiterung der Dimetro-machia heraus die ebenfalls elegische Cithara sophialis[3]), die er nun als contrarius ludus bezeichnet und die wie ihre Vorgängerin einen moralischen Zweck hatte:

Ad fidei merita, ad virtutum premia, ad altam
Theopolin recto tramite querat iter.

Hier bedeutet Theopolis das himmlische Jerusalem. Die Contraria sind ihm diesmal solubilia, d. h. Antithesen, wie z. B.:

Discernat verum a falso dialectica certans:
Non saluos loica nos facit, ymmo fides.

Auch hier müssen wir einen Blick in das konfuse Chaos des Inhalts werfen, da er daraus später wieder einen Ableger heraus-gezogen und veröffentlicht hat. Die Verse sind in der Form nicht besser als die in der Dimetromachia und im Inhalt, wenn möglich, aber noch unverständlicher geworden.

———— .... —

[1]) Galfrid sagt, vers. 7, von dem metrumfeindlichen Namen Innocen-tius im Vokativ: Diuide sic nomen: In praefer et adde Nocenti.

[2]) Johannes Trithemius, Opera, I, 179.

[3]) Das Titelwort steht nur Eiij: Cithara sophialis. Am Ende liest man statt des Kolophons:

Hamiferi ludus hinrici aquilonipolensis
Per schenck Wulffgangum calcographatus hic est
Millena nostre quingentenoque salutis
Anno erffordensi in vrbe achedemiaca.

Format 4°. Das Buch ist mit Auszügen beschrieben bei F. G. Freytag, Adparatus litterarius, I, 957 f.

Er fängt noch vor Adam und Eva, mit der Schöpfungs-
geschichte, an und bringt dann mit Solubilia contraria in drei
Gedichten das Geschick der Ureltern. Die nächsten Kapitel heißen:
De dilectis et odiosis domini, De vino scripturarum et cauenda
ebrietate, De septem mundi etatibus. Darauf folgen Stupenda
exempla aus der Genesis, der Exodus, aus Josua und den Büchern
der Könige. Im zweiten Buche eröffnet eine unverständliche
Questio quodlibetica den Reigen und dahinter folgt als Vorspiel
eine Inuocatio Apollos, der nach De quatuor anni temporibus
eorundemque dominis auch am Himmel die Zeichen (Sternbilder)
der Jahreszeiten gesetzt haben soll; die Herren derselben aber
sind die christlichen Heiligen Petrus, Urbanus, Timotheus
und Clemens¹). Unvermittelt kommt das Kapitel De sex operi-
bus et vera Christi humanitate. Zurück zur Astronomie und Astrologie führt De decem speris per lapides preciosas siguificatis und
De duodecim signis et signorum tutelis, das Letztere ist auf die
Körperteile des Menschen bezogen, jedem Bilde kommt ein Körper-
teil zu. In De astrorum inclinationibus sind die Zeichen der
Ekliptik mit biblischen Geschichten zusammengebracht und bisweilen
die schlechten Vorbedeutungen der Konstellationen dazugesetzt;
manches davon könnte selbst Ödipus nicht erraten. Man lese:

Rex david et ionathas saulicus in egloceronte
Natus, iumentis non ab opimus equis,

oder

Est baptisatus rex regum in aquario iesus
Non capit, immo ortus euomit urna aquas.

Dann beschäftigt sich De fatis ineuitabilibus mit den römischen
Göttern als Heroen der einzelnen Körperteile:

Cinthius auriculas, neptunus pectora, mauors
Cingulum, amica venus renibus inguen amat,

¹) Celum quadruplici signo secornat et annum
Dodecathemorio motus Apollo sacer.
Vernex ver thaurus estatem libra lienum
Egloceron nudis iura tremenda dabit.
Vere Petrus cerere Urbanus musto Thimotheus
Vesthali Clemens his hilarescat ope.

Brachia iuno, pedes stilbon[1]), frontem genialis[2]),
Subtiles digitos diua minerua sacrat.

Hieran schließt sich, als Aufzählung gehalten, De liberalibus
studiis und ebenso De nouem musis, jede mit einem kurzen Schlag-
worte. Den Musen folgen im Katalogus poetarum die lateinischen
Dichter, darunter verirrt Aesop und Dares, und diesen in De
vatibus cristianis nur mittelalterliche. Aus De modernis poetis[3]
kann man einige Erfurter herausfinden, Andreas Hundern.
Mutianus Rufus, Heinrich Boger und Thilemann Zierenberger; wen er mit Heros in Nordheim und mit Langins Linus
meint, und noch manches andere, ist nicht zu ergründen[4]). Einen
ganzen Wald von Dichtern und Dichterlingen, besonders des
Weser- und des Elbegebietes und einige von der Oder nnd dem
Rhein, stellt er in Quod poete non sunt ab urbibus iussu Platonis
pellendi zusammen[5]). Das Postulat aus Platos Staat war bekanntlich ein Beweisgrund der scholastischen Gegner gegen die Berech-
tigung der Poeten, der Humanisten[6]). In dieser Elegie feiern die
Konfusion und die griechische Verballhornung der Städtenamen
wahre Orgien, sonst würden wir vielleicht imstande sein, noch
einige Erfurter Humanisten herauszuangeln; er geht aber auch
über die Gegenwart rückwärts bis in das XIII. Jahrhundert zurück:

Sponte recessuros si vult Plato ab urbe poetas,
Insontes pellat thesiphonea cohors.
Occulto plaudit Erffordia clara poete,
Theopolis, nitida patria, Alherde[7]), tibi,

[1]) Das ist der Planet Saturn.
[2]) Dies ist Bacebus.
[3]) Abgedruckt von Freytag, a. a. O., 960.
[4]) Erkennbar sind sonst noch Robertus (Gaguinus), der Franzose
Konrad Celtis, (Jakob Loober) Philomusus, der Italiener Priamus
(Capolius), der in Leipzig gelehrt hatte, Jakob (Wimpfeling), (Matthäus
Herbenus aus Utrecht, (Kourad) Wimpina, Johannes Faber (Ober-
maier) de Werden. Zu Priamus Capolius vergl. G. Bauch, Geschichte
des Leipziger Frühhumanismus, 20 f.: zu Wimpina ebenda, 12 f., 55 f.
103 f., 163 f.: zu Johann Faber ebenda, 24 f.
[5]) Diese Zusammenstellung haben wir schon öfter benutzt. Zu den
Leipzigern Arnold Wüstefeld, Jacobus Bariuns, Andreas Delicla-
nus vorgl. G. Bauch, a. a. O., 70, 78 f.: 14, 44 f.: 29, 170 f.
[6]) Vergl. dazu G. Bauch, a. a. O., 40, 42, 59 f., 86.
[7]) Heinrich Alhert aus Göttingen, a. o., 84.

Bella Aquilonipolis Patroclo. Tum Theodrico
Riuipolis rorans ceruisione mero.
Amphitritoniaco ciui Amphitritonia pugnax,
Propolis Olbero et porta Theopoleos.
Ut Pangeapolis Conrado[1]) florida nostro,
Gaudeat Hinrico[2]) Thaureapontapolis.
Semipolis, Semice, sed tiosnania, volucrum urbs,
Regine, o tibi sit npupa spurca cahos!
Digna dncnm sedes celebris Bruuonia Xietho[3]) et
Bernhardo, vatum parti animique mei.
Nomine Thuringo[4]) Pauethica Phebipolensi
Johanni urbs, digna laudis, opima sale.
Thobingo pariter Hinrico[5]) denique nostro
Johannis nostri rite Venustapolis.
Non minus et Jacobo prudenti burgimagistro
Phebipolis, mons, pons, fons sua cui bona dant.
Concors Bennonia Parthis reuiricior ipsis
Ipsi Floriste consona canonico.
Hugoni Ascania, Guasoni[6]) Bereka diserto,
Debet Lindauia, Lindauiane[7]), tibi,
In Cerere et Bacho Theodosia regia diues
Hinrico adiunctis Fabricioque Ihona,
Johanni Artito Neoburgensi Neoburgum
Cis Salam, bromio et ceruisione fluens,
Marschaleo[8]) rutila Frislaria et hospita vatum
Lipezis, mi Jacobe, docta, Barine[9]), tua.

---

[1]) Konrad Schechteler aus Alsfeld, s. o., 51, 70.
[2]) Heinrich Collen aus Osnabrück, s. o., 98. Collen als Jurist
bei Th. Muther, Zur Geschichte der Rechtswissenschaft, 235 No. 69.
[3]) Heinrich Sickte aus Braunschweig, s. o., 98, 111, 112.
[4]) Johann Doring aus Lüneburg, s. o., 112.
[5]) Heinrich Thobing aus Lüneburg, s. o., 87.
[6]) Johann Knöß aus Rheinbergen, s. o., 55, 56.
[7]) Vermutlich der Leipziger Dozent Arnold Woestefeld aus Lindau.
Doch ist ein Johannes Wustefelt de Lindaw im W. S. 1487 in Erfurt
immatrikuliert.
[8]) Nicolaus Marschalk aus Roßla. Frislaria ist ein Mißverständnis.
[9]) Jacobus Barinus aus Leipzig, Leipziger Humanist.

Bauch, Die Universität Erfurt   12

Remigio[1]) Hammonia piscosa, Dauantria Zinthi[2])
Stilbonthea, calens merce, maligna malis,
Neioforum scribe Coruino[3]) Neioforensi
Delis[4]) et Andree Delia honesta viro,
Argentina meo Jacobo facunda Scholoni[3]),
Scis Monomontapolis[6]), quo occulata colas.
Cum numero quorum est laus augmentanda, poetas
Dinumerare omnes nostra Thalya nequit.

Bis jetzt nicht zu erkennen sind darunter Patroclus aus Nordheim, Theodricus aus Riuipolis (Eimbeck), der auch als Logiker
bekannt war[7]), Otberus aus Amphitritonia (Münden?), Reginus
aus Gossnania (Goslar?), Bernhard aus Braunschweig[8]), Johannes aus Venustapolis, Hinricus, Fabricius und Thomas aus
Theodosia, Hugo ans Ascania[9]), Jacobus prudens burgimagister
in Lüneburg, Johannes Artitus ans Naumburg. Semica oder
Semeca in Semipolis (Halberstadt) ist der als Glossator des kanonischen Rechts berühmte Bologneser Schüler Azos, Kanonikus zu
Goslar und Halberstädter Propst Johannes Teutonicus[10]), † 1245,
Occultus ist Nicolaus von Bibra und der Florista in Bennonia (Hildesheim) ist der Hildesheimer Kanonikus Ludolfus de

---

[1]) Christian Rueder (Roder) aus Hamburg, s. o., 27 f.

[2]) Johann Sinthon in Deventer, Lehrer des Erasmus von Rotter-
dam. E. Böcking, Ulrichi Hutteni Opp. Suppl. II, II, 472.

[3]) Der schlesische Humanist Laurentius Corvinus aus Neumarkt.
G. Bauch in der Schlesischen Zeitschrift XVII, 280 f.

[4]) Andreas Propst (Delicianus) aus Delitsch, Leipziger Frühhumanist.

[5]) Jakob Schol aus Straßburg, s. o., 115.

[6]) Vielleicht Johann Babel aus Nürnberg, s. o., 149 f., oder Hieronymus aus Nürnberg, s. u., 183.

[7]) S. h. u., 183.

[8]) In Erfurt sind immatrikuliert im W. S. 1481/2 Bernhardus Ebe-
lingk de Brunswick und im S. S. 1496 Bernhardus von dem Damme
de Brunsuich.

[9]) Ascania? oder Ascauia? Wenn Ascania zu lesen wäre, dann könnte
der Vorname Hugo ist sehr selten, der im S. S. 1488 in Erfurt immatrikulierte Hugo Lorich canonicus Aschaffenburgensis darunter verborgen sein.

[10]) Semeca s Grabschrift siehe bei Leibniz, Scriptorum Brunsvicensia
illustrantium temus III, 683. Zu Semeca vergl. auch Th. Muther, Zur
Geschichte der Rechtswissenschaft, 402.

Luco (Luckow), der c. 1317 Flores grammaticae schrieb[1]. Daraus ist auch zu erkennen, daß Aquilonipolensis das Wort Poeta in dem weiten Sinne des Frühhumanismus nahm und daß er Humanismus und mittelalterliche Dichtung als ein und dasselbe betrachtete, er dachte eben als fehlbarer Zeitgenosse nicht wie ein unfehlbarer Universitätsprofessor des XX. Jahrhunderts.

Dahinter unterbricht sich der Verfasser, indem er nochmals, ausgeführter, De nouem musis handelt, und er nimmt den Faden wieder auf mit A quibus urbibus vates recedere (spontanei)[2] Damit schließt nach dem Index das zweite Buch, das im allgemeinen der Antithesen entbehrt. Im dritten und letzten, das durchaus christliche Gedankenkreise verarbeitet, treten diese wieder ein. Er beginnt mit dem Dekalog, geht zum christlichen Glauben und den elf Tugenden über, springt wieder auf die liberales artes und die phisica zurück, bei denen jedesmal im Pentameter eine christliche Antithese erscheint, und auf deren Pseudoschwestern mathesis und artes superstitiosae, wobei die mathematici als diuinatores definiert werden. An das sacrum septenarium, wieder die sieben Haupttugenden, reihen sich die beatitudines octo und das „simbalum" fidei. Eine Oracio ad genitricem virginem conclusiua bildet den Abschluß, sie besteht aus lauter Metaphern, eine geschmackvolle davon ist z. B. Aula pudicicie. Als Überführung zu der Schlußrede, von der wir oben den Anfang gelesen haben, hat er noch ein Gedicht de theopoleos speciositate (et sanctorum requie) eingefügt.

Wer die mittelalterliche Litteratur, z. B. den Wettstreit von Pseustis und Alithia des Theodulus[3], hier sein Vorbild wie in der Dimetromachia, kennt, wird über die Einordnung auch dieses poetischen Produktes nicht im Unklaren sein, es gehört nach dem ganzen Habitus ins Mittelalter, aber die vielen Beziehungen auf das Altertum weisen es doch wieder dem Frühhumanismus zu; im Jahre 1500 ist jedoch Aquilonipolensis mit diesem Machwerk schon eine etwas rückständige Erscheinung.

---

[1] E. Böcking, Ulrichi Hutteni Operum Supplementum II, II, 372.
[2] Hier sind keine Städte- und Dichternamen genannt.
[3] Hierzu vergl. G. Bauch, Geschichte des Leipziger Frühhumanismus, 33 f. Theodul lebte um 980. Polycarp Leyser, a. a. O., 293.

12*

Auf einem ähnlichen Vorstellungskreise, auch wieder an Theodulus erinnernd, beruht sein poetischer Cathalogus Platonicus[1] de concordia diui Moisis et diuini Platonis et achademia per euangelium altiuolantis aquile (Evangelium St. Johannis) salubriter confirmata[2]). Die in dem Thema liegende Petitio principii rührt nicht von ihm her, sondern von Marsilius Ficinus, wie die Widmung an Johann Doring aus Lüneburg bezeugt:

In iericho[3]) aut urbe lunari, eliconiadum flos,
Thuri Johannes, que cauo, digne here mi,
Marsilius transfert, translata Aquilonipolensis
Metrificat, domine, metrificata habeas.

Den Stoff gab die Abhandlung des Platonikers oder Neuplatonikers Marsilius Ficinus De religione christiana. Das von einem Johannes Jocarius[4]) Antropolensis (oder vielmehr Austropolensis?) poetisch empfohlene[5]), in Lüneburg vollendete Buch ist das letzte Erfurter Hamifers und für die Renaissance interessant, weil Plato, den die Scholastik zurückgedrängt hatte, dadurch in Erfurt wieder zum Leben gebracht wurde[6]).

---

[1]) Nur bekannt aus F. G. Freytag, Adparatus litterarius, II, 363 f.

[2]) Auf dem Titelblatt steht nur: Cathalogus Platonicus, und am Ende: Impressum Erphordie per Wolfgangum Schencken. 4º.

[3]) Woher wußte Aquilonipolensis, daß das hebräische Jericho dem deutschen Lüneburg entsprach?

[4]) In Erfurt ist im W. S. 1474/75 ein Johannes Neckdal de Ostheym inmatrikuliert, sollte das Jocarius sein?

[5]) Als einziges Denkmal des unbekannten und doch wohl Erfurter Poeten stehe das Tetrastichon hier:

Joannis Jocarii Antropolensis
Tetrastichon in Kathalogon Platonicum.
De veri fonte irriguo. De principio orbis
Verbo, ex arce hausto ab altiuolante aquila
Que Plato diuinus vates, quo achademia ratis
Asseclu crediderit Christi, fidelis habe.

[6]) Der Inhalt ist folgendermaßen disponiert:
In prima poematis parte: Lehren einiger Akademiker, die mit den christlichen Dogmen eine gewisse Ähnlichkeit haben. Secunda pars: Confirmatio Christianorum per socratica contra Lucianum, nostre fidei martires tamquam nimis simplices deridentem. Tertia pars: Reuersio ad propositum. Quarta pars: Confirmatio platonicorum ex fide et religione christiana.

In Wittenberg, wo er sich nach kurzem lehrenden Aufenthalt
anf seiner Rückreise von Rom in Leipzig im Wintersemester 1504
eingefunden hatte, suchte er alte Dichtungen hervor und hängte
neue an in seinem Epitaphiale[1]), einer kleinen Sammlung von
Grabschriften, denen er sein poetisches in Rom geschriebenes
Testament und sein eigenes Epitaph beigab. Als Programm
stellte er die Verse voran:

> Laude vel opprobrio dignos epithaphia mores
>> Post mortem adiecto nomine digno canunt.
> Defuncti interdum suppresso nomine vitam
>> Pandat periphrasi significante vides
> Non nisi post fata cuiquam laudatio quadrat:
>> Qualia sunt hominis exitus acta probat.

Die satirisch behandelten Männer[2]) sind heut natürlich schwer
zu erraten und von den mit Namen genannten sind nur der

Quinta pars: De Platone solenniter kathegorisatio. Sexta pars: Supradictorum epilogus perbreuis. Conclusio:

> Non hec barbati deliramenta Platonis
>> Sunt achedemie heri principis ymmo ducis
> (Hermes que Trismegistus tacta ante Platonem
>> Theologe auter Mercurius cecinit.)
> Pectore toto, anima tota, vi tota ut amemus
>> Verbigenam inprimis philosophia monet.
> Quippe bonum est lex, sed mellus non philosophia est
>> Hec vim non facere cogit, at illa docet.
> Preualet arbitrium rei opportune modo quantum
>> Tantum legi pre philosophia valet.
> Almam achedemiam ut ingressus misteria sancta
>> His heroibus acceperis intus homo.
> Maiora et plura (que cincta Thalys neqnibit
>> Pandere) clauabis forsitan ore Petri
> Nempe bonum hic esse tria milia nos faciamus,
>> Ergo tabernacla sit decus usque Deo.

[1]) Epithapiale Magistri Hinrici Aquilonipolensis Poetae una cum Testatamento suo. O. O. u. J. (Wittenberg, H. Trebelius) 4⁰.
[2]) Als Beispiel diene Epitaphium Seditiosi:

> Nil increuit ad il: il id intumuit: redolens nil:
> Seditiosum hoc il dormiat: unde nihil.

Bischof vou Hildesheim Barthold von Landesberg († 1502), der Koburger Pfarrer Nicolaus Sculteti und Christian Rueder († 1478) erwähnenswert. Nach metrischen Fehlern hat man nicht nötig zu suchen, sie sind ihm immer noch geläufig, obgleich er doch 1503 etwa schon als zweiter unter den Sachsen Poeta laureatus geworden war (er selbst nennt sich nie gekrönter Dichter), grammatisch stark ist der Vokativ Dee für Deus.

Für Vorlesungszwecke hat er dann noch ein Carmen de arte metrica[1]) drucken lassen, der Drucker Hermannus Trebelius, sein Erfurter Bekannter, gab bereitwillig ein paar empfehlende Verse ad studiosos innenes dazu, obgleich schon der abstruse erste Hexameter des vorangesetzten Arguments[2]) hätte abschreckend wirken können. In fünfzehn Abschnitten gibt das kleine Werkchen eine Anweisung zur Bildung des Hexameters und des Pentameters, indem es die Lehre von den Lauten, den Silben und der Quantität vorausschickt und die Elegantien des Metrums, die Caesuren, Figuren und Tropen nachbringt. Roh wie die anderen ist es doch das verständigste Opus des Autors.

In seine alte Art, wenn auch etwas geläutert, schlägt seine Sophologia de originibus arcium et quattuor facultatibus Achademiae Albiberospolitanae[3]), nur die Antithesen fehlen, obgleich er einzelnes aus seiner Cithara sophialis abschrieb, und damit die moralische Tendenz. Albiberospolis heißt selbstverständlich Wittenberg! Trebelius war wieder Drucker und poetischer Pate.

Die übrigen Epitaphia sind: Ep. hypocritae, adulantis, mali pastoris, alchimistae falsi, ingrati, iniusti iudicis, libidinosi. Eius mit versus cancellati ist:

Epitaphium Psalmitonantis.

Qui quondam fuerat tuba psalmitonando sacelli :
Virgo tui ruerat non hunc sine diua repelli :
Hac Couradus humo sub vini scriba vocatus:
Dormiat in Christo regnante Jesu feriatus.

[1]) Carmen de arte metrica Magistri Henrici Aquilonipolensis P. O. O. n. J. (Wittenberg, H. Trebelius) 4⁰.

[2])   Fausta Neoptolomis fit ut ad musas via ducens
               Est metrifex scita duplicitate fuat.

[3]) Sophologia M. Henrici Aquilonipolensis Poetae de originibus arcium & quattuor facultatibus Achademiae Albiberospolitanae. O. O. n. J. (Wittenberg, H. Trebelius) 4⁰.

Nach einer poetischen Vorrede, die neben allen neun Musen auch des Apostels Paulus gedenkt, beginnt die encyklopädische Dichtung mit den Erfindern der Buchstaben[1]) und bringt hierbei die egyptischen Hieroglyphen mit den Symbolen der Evangelisten und der Kirchenväter in Verbindung. In der Geschichte der Buchstaben hebt er besonders die christlich-symbolische Seite hervor, z. B.:

Αλφα sum et ω dixit Christus, deus ac homo summus:
A qui ducit ad ω, lux, via, vita, salus[2]).

Trotz der zum Teil wieder schauderhaften Verse holt er sich in Wittenberg die Ehre, zuerst mit dem gedruckten Wort gegen das Doctrinale des Alexander Gallus aufgetreten zu sein. Er verwirft sogar Priscian, wohl nur wegen seines großen Umfanges, als artis onus und sagt wie ein geklärter Humanist:

Artis honos nec onus pueris Donatus uterque,
Rodat Alexandrum dente Theon[3]) nec ego.
Nostri grammatica Marschalci et digna Perotti,
Ars sale salsa nigro Bebeliana sapit.

Unbedeutend ist, was er bei der Logik[4]), Rhetorik, Arithmetik und Geometrie bringt. Bei der Musik erwähnt er als Zeitgenossen Christian Rueder (Roscius) und seinen Freund Johann Doring, die beiden Erfurter. Von der Astrologie wendet er sich

---

[1]) Hierin das poetisch schöne Zitat:
In Lacium aero venere (ut Linius inquit
Sexti in fronte libri condita ab urbe) athaui.

[2]) Die Fortsetzung davon heißt:
Nobis inicio quod graecis fine tenens X
X Christus et tua sit Octaviano nota.
Si γραμμα titulo Christus sit i iota
Itaque σημα Ιησου misterio in triadis.

[3]) Horatius Flaccus, Epistol., I, 18, 82.

[4]) De Loica.
In loico methadum Theodricus Riuipolensis
Ducit ut ad topicam dux Cicero topicus.
Cisippi gipsum mernit Monomontapolensis
In loica fracto poplite Hieronimus.
Beide Autoren, Dietrich von Eimbeck und Hieronymus von Nürnberg, sind unbekannt.

ohne zwingende Logik zur Metrik. Das Metrum wird auf den höchsten Gott, der allem Maß gesetzt hat, zurückgeführt. Nach der Aufzählung der Genera metrorum folgt eine Empfehlung der Poesie „de dignitate", der Martin Polichs Laconismos[1]) gegen Konrad Wimpina zu Grunde liegt, dann ein Blick auf den Ursprung der Poesie und auf das erste Auftreten des Dramas in Rom. Bei der Tragödie gibt er nur eine Aufzählung der Namen ohne eigene Kenntnis, bei der Komödie vergißt er seine Landsmännin Roswitha nicht und nennt er die Tragicomoedia des Johann von Kitzscher[2]) ein exemplar nobile. Bei der Satire weiß er aus der neueren Zeit[3]) Jacobus Locher Philomusus als Übersetzer von Sebastian Brants Narrenschiff und dazu die Erfurter Hinricus Flexilis (Boger) aus Höxter, Hinricus Alherdus aus Göttingen, Johannes Brandius (Brandis) aus Hildesheim und von seiner eigenen Schwester Hilburgis meint er, sie würde eine zweite Roswitha werden, wenn sie sich den Musen widmen könnte. Nun erst kommt er auf die Philosophie. Als zweite Fakultät, er geht rückwärts, behandelt er die Medizin. Hinter den Erfindern bespricht er ganz sachgemäß nach Polichs Ausgabe der Anatomia des Mundinus[4]) die Anatomie als Basis der Wissenschaft und geht davon zur Flebothomia, dem Aderlassen, das damals allerdings eine große Rolle spielte, über. Nachdem er noch die Chirurgie und die herbaria medicina besprochen, gibt er für uns in sonderbarer Gedankenverbindung die Abschnitte Quis magicam artem inuenit, De metamophoseacione und de

---

[1]) G. Bauch, Geschichte des Leipziger Frühhumanismus, 114 f.

[2]) Hierzu vergl. G. Bauch im Neuen Archiv für sächsische Geschichte, XX, 302 f.

[3])   Est Philomusi anima stultorum in nauo Sebasti
      Janus laurigeri Brant vir is egregius
      Flexilis Hinricus in qualibet arte vigens flos
      Saxonum et Alherdus Theopolensis honos
      Vidi ego si mirum et cecum audiui Raphaelem
      Romo: cui aua mons bibliotheca fuit.
      Pol stupor artitia astree gemma: Joannes
      Brandius: Aonidum flos: iuuenile decus.
      O si nostra soror musis incumbere posset
      Hilburgis: fieret Rosguita: digna tamon.

[4]) G. Bauch, Geschichte des Leipziger Frühhumanismus, 11.

aruspicii et ignispicii et augurii originibus. Es folgen kürzer
abgehandelt die beiden ersten höheren Fakultäten, die Jurisprudenz
und die Theologie.

Zur Gelehrsamkeit gehören Bücher und darum kommt nun
als Anhang Quis primo libros ediderit und als Epilog De Calco-
graphia et quis primo libros impresserit. Hier nennt er Peter
Schöffer[1]) als Erfinder und als Übertrager von Mainz nach Rom
Konrad Sweynheym und neben diesem Nicolaus Jenson
Gallicus in Venedig. Von den neueren Druckern nennt er nur
rühmend Trebelius:

> Etsi Trebelius his iunior omnibus ante
> Dictis, Palladia non tamen arte minor.

Nicht uneben ist der Gedanke, den er bei der Wertung der
Erfindung ausspricht: „Es mag sein, daß die Alten Giganten sind
und die Neuen Pygmäen, getragen von den Schultern der Giganten; sehen dann aber die Pygmäen von den Schultern der Giganten nicht weiter als die Giganten? Man soll keinem Zeitalter
Unrecht tun, jedes, das alte und das neue, ist der Verehrung wert.
Wenn Plato und Salomon jetzt lebten, würden sie sagen: Die
alles durch die ganze Welt verbreitende Chalcographie ist die
Zierde der palladischen Kunst".

Mit einem Gebet an den dreieinigen Gott, an die Jungfrau
Maria und alle Heiligen und einem Segenswunsche für Kurfürst
Friedrich und die Universität schließt das Buch. Leider werden
die letzten ganz verständigen Ausführungen durch ein paar
metrische Fehler allergröbster Art entstellt. Alles in allem genommen ist die Sophologia trotz ihrer großen Schwächen ein
Fortschritt gegen die Cithara und die Dimetromachia.

In Wittenberg soll Aquilonipolensis noch ein Gedicht De
vita et laudibus sancti Augustini geschrieben haben[2]). Da der
hl. Augustinus der Schutzpatron der Universität war, dürfte
wohl auch darin die Universität gefeiert worden sein.

---

[1]) Ein bekanntes Mitglied dieser Druckerfamilie, Ivo Schöffer,
vielleicht ein Patenkind des oben genannten Ivo Wittich, ist im S. S. 1519
in Erfurt immatrikuliert und im S. S. 1522 in Leipzig.

[2]) Nach dem Wolfenbütteler Anonymus, C. Wimpina, Centuria scriptorum insignium etc., ed. Merzdorf, 84.

Der unermüdliche Mann ist endlich noch unter die Historiker gegangen. Daß er dies nach seiner Wittenberger Zeit getan hat, ist aus dem Mangel an jeglichen Beziehungen zwischen den besprochenen Werken und den lebenden Personen, die er in seinen historischen Arbeiten erwähnt, zu schließen. Auch die Geschichte behandelte er metrisch und in dem plattesten Prosaton der Reimchroniken, von poetischem Schwunge ist nicht das Geringste zu spüren, obgleich seine Stoffe zur Entfaltung eines höheren epischen Stils recht wohl geeignet gewesen wären.

Seine Adolpheis[1]), ein überaus seltenes Buch, enthält mehr als der kurze Name verspricht. Der erste Teil befaßt sich mit der Geschichte der Grafen von Schaumburg und Holstein und gibt besonders die des Grafen Adolf IV. (1203—1239), der 1224 das seinem Vater von den Dänen entrissene Holstein wieder eroberte und 1261 als Franziskanermönch in Kiel starb. Eingeflochten ist die ältere Geschichte von Hamburg. Der zweite Teil, „barbarie vocum pulsa: Lubicographiale seu Lubicotrophium", handelt De primordijs lubicane Urbis cesaree oder poetisch ausgedrückt:

Qualiter urbs Lubica est structa, destructa, sub annis
Restaurata, lubet si modo scire stichis.

Hier erzählt er nach Helmold im ersten Buche die Anfänge und die Zeit Heinrichs des Löwen und Friedrichs Barbarossa. Im zweiten Buche bietet er eine Beschreibung der Stadt und ihre Kriege bis auf die Zeit Christierns I. von Dänemark. Ein Tag, den Christiern in Begleitung seines Bruders Gerhard von Oldenburg in Lübeck hielt, der zu einer großen Anleihe bei der Hansestadt, aber nicht zur Wiedererlangung von Schweden führte, bildet das Ende. Auch in diesem Werke noch spukt Theodulus[2]).

Die diesmal durch eine sapphische Ode eingeleitete Adolpheis ist Johann Grafen von Schaumburg (Holstein) und dem

---

[1]) Adolpheis decantata per Hinricum Aquilonipoleosem Poetam, de Historia generosorum nobiliumque comitum Theoroßburgensium, vel alias vulgo Schomburgensium. Ac Hamburgensis Ciuitatis famose. dec. luc. O. O. u. J. (Georg Richolff in Lübeck) 4°. Wieder gedruckt von H. Meibom, Scriptores rerum Germanicarum, I, 598 f. Meibom druckte nach einer Handschrift.

[2]) Ne sit sub medio ponendum nobile lumen,
Nec Paeustis placet hic, verum Alithis sophis.

Magister Johannes Mineus, „Lubicana Inmen in urbe", gewidmet, die Primordia Lübecks dem Senat der Stadt. Als Zensoren des Buches nennt er den Prior Wighold, Dr. Heinrich Weath, Dr. Egkhard und Dr. Johannes. Diese Sachverständigen stehen zumteil in Beziehungen mit Erfurt und verraten, daß das Buch in Hildesheim[1]) entstanden ist. Denn Dr. Heinrich von Wenden ist, wie wir wissen, im Sommersemester 1488 als Henricus de Wendin, canonicus Hildesemensis, und Eggardus de Wenden, canonicus Hildesemensis, im Sommersemester 1469 in Erfurt immatrikuliert. Johannes Minens ist wahrscheinlich der im Sommersemester 1496 intitulierte Johannes Roet (Rode) de Lubeck und dieser war Stadtschreiber nnd Kanonikus in Lübeck. Eckhard von Wenden ertrank 1507 im Rhein[2]), deshalb dürfte die Entstehung des Werkes etwa 1505 bis 1507 zu setzen sein.

Auf dieselben Beziehungen weist ein anderes, ebenso seltenes Buch, daß der jüngere Meibom besaß, aber, weil es ebenfalls von geringem Belang war und ihm gar zu barbarisch erschien, nicht herausgegeben hat[3]), die Naumachia, die einer am 9. August 1511 von der Flotte des wendischen Quartiers der Hansestädte Johann II. von Dänemark auf der Höhe von Bornholm gelieferten Seeschlacht[4]) gewidmet war.

Die letzte Zeit seines Lebens brachte Aquilonipolensis in Hildesheim zu. Im Jahre 1515 forderte ihn sein Freund der Leipziger Magister Henning Feuerhane aus Hildesheim, humanistisch Henningus Pyrgallius Hyldesianus oder Ascalingus

---

[1]) Pischers Boriohungen zu Hildesheim entsprang auch das Gedicht im Wolfenbüttler Codex 58. 6. Fol., fol. 63b: Carmina Magistri Hinrici piscatoris Northeymensis alias Aqilopolensis poete lanreati Ad dominum Henningum Bringman Canonicum Ecclesie Sancti Johannis prope et extra muros Hildensemensee.

[2]) G. Knod, Deutsche Studenten in Bologna, 621 No. 4138 gegen das Ende.

[3]) H. Meibom, a. a. O., 598.

[4]) G. Waitz, Streitigkeiten und Verhandlungen Lübecks mit König Johann (Hans) von Dänemark, in der Zeitschrift des Vereins für Lübeckische Geschichte und Altertumskunde, II, 169. Vergl. dort auch 102 f. F. Mojean, Beiträge zur Geschichte des Krieges der Hanse wider Dänemark 1509—1512, 8.

genannt, in einem Epigramm auf[1]): Ad Henricum Hamiferum,
liberalium studiorum magistrum, vatem laureatum apud Saxones
unicum et virum grandaeuum, quo vitam Christi, cancellatis versibus nuper absolutam, edat, litania:

Qui cancellatis, Henrice, haec secula vincis
Carminibus, patrij fama suprema soli.

Pyrgallius preist ihn 1524 als praestans sophiae magister, musarum decus expolitum und Geistlichen[2]), er hatte also in seinen
alten Jahren noch wohl als Witwer die Weihen genommen:

Lauream gestas merito corollam
Condis et carmen lepidum subinde,
Actibus sacris penitus dicatus
Saecula spernis.

Zurückgezogen lebte er anspruchslos in kleinem Hause und sammelte unzerstörbare Schätze. Am 15. Juni 1527 ist er gestorben,
und Pyrgallius setzte ihm ein poetisches Epitaph in seinem
θρηνος[3]).

Wir haben lange bei dem ehrenwerten Poetaster verweilt,
aber nicht, was unsere Zeit von einem Angehörigen des XV. und
XVI. Jahrhundert denkt, ist maßgebend, sondern was er seinen

---

[1]) Henningi Pyrgallij Hyldesiani Lusus. De Ebrietatis ac Crapulae
exterminio. De animorum sempiternitate. De vitae emenda. De Saluatoris
ortu. De vernali temperie ac ocij fuga. De castis vatibus obseruandis in
Amusos. Ode Sapphica in diui Martini Thuronum praesulis doens. Epigram.
item & quaedam alia. M. CCCCC. XV. Nonis Decemb. Soli deo laus.
(Leipzig) 4°.

[2]) Ad Henricum Hamiferum Aquilonipolensem virum iam pene
decrepitum Piladen suum unice obseruandum. Dei: In Obitum Petri Mosellani Protegensis Viri, Dum Vixit, extra omnem ingenij aleam sepositi,
Henningi Pyrgallij Ascalingensis Planctus. Additis pauculis, in transflu:
diui Bennonis Epigram: nec non quibusdam alijs. M. D. XXIV. Lipsiae
in aedibus Nicolai Fabri. Anno M. D. XXIV. XV. Kalen. Julij. 6°.

[3]) In Lugubres Trium amicorum obitus, nempe, Hieronymi Emseri
Illustriss. ac Christianiss. principis ac. D. D. Gaeorgij Saxo. Ducis etc.
olim Secretarij atque Oratoris. Andreae Epistatis Delidani Rhetoris
Lypsici Henrici Hamiferi Northeuiij, Poetae Saxonici (Qui omnes Anno
XXVII. ex hac luce migrarunt) Henningi Pyrgallij Ascalingi θρηνοι.
Lypsiae ex aedibus Nicolai Fabri Anno M. D. XXVIII. Pridie kale.
Janua. 6°.

Zeitgenossen gewesen ist, und er war außerdem so gut wie verschollen. Schwer begreiflich bleibt allerdings trotz objektivster
Stellungsnahme das glänzende Urteil des Wolfenbütteler Anonymus[1]) aus dem Jahre 1514: „Heinricus Aquilonipolensis,
natione Theutonicus, patria [Nordheimensis], disciplina et studio
Wittenbergensis (!), vir magni ingenii et Tullianae eloquentiae
vehemens aemulator, philosophorum praeceptis nobiliter instructus
diuinarumque scriptuarum non ignarus, grammaticus, philosophus
rhetor et poeta nulli nostro neuo secundus, ingenio subtilis, sensu
clarus et disertus eloqnio, iurium non imperitus. Scripsit ad
laudem et decorem academiae Wittenbergensis et utilitatem legentium et carmina et prosa praeclara opuscula" etc. So glänzend
wird wohl Marschalk kaum über ihn gedacht haben, er nahm
ihn aber als Mann von gutem Willen und unter den Seinigen
Anerkannten als Kampfgenossen an.

Maternus Pistoris ist bis zum Hervortreten Marschalks
mit keiner selbständigen Publikation vorgegangen und hat auch
erst nach Marschalks Abgang von Erfurt eine hervorragendere
Rolle unter den Humanisten eingenommen, so daß wir ihn später
ins Auge fassen wollen. Er hat sich an seinem Freunde erst
entwickelt.

Von Nikolaus Marschalk haben wir sein Eintreten in
Erfurt im Wintersemester 1491/92 erwähnt[2]). Er kam aus Loewen,
wo er zum Baccalar promoviert worden war, wurde 1492 als
solcher rezipiert und erwarb 1496 zur Zeit der Pest das
Magisterium der Künste. Seine humanistische Vorbildung brachte
er von Loewen mit und auch in Heidelberg muß er, obgleich die
Matrikel seinen Namen nicht meldet, sich aufgehalten haben, denn
er zitiert in seinen Arbeiten mehrmals „codex Vergilii antiquissimus
in palatina bibliotheca." Der Einzug eines neuen, strebsamen
Druckers in Erfurt, des aus Leipzig stammenden Wolfgang
Schenck[3]), gewährte ihm die Möglichkeit, seine Bestrebungen in

[1]) C. Wimpina, Centuria scriptorum insignium etc., ed. Merzdorf, 84.

[2]) S. o. Kapitel IV, 134, 135. Wir folgen hier mit geringen Abänderungen
und Erweiterungen dem Aufsatze in den Mitteilungen der Gesellschaft für
deutsche Erziehungs- und Schulgeschichte, VI, 50 f.

[3]) Erfurter Matrikel, Sommersemester 1502: Wolffgangus Schenck
de Liperk. Zu seinen Drucken vergl. G. Bauch im Centralblatt für Biblio-
thekwesen, XII, 354 f.

weitere Kreise zu tragen, und diese waren mit großer Vorliebe
auf die Pflege des Griechischen gerichtet. Schenck stellte ihm
elf Jahre, bevor Leipzig mit seiner regen Buchdruckertätigkeit
dazu überging, dafür einen griechischen Satz zur Verfügung. Die
Forschung räumt mit so vielen festgewordenen Meinungen auf
und so kann auch nicht festgehalten worden, daß Erfurt die
Führung in der griechischen Typographie übernahm, und nur eins
bleibt bestehen, daß es darin eine für jene Zeit geradezu er-
staunliche Opferwilligkeit zeigte. Marschalks Name bleibt damit
in engster Beziehung. Der erste nachweisbare deutsche typographische
griechische Druck ist in Nürnberg zuhause, Antonius Koberger
druckte dort 1497 einen kommentierten Juvenal[1]), der die ehr-
würdigen Minuskeln enthält, und Johann Grieninger in
Straßburg wandte in demselben Jahre griechischen Blockdruck in
Lochers Panegyrici ad Regem und Tragedia de Thurcis et
Suldano an[2]). Mindestens seit 1498 druckte auch schon Johann
Bergmann aus Olpe in Basel mit griechischen Typen[3]). In
Erfurt folgte Schenck 1499 mit griechischen Typen nach.

Den Anlaß bot der Druck der durch Georg Valla ins
Lateinische übersetzten Schrift des Psellus De victus ratione[4]).
Diese diätetische Abhandlung über die Zubereitung von Speisen,
über deren Nährwert und ihre guten und schädlichen Seiten ent-
hält eine große Anzahl von Vokabeln, denen ohne lexikalische
Unterstützung nicht beizukommen war, und solche umfangreiche
Nachschlagewerke waren auch damals noch gewiß nicht oft in den

---

[1]) Juuenalis Anto. Manci. Domitius. Geor. Val. Argumenta Satyrarum
Junenalis per Antonium Mancinellum. Nuromberge impressum est hoc
Junenalis opus cum tribus commontis per Antonium Koberger M. CCCC.
XCVII. die vero. vi. Decembris. Fol.

[2]) Libri philomusi. Panegyrici ad Regem Tragedia de Thurcis et
Suldano Dyalogus de heresiarchis. Actum Argentine per Magistrum Johannem
Grüninger. Anno christo (!) salntifero. 1497. 4°.

[3]) Varia Sebastiani Brant Carmina drittl. S. des Bog. i.

[4]) Opusculum ad augendam conseruandamque sanitatem et prolongandam
Vitam Valde quam non Vtilo mode: sed etiam necessarium. Der eigentliche
Titel steht erst auf der vierten Seite: Pselli Ad Imperatorem Constan-
tinum De Victus Ratione Georgio Valla Placeutino Interprete. Psellus
de victus ratione faeliciter explicit. Impressus Erffordie per Wolffgangum
Schencken anno a natali christiano. 1499. 4°. C. I. B., XII, 354 No. 1.

Händen der Studenten, auf die der Druck vor allen berechnet war. Das veranlaßte Marschalk, der wohl der Urheber des auch aus humanistischen, sprachlichen Gründen geschehenen Druckes, offenbar Wiederholung der venezianischen Ausgabe[1] von 1498, war, im Interesse des „nouus nec iners calchographus" und zum besten der „pueri empturientes" in anderthalbtägiger Muße, wie er sagt, ein eigenes Speziallexikon dazu zu verfassen, das er seinem jugendlichen Schüler Peter Eberbach[2] widmete. Dieses kompendiarische Hilfsbuch, Interpretamentum leue in Psellum philosophum: & medicum de natura ciborum communium[3], ist ein alphabetisch geordnetes lateinisches Lexikon der erklärungsbedürftigen Ausdrücke mit gelegentlicher griechischer und deutscher Übersetzung. Daß es nicht nur für angehende Mediziner, sondern in erster Linie für den sprachlichen Unterricht bestimmt war, zeigen die eingestreuten prosodischen Winke und die poetischen und prosaischen, lateinischen und griechischen Belegstellen, sowie die „pueri empturientes" der Widmung. In der Widmung sagt Marschalk: „Jenem hohen Philosophen und Arzt Psellus, der keinem Griechen nachsteht, verdanken wir alle, die wir uns mit den humanen Wissenschaften beschäftigen, nicht wenig. Denn er sorgte durch seinen kurzen und sorgfältigen Kommentar sehr human für unsere Gesundheit. Hippokrates, den Koer, Avicenna, Galenus, Dioskorides, den Asklepiaden, Cornelius Celsus, Plinius, durch die Dein Vater Georg Eberbach[4], der hochberühmte Arzt, unsterblichen Ruhm erwarb, zu lesen, ist nicht allen gegeben. Doch vieles, was das Leben schön und glücklich durchzuführen, besonders gut geeignet ist, liest der, der den einen Psellus lesen wird, der eine Art von Handbuch oder einen Auszug aus jenen darstellt." Auch dem Übersetzer Valla erteilt er Lob, er nennt ihn nicht mit Unrecht einen klassischen Schriftsteller unter den Übersetzern und einen an Autorität keineswegs unbedeutenden unter den neueren Erklärern. Hiernach ist auch anzunehmen, daß Marschalk damals schon

[1] Panzer, Annales typographici, III, 434, 2347.
[2] Zu Peter Eberbach s. o. Kapitel IV, 142—144.
[3] O. O. u. J. 4°. Auch die Widmung ist undatiert. C. f. B., XII, 355 No. 2.
[4] Zu Georg Eberbach s. o. Kapitel IV, 142.

seine Schüler im Griechischen unterwies, er durfte Psellus wie
sein Interpretamentum zur mündlichen Interpretation gebracht
haben. Die griechischen Lettern des Interpretamentum, Minuskela
ohne Spiritus und Accente, sind Erfurts Primizien im griechischen
Typendruck und damit zugleich die ersten in Norddeutschland[1].

Mit der nächsten Publikation schon gab Marschalk das
Signal zum Kampfe, mit dem 1500 erschienenen Martiani
Minei Felicis Capelle De Arte Grammatica Liber[2], der zugleich der erste datierte Erfurter Druck mit griechischen Typen
ist. Auf der ersten Seite liest man:

NM in Marciani Capelle grammaticen.
Arteis teneras in grammata prima iuuentus
Si cupis: excultim dia Capella docet.
Lucina Maternus Pistoriensis de Martiani
Capelle in grammaticen opello.
Munera grammatices puer ac non parua Capelle
Pellege, congruerent: Nam prins ista dedit.
Epigramma M. hinrici aquilonipolensis.
De marcyano nostro quid senciam ego. etsi
Antique sapiat. nescit in arte parem.
Myneio cedat confusus apostata noster
Grammatico et vati non minus egregio.
Ludenti hac melius et in arte fidelius illi
In montem versus dormiat endimion.
Serpere apostatico longis ambagibus. atqui
Myneio methadmn connenit ire ratam
Felici satius incumbere amice capelle est
Ac infelici bestiole. Argon ama.

Die Verse Marschalks und des Maternus begnügen sich
mit dem Lobe Capellas, ohne auf den mit seiner Ausgabe ver-

<hr>

[1] In Frankfurt a. O. führte Johannes Rhagius Aesticampianus
1507 Griechisch in Blockschnitt ein und 1508 in Leipzig. 1510 druckte
Melchior Lotter zuerst mit griechischen Typen in Leipzig, es sind dieselben
Typen wie Schencks zweiter Satz. G. Bauch, Mitteilungen etc., VI, 57,
171, 172, 174.

[2] Martiani Minei Felicis. Capelle. De Arte Grammatica Liber
incipit. Impressum Erffordie per wolfgangum Schenck. Anno salutis
Millesimoquingentesimo; 4°. C. f. B., XII, 356 No. 3.

folgten Zweck mit Fingern hinzuweisen, und doch ist sie für die Geschichte der Universität von einer tieferen, symptomatischen Bedeutung: mit dem Erscheinen dieses Buches begann in Erfurt offen der humanistische Kampf gegen die das spätere Mittelalter beherrschende, in Erfurt, wie wir gehört haben, von Anfang an eingeführte scholastische Grammatik des Nordfranzosen Alexander de Villa dei oder Alexander Gallus, das sogenannte Doctrinale, das wir schon zweihundert Jahre vor diesem Angriffe bei Nicolaus von Bibra in Erfurt gesehen haben[1]). Der Frühhumanismus hat neben dem Text des Donatus mit einer gewissen Vorliebe, so z. B. Johannes Rhagius Aesticampianus noch 1507 in Frankfurt a. O.[2]), den Martianus Capella im Gegensatze zu Alexander Gallus herangezogen. Die fortschreitende Renaissance, z. B. Petrus Mosellanus[3]) und noch früher Marschalk selbst[4]), hat freilich bald verdientermaßen den bäurischen Gesellen beiseite geschoben. Daß auch hier in Erfurt der Druck des Capella nicht bloß aus einer zufälligen humanistischen Laune hervorging, sondern daß mit dem Rufe: „Hie Martianus!" der Kampf gegen das Alte aufgenommen wurde, zeigen die Verse des Aquilonipolensis. Es ist sonderbar, daß nicht der Führer unter den Dreien, Marschalk, hierzu das Wort ergriff, sondern es diesem Manne ließ, der unverständliche Dunkelheit für Poesie hielt und bisweilen ein so barbarisches Latein schrieb, daß selbst Alexander Gallus sich desselben wie seiner Verse geschämt haben würde. Aber er war der am weitesten Zurückstehende unter dem Triumvirat und den Scholastikern bis dahin am nächsten geblieben, daher wirkten seine Verse voraussichtlich am meisten.

Marschalk trat in diesem Jahre als Stadtschreiber in den Dienst der Stadt Erfurt[5]), und wir finden daher äußerlich zunächst

[1]) Vergl. oben Kapitel I, 8, und 19, 20.

[2]) G. Bauch in dem Archiv für Litteraturgeschichte, XLII, 5. Mitteilungen etc., VI, 96, 97.

[3]) Paedologia Petri Mosellani Protegensis in puerorum usum conscripta, Leipzig 1518, Dialogus IX.

[4]) Bei der Schaffung seiner grammatischen Werke.

[5]) Vergl. die Verse des Maternus Pistoriensis an Marschalk auf dem Titelblatt der Orthographia. Er könnte diesen Dienst aber auch schon früher übernommen haben.

eine Pause in seiner gelehrten Tätigkeit. Wolfgang Schenck druckte zwar 1500 noch weiter humanistische Publikationen, aber wir kennen deren Herausgeber nicht. Es liegt nahe, an Maternus und Marschalk als die Veranlasser zu denken. Solche Publikationen sind Joannis Sulpitii Verulani De Scansione et syllabarum quantitate Epitome[1], Aurelii Prudentii Clementis Enchiridiolum metricum in utriusqe Instrumenti historias[2] und Aesopus graecus per Laurentium Vallensem traductus[3]).

Marschalk nahm aber doch auch trotz der zeitraubenden Geschäfte seines Amtes seine reformierende pädagogisch-litterarische Wirksamkeit — er sagt[4] zu Johann Wolf von Hermannsgrün: „quamuis polypragmon sim fere in consulatu et semper negociosus, tamen horis elucubrauimus succissiuis tibi pignus amoris nostri quantuluncunque" — bald wieder auf. Er legte sich jetzt den volleren, vielleicht nach Celtis' Muster dreifachen Namen Nicolaus Marscalcus Thurius, d. h. Thüringer, bei. Am 14. September 1500 vollendete er ein umfassendes Werk, das Schencks Presse 1501 vervielfältigte. Maternus Pistoris begleitete es wieder mit einer poetischen Empfehlung und einem Lobgedichte und Freundschaftszeichen an Marschalk:

Maternus Pistoriensis ad pubem Erphordiensem.
Barbaries tibi multa fuit, studiosa iuuentus,
Hactenus et verbis litterulisque simul.
Pellere si libet hanc, Thuri peramato libellos,
Isthunc in primis ianua qui rudibus.

M. Pistoriensis ad Marscalcum Secretarium
Senatus Erphordiensis insignem.
Te duce: laus superis: fit barbara terra latina,
Te sine barbariem lingua latina sapit.

---

[1] Impressum erffordie per Wolfgangum schencken Anno salutis millesimoquingentesimo. 4⁰. C. f. B., XII, 356 No. 4.

[2] Impressum Erffordie per Wolffgangum schencken Anno salutis millesimoquingentesimo. 4⁰. C. f. B., XII, 356 No. 5.

[3] AESOPVS graecus per Laurentium vallensem traductus finit focliciter Erphordie impressus per Wolfgangum schencken. Anno 1500. 4⁰. C. f. B., XII, 357 No. 6.

[4] In der Widmung der Orthographia.

Nestora viue igitur Cumeaque secla, precamur,
Et sis Materni tempus in omne memor.

Das Buch führt den kurzen Titel[1] Orthographia N M T. und
ist dem gelehrten Ritter und einstigen Schüler von Erfurt Johann
Wolf von Hermannsgrün[2], den Marschalk seinen comproin-
cialis heißt und mit dem er als seinem Freunde, Kenner der
beiden Sprachen und Strebensgenossen den Plan des Werkes und
seine Fortsetzung besprochen hatte, gewidmet, aber für die den
Humaniora obliegende Jugend bestimmt. Es ist ein für seine
Zeit hochverdienstliches Unternehmen, das gleichmäßig beide alten
Sprachen, das Lateinische wie das Griechische, umfaßt und das,
da für das Griechische weniger als für seine önotrische Schwester
vorauszusetzen war, diesem verhältnismäßig mehr Raum gewährt,
beide aber stetig, also in gewissem Sinne eine vergleichende
Grammatik, mit einander in Beziehung bringt. Es ist aber nicht
nur ein Regeln- und Wörterverzeichnis, es ist historisch, grammatisch, etymologisch und antiquarisch zugleich und zeugt in der
Unmenge von Belegstellen, die allerdings hin und wieder andern
Schriftstellern entnommen sind, von großer Belesenheit; Marschalk muß in seinem Besitz eine nach damaligen Begriffen
sehr umfangreiche und wertvolle Bibliothek mit vielen italienischen Drucken gehabt haben. Über die Benutzung und die
Weiterführung seiner Arbeit spricht er sich dahin aus: „Non
enim nos, sed autores legant grauissimos, unde haec desumpsimus,
quod si auspiclo tuo succedere, non dubitabimus, vel horisticen
nostram, quam te incepimus autore, et methodicen ac exegeticam
grammaticen pro communi omnium utilitate litteris posthac calchi-
typis innulgare.“

Wir geben hier eine Übersicht der einzelnen Kapitel, weil
nur auf diese Weise für die, denen das seltene Buch nicht zur
Hand ist, eine Anschauung von dem reichen Inhalte und ein Maßstab für die Schätzung des Verfassers zu gewinnen ist.

De litteris latinis. De graecis litteris. De diuisione litterarum latinarum. De diuisione litterarum graecarum. De conso-

---

[1] Impressum Erphordie per wolfgangum Schenck anno a natali
christiano milesimo quingentesimo primo. 4°. C. b. B., XII, 857 No. 8.
[2] Zu Wolf von Hermannsgrün vergl. oben Kapitel IV, 107 f.

13*

nantibus. De accentibus graecis[1]). De diphthongis latinis. De
diphthongis graecis. De αι diphthongo. De αυ diphthongo. De
ει diphthongo. De ευ diphthongo. De οι diphthongo. De ου
diphthongo. De impropriis. De υ psylo cum Jota diphthongo.
De Alpha cum Jota diphthongo. De ita cum iota diphthongo.
De omega cum Jota diphthongo. De ita cum Ipsylo diphthongo.
Oratio dominica graece. Salutatio angelica graece. Salutatio
angelica alia. Symbolum apostolorum graece. Ortographia litterarum latinarum. De ortographia litterae A. De littera B. De C.
De D. De E. De F. De G. De aspiratione. De J. De K.
De L. De M. De N. De O. De P[2]). De Q. De R. De S. De T.
De V. De X. De Y. De Z. De praepositionibus latinis. De Ab.
De Ob. De Sub. De numeris. De Ponderibus. De ortographia
litterarum graecarum: Quae sit potestas litterarum graecarum.
Quemadmodum litterae graecae in latinas transferuntur. Quam
cognationem litterae graecae, quae tenues et mediae ac aspiratae
appellantur, inter se habeant. De praepositionibus graecis. De
praepositionibus Cata et obiter aliis. De praepositione meta et
obiter aliis. De praepositione epi etc. De praepositione peri etc.
De apo praepositione etc. De hyper praepositione etc. De prae-
positione hypo etc. De praepositione anti etc. De dia praeposi-
tione etc. De praepositione pro etc. De praepositione eis et ab
ea deriuatis ac obiter aliis. De compositis a graecis. (Archo).
De dictionibus ab hippos compositis. De dictionibus a poly compositis. De dictionibus a physis compositis. De dictionibus a
philos comp. De a Chir inclinatis dictionibus. De dict. ex Theca
comp. De dict. a Theos inclinatis. De dict. a Pyr comp. De
dict. a Chrysis incl. De dict. ab Argyros incl. De dict. a Sthenos
comp. De dict. a Cleos comp. De dict. a Cratos incl. De dict.
ab Aristos deriuatis. De dict. ex Mache incl. De dict. a Nicos
incl. De dict. a Lycos incl. De dict. ab Agathos incl. De
dict. a πλουτος incl. De dict. a Protos incl. De dict. ab
δωρον incl. De dict. a Genos incl. De dict. a στρατος der.
De dict. a τελος comp. De dict. a Callistos der. De dict.
a Palin comp. De dict. a pan incl. De aspiratis in principio.

---

[1]) Die Zeichen dafür fehlen.
[2]) Nur auf das Griechische verwiesen.

De y pythagorico [1]). Quae R aspirant. Quae litteras aspirant alias.
Aspirata quaepiam, quae vulgus negligit. Quae h interponunt.
Quae h postponunt. Quae litteras non aspirant. De dictionibus,
in quibus c, t et p aspirantur. Quae J scribuntur latino. Quae L
simplo sunt scribenda. Quae geminant n et p et obiter alias
litteras. De dictionibus, quae litteras non geminant. De dict.,
quae g praeponunt. De dict., quae per g scribendae sunt, non c.
De dict, quae per n non per m scribendae sunt. De dict.,
quae diuerse scribuntur. De dict., quae litteras geminant in carmine, sed non in prosa. De dict., quae sine m scribendae sunt.
De dict., in quibus praeponitur p non sonans. De dict., quae sc
habent in principio. De tio, an t sit legendum. De dict., quae
i ante a usu habent longam, arte brenem: De Lia, De Gia, De
Mia, De Nia, De Dia, De Pia, De Cia, De Ria, De Sia, De Tia,
De Tria, De Chia, De Phia, De Thia, De Psia. De dictionibus,
quae m praeponunt, quod tamen non nominatur. De dict., quae
uno n post q conscribellantur. De dict., quae littera n pro i
scribuntur. Quae y scribuntur pythagorico. Emendata quaedam,
quae in libris impressis passim circumferuntur et monimentula
quaepiam de ortographia obiter et parerga. Propria quaedem nomina,
quorum negligit vulgus ortographiam: ex Marco Varrone, Festo
Pompeio, Nonio Marcello, Quintiliano, Prisciano, Pomponio ac Aldo
Manutio aliisque authoribus. Nomina musarum. Nomina gratiarum.
Nomina parcarum. Nomina furiarum. Nomina Nereidum. Nomina
harpyiarum. Nomina naiadum. Nomina oreadum. Nomina fluuiorum
apud inferos. Propria nomina, quae syllabam habent interaneam
longam. Propria nomina, quae syllabam habent interaneam correptam.

Das Buch ist ein beredtes Zeugnis dafür, wie sehr die
Orthographie im Verlaufe des Mittelalters verwildert und wie
notwendig eine Reform war. Auch Marschalk selbst stand noch
vielfach, wie das bei einem Bahnbrecher natürlich ist, unter dem
Einflusse des Überkommenen und bei seinem Reformversuche ist
er deshalb als Lernender und Lehrender oft noch ein Irrender.

[1]) Die Pythagoräer sollen das Y als Symbol für die drei Hauptrichtungen
des menschlichen Lebens gebraucht haben, für die Vita theoretica, practica
und philargyrica. Die Scholastiker (Thomisten) setzten dafür ein contem-
plativa, activa und quaestuaria. Stöckl, Geschichte der Philosophie des
Mittelalters, II, 700.

Die Schüler aber, die sich seiner Führung anvertrauten, und deren Schüler und Freunde lernten die Augen auftun und gingen für die mittelalterliche Unbefangenheit für immer verloren, sie wurden kritisch.

Für uns ist an diesem grammatischen Werke noch das bemerkenswert, daß es in den Kapiteln, die sich speziell mit dem Griechichen befassen, das erste in Deutschland gedruckte Lehr- und Lesebuch der griechischen Sprache ist. Zu einer wirklichen Grammatik fehlt allerdings noch recht viel, die Formenlehre und die Syntax, nur die Präpositionen sind eingehender behandelt. Aber die Orthographia sollte ja auch keine eigentliche Grammatik werden und am wenigsten eine griechische, daher genügte zur Einführung in die lateinisch-griechische Orthographie eine Lesefibel. Die Aussprache ist die des Aldus, d. h. die sogenannte Reuchlinsche.

Dem Verdienste Marschalks tut das wenig Abtrag, daß er die griechischen grammatischen Abschnitte wesentlich der bekannten Anleitung des Aldus Manutius entnahm, die 1495 zuerst erschien mit Constantini Lascaris Erotemata cum interpretatione latina[1]), die Aldus, wie er in der Widmung sagt, auf Wunsch und Drängen des venezianischen Nobile Angelo Gabrielli, der einst in Messina ein Schüler des verstorbenen Konstantin Laskaris gewesen war, gedruckt hatte. Marschalk hat dabei doch vieles selbständig zusammengestellt mit anderen

---

[1]) In hoc libro haec continentur. Constantini Lascaris Erotemata cum interpretatione latina. De litteris graecis ac diphthongis et quemadmodum ad nos ueniaut. Abbreuiationes quibus frequentissime graeci utuntur. Oratio Dominica et duplex salutatio Beatae Virginis. Symbolum Apostolorum. Euangelium Dini Joannis Euangelistae. Carmina Aurea Pythagorae. Phocilidis uiri sapientissimi moralia. Omnia subscripta habent e regione interpretationem latinam de uerbo ad uerbum.

Finis Compendii octo orationis partium et aliorum quorundam necessariorum Constantini Lascaris Byzantii uiri doctissimi optimique. Impressum est Venetiis summo studio: litteris ac impensis Aldi Manucii Romani Anno ab in Carnatione Domini nostri IESV Christi. m. cccc. lxxxxiiii Vltimo Februarii et Deo gratias. 4⁰.

Das Datum ist nach venetianischer Rechnung zu verstehen, die das Jahr mit dem 1. März begann. Das angehängte Alphabetum graecum des Aldus (De litteris graecis etc.) hat das Datum am Schlusse: Valete. Venetiis M. CCCC. LXXXXV. Octano Martii.

grammatischen und auch mit lexikalischen Hilfsmitteln. Es läßt sich nachweisen, daß ihm das griechisch-lateinische Lexikon des Johannes Crastonus zur Verfügung gestanden hat, wahrscheinlich in der Ausgabe des Aldus, bei der der Name des Crastonus verschwiegen ist[1]). Bei den sparsam eingefügten Lesestücken hat Marschalk nicht wie Aldus die lateinische Übersetzung zwischen, sondern in die Zeilen geschoben, z. B. ππατηρ pater ημων noster ο qui εν τοις ουρανοις celis etc.[2]). Seine lateinischen Quellen sind hauptsächlich Priscian, Quintilian und Diomedes, daneben Varro, Didymus, Servius, Eutropius, Scaurus, Gellius, Plinius, Tacitus, Papirianus, Victorinus Marius, Cicero u. a.

In der Widmungsvorrede an Johann Wolf von Hermannsgrün versprach Marschalk, wenn seine Orthographia Erfolg haben sollte, wolle er auch seine horisticen et methodicen ac exegeticam grammaticen drucken lassen, und er hat Wort gehalten. Am 9. August 1501 verließ die Presse des sonst wenig bekannten Erfurter Druckers und Priesters Paul von Hachenborg: Nicolai Marscalci Thurii Grammatica Exegetica[*]). Es ist sonderbar, daß dieses starke und bedeutsame Buch so ganz verschollen ist.

Auch dieses Werk ist dem Peter Eberbach zugeschrieben, und in der Widmung, die, ohne persönlich verletzend zu werden, eine Verteidigung der humanistischen Studien und einen Angriff, den ersten in Erfurt, gegen die alles beherrschende scholastische, weitschweifige und spitzfindige Behandlung der Dialektik oder

---

[1]) Dictionarium graecum copiossimum secundum ordinem alphabeti cum interpretatione latina etc.

Venetiis in aedibus Aldi Manutii, Romani Decembri mense. MIIID. Et in hoc quod in caeteris nostris ab Ill. S. V. concessum nobis. Fol.

[2]) Die Benutzung des Crastonus geht z. B. aus solchen Stellen hervor: Marschalk: Prytaneum e producta locus Athenis quo iudices versantur quem et Cicero in oratore prytaneum appelat. πρυτανειον magistratus et locus in quo habitant magistratus. Crastonus: πρυτανειον, ου, τό locus athonis in quo iudices versabantur, quem et Cicero in oratore prytaneum vocat. πρυτανειν, ας, ή magistratus et locus in quo habitant magistratus.

[3]) Impressum Erphordie per venerabilem virum Paulum hachenborg presbyterum: anno a natali christiano millesimo quingentesimo primo ad quintum idus Augustas. 128 Bl. 4°. C. I. B., XII, 358 No. 10.

Logik darstellt, gibt Marschalk über seine Absichten Auskunft
und entwickelt damit das Programm der von ihm vertretenen
Richtung des Erfurter Humanismus, er stellt als selbstverständliches
Postulat auf, daß beide Sprachen, Lateinisch und Griechisch, zur
Erreichung wahrer, allgemeiner Bildung gepflegt werden müßten.
Wir bringen damit einen martialischeren Zug zu Kampecholtes
zephyrischer Schilderung der Erfurter Verhältnisse. Vielleicht
ist es kein Zufall, daß diesem Buche empfehlende Verse des
leiser tretenden Maternus fehlen.

In geschickter Weise entwindet Marschalk vornweg den
scholastischen Gegnern die gebräuchliche Hauptwaffe, daß Plato
in seinem Staat verlangt habe, die „Poeten" müßten aus der
Stadt vertrieben werden. „Die Rede," sagt er ungefähr, „die uns
vom Tiere unterscheidet, ist ein göttliches Geschenk, und nach
Aristoteles haben die, die sich darin auszeichneten, immer bei
allen Völkern ohne Widerspruch und in allen Gebieten des Wissens
als bewundernswert gegolten. Daher handeln die klug, die ihre
Kinder vom zarten Alter an den „studia humanitatis" geweiht
haben, durch die sie die Unarten der Zunge zu reinigen und den
Schmutz der Barbarismen zu vermeiden lernen und die Kunst,
zutreffend und elegant zu reden, leicht erlangen. Denn obgleich
die meisten von Natur durch die geistige Befähigung mit Beredsamkeit begabt sind, kann diese doch anerkanntermaßen durch
Nachahmung berühmter Männer vermehrt und durch Anweisungen
unterstützt werden, durch die selbst gewisse Fehler beim Sprechen
zu beseitigen und zu verbessern sind; was, wie wir bei Plutarch
lesen, Demosthenes, jener erste Redner unter den Griechen,
im Anfange befolgt hat . . . Dazu kommt, daß diese Studien
ausgezeichnete Hilfsmittel sind, nicht, wie einige fälschlich ein-
wenden, Hindernisse oder Aufhalte, für alle die übrigen Disziplinen,
die Martianus cyklische nennt. Und diejenigen sind fürwahr
nicht zu hören, die in unsern Zeitumständen den jungen Leuten
von diesen Studien so sehr abraten, da bisher niemand unter den
Griechen oder unter den Lateinern für ein wenig gelehrter als
andere gehalten worden ist, der nicht auf sie fleißige Arbeit und
sorgfältige Pflege verwandt hätte. Und, um von den Griechen
anzugehen, hat nicht Plato, den Plinius den Priester der
Weisheit nennt, ein Buch über den „furor poeticus" geschrieben,

das er Jon betitelt nach dem Rhapsoden, der die Dichtungen Homers erklärte und diese einzig zur Leier dem Volke zu singen pflegte? Er sagt in diesem Buche, daß Gott die Dichter als seine Diener gebrauche, um unsern Geist wachzurufen, und daß alle durch ihre Gesänge ausgezeichneten Dichter nicht durch die Kunst, sondern durch göttliche Eingebung alle jene herrlichen Gedichte sängen und daß sie, wenn von der Begeisterung ergriffen, die Dolmetscher der Götter sind, von welcher Gottheit auch ein jeder ergriffen sei. Hat nicht Aristoteles, der Fürst aller Peripapetiker, seine Exoterica aus diesen Studien Alexander dem Großen in der Schule gegeben? Danach sind gewisse Bücher von ihm exoterici, d. h. extrarii, geheißen, eine Abhandlung, die er δεικνον κερματον, nachmittäglicher Spaziergang, nach der Übersetzung von Aulus Gellius, benannte. Und über Poetik schrieb er in elegantem und gewichtigem Stile ein Buch und gab auch Bücher über Rhetorik heraus. Hat nicht jener Samier Pythagoras, von dem nach Diogenes Laertius die italische Philosophie den Anfang nahm, die „goldenen Verse" hinterlassen, die durch so viele Jahrhunderte hindurch noch bis jetzt fortexistieren? Aber damit wir endlich zu den Unsrigen (den Lateinern) kommen, laßt uns wenigstens einen hören, den Marcus Tullius Cicero, der den Lateinern auch als erster die Philosophie aufhellte, der in seiner Rede für Aulus Licinius gegen Gracchus[1] über diese Studien nicht weniger fein und gewichtig spricht: Ich aber bekenne offen, daß ich diesen Studien ergeben bin, die übrigen mögen sich schämen, die sich so von den Wissenschaften fernhalten, daß sie nichts daraus, weder für den allgemeinen Nutzen herbeizuschaffen, noch selbst etwas darin hervorzubringen imstande sind. Denn die anderen Dinge sind nicht für alle Zeiten, Alter und Orte, diese Studien setzen die Jugend in Bewegung, ergötzen das Alter, schmücken glückliche Verhältnisse, gewähren in widerwärtigen Zuflucht und Trost, erfreuen im Hause, sind draußen nicht hinderlich, bringen die Nacht mit uns hin, wandern und sind im Bauernhause mit uns. Wenn wir sie selbst nicht erlangen, noch mit unserm Sinn genießen könnten, müßten wir sie doch bewundern, auch wenn wir sie an anderen sähen. Denn wir

[1] Cicero, Oratio pro Aulo Licinio Archita poeta, 7, 16, 17; 8, 17.

haben von den höchsten und gelehrtesten Männern vernommen, daß die Studien bei anderen Dingen in Lehre, Vorschriften und Kunst bestehen, daß der Dichter aber durch die Natur Dichter sei und durch die Kräfte des Geistes angeregt und wie durch göttlichen Hauch inspiriert werde. Daher nennt unser Ennius mit Recht die Dichter heilig, weil sie uns wie durch besondere Begabung der Götter empfohlen erscheinen.

Allerdings sind diese Studien nicht so zu betreiben, wie einst der heilige Hieronymus es tat, der, als er die Bücher Ciceros las, von einem Engel deshalb gezüchtigt wurde, nach dem Zeugnis des Rhabanus in De pressuris ecclesiasticis; wie auch die heiligen Dekrete wiederholen [1]: Niemand lese jemals Mathematik, niemand Dialektik und logische Spitzfindigkeiten und Weitschweifigkeiten oder gehörnte Syllogismen, wie Fabius Quintilianus sagt, Stechfliegen und Kröten, wie Origenes sich ausdrückt, da einst ganz Egypten mit harten Strafen wegen der leeren Geschwätzigkeit der Dialektiker, wie die heilige Schrift das nennt, geschlagen worden sei. Aber es müßte doch wahrhaftig die Geistesschärfe der Lesenden abgestumpft werden, wenn diese (die humanistischen) Studien gänzlich vernachläßigt würden, wie in dem Buche der Könige Beda freimütig bekennt, und wir alle müßten in den schwereren Studien gezwungenermaßen zurückgehen, wenn wir jenen ganz fremd wären. Daraus folgt, daß jene Studien nicht zu verachten sind, daß man auch in sie eindringen muß und daß alles Gute aus ihnen zu lesen ist, da auch die heilige Schrift in den Büchern des Gesetzgebers Moses vorschreibt, nicht bloß erlaubt, daß die Egypter um Gold und Silber, d. h. um die Beredsamkeit, zu berauben seien. Zu dieser Meinung hält sich auch der heilige Ambrosius, der in seiner Erklärung des Lukas äußert, daß manches zu lesen sei, um es nicht zu vernachlässigen, manches, damit wir es genau kennen lernen, anderes, damit wir es nicht behalten, sondern zurückweisen. Daher habe ich Dir, liebster Petrus, diese längst zusammengestellte, kurzgefaßte Arbeit, da-

---

[1] Dieser scharfe Angriff gegen die Scholastiker lautet im lateinischen Text: „Nemo mathemata, nemo dialecticen et argumentandi Grippos et Macandros sine crocodillitas (lies: crocodillinas) et ceratinas (argutias), ut appellat Fabius Quintilianus, Origines, cinifes et ranas, unquam legat." Mathemata ist wohl hier im Sinne des Aquilonipolensis zu nehmen.

mit Du nicht, wie man sagt, mit ungewaschenen Füßen die studia
humanitatis beginnst, für die Du schon nicht bloß wegen des
nackten Vergnügens und der Beredsamkeit, sondern auch wegen
der keuschen Mäßigung ein Kandidat bist, gewidmet. Wenn Du
sie wie Neoptolemus bei Ennius verarbeitet haben wirst, denn
es ist schimpflich, wie Aristippus bei Laertius sagt, nicht
etwas anzufangen, sondern es nicht beendigen zu können, glaube
ich, daß Du die wahre Majestät in beider Rede leichter erreichen
wirst, von deren rechtem Verständnis und Nachahmung die meisten
noch so weit fern sind, daß sie nichts richtig verstehen und
nachahmen, da sie einst in jene Studien ohne diese ersten, einfachsten und grundlegenden Vorbereitungen eingeführt sind von
gewissen Lehrern, die die empfänglichen Ohren der Schulknaben
mit scholastischen Albernheiten und dergleichen erbärmlichen
Gaukeleien anfüllen, daß nicht einmal die ersten Fundamente
gelegt erscheinen und daß diese einst als Männer kindisch werden
müssen, wenn die Götter es zulassen, nicht sowohl durch ihre als
durch jener Lehrer Nachlässigkeit. Auch sie mögen, was sie
ersehnen, endlich recht verstehen und eifrig treiben."

Die Grammatica exegetica ist für Marschalk nach Diomedes die „Grammatica narratius, quae ad lectionis officia pertinet",
ihr Gegenstand ist die „Oratio", diese aber ist eine doppelte,
„Oratio soluta et metrica", und damit haben wir die Disposition
des Werkes, das im ersten Teile, Liber primus, eine ausführliche
Rhetorik einschließlich einer Anweisung zur kunstgemäßen Ab-
lassung von Briefen[1]), in dem zweiten Teile, Liber secundus bis
quartus, eine sehr umfangreiche Poetik, Metrik und Prosodie gewährt. Um auch hier in den reichen Inhalt einzuführen, lassen
wir wie bei der Ortographia eine, allerdings hin und wieder ver-
kürzte, Kapitelübersicht folgen.

Quid sit orator. Summi oratores graeci et latini, quorum
historiam tamen plerique scripserunt. De triplici oratorum chara-

---

[1]) Ein unveränderter Abdruck dieses ersten Buches, doch mit Aus-
lassung der griechischen Stellen, erschien später, frühestens 1504, in Leipzig:
Rethorica ac ars Epistolaris Nicolai Marscalci: vtriusqne Juris doctoris
viri doctissimi. Impressum Liptzk per Jacobum Thanner. O. J. 4°.

ctere. De tribus causarum generibus[1]). De exordio. De narratione.
De constitutione. De iuridiciali constitutione. De coniecturali.
De deliberatiuo. De demonstratiuo. De laudatione. De mutorum
animalium laude. De rerum laudibus. De urbium laudibus. De
operum laudibus. De funebri oratione. De dispositione. De pro-
nunciatione. De motu corporis. De dicendi initio. De statu. De
capite. De vultu. De superciliis. De naribus ac labris. De
ceruice et collo. De humeris. De pectore, ventre et lateribus.
De pedibus. De gratiarum actione. De memoria. De elocutione.
De punctis. Rufinus de numeris et pedibus oratorum. R. de
genere iudiciali. R. de genere deliberatiuo. R. de Theophrasto.
De latinitate. De discretione. De distinctionibus. De coloribus
rhetoricis. De epistola. De epistolari officio. De epistolarum
generibus. De epistolari modo et qualitate. De litteris obsigna-
tis. De Kalendis, Nonis et Idibus.

Liber secundus. De poetica. De poematos diuisione. De
tragoedia. Quid inter comoediam et tragoediam intersit. Tragoe-
diae scriptores. De comoedia. Comici scriptores. Vulcatius Sedi-
gitlus de ordine comicorum. Satira. De satirarum scriptoribus.
De iambico carmine. De iambici carminis autoribus. De epi-
grammate. De sylua. De sothadico. De genethliaco. De epitha-
lamio. De epicedio. De elogio. De panegyrico. De enarratiuo
poemate. De scriptoribus carminis bucolici. De elegia. De versu
pentametro. De elegiacis scriptoribus. De lyrico. De scriptoribus
lyricis. De heroico carmine. De versu heroico. De heroico carmine (Feinheiten). De figuris familiaribus poetae. De vitiis fugi-
tandis in carmine heroico. De heroici carminis scriptoribus grae-
canicis. De heroicis latinis.

Liber tertius. De pedibus. De potestate litterarum. De A
vocali. De E etc. De consonantibus. De syllabis. De diphtongo.
De positione. De compositione. De praepositione. De vocali
aute vocalem. De communibus syllabis. Quae primam syllabam
habent ancipitem (alphabetisch). Quae syllabam habent interaneam
communem (alphabetisch). De syllabarum quantitate. Quae a
breuibus deriuata producuntur. Quae a longis deriuata corri-

---

[1]) Diese Überschrift ist zu eng gefaßt, da hier noch andere Begriffe
erklärt werden: dispositio, pronunciatio, inuentio, elocutio, memoria, ars,
imitatio, exereitatio.

piuntur. De prīmis syllabis. De A ante Q. De E ante R. Propria nomina, quae syllabam habent interaneam longam. Propria nomina, quae syllabam habent interaneam correptam. Liber Quartus. De prosodia sine accentibus. De regulis tonorum. De rhythmo. Quid inter rhythmum et rhythozomenon intersit et rhythoizeten. Quomodo visus auditusque numerorum dinidantur. De septem generibus numerorum. Quid sit tempus rhytmicum. De tribus temporibus numerorum. De metro. De caesura metri. De scansione. De sectione. De commate. De harmonia. De systemate. De modulatione. De melopeiarum genere et specie. De generibus pariter et speciebus metrorum et carminum varietate. De iambico carmine. De heroico carmine. De dactylico carmine. De anapaestico carmine. De procelenmatico c. De trochaico c. De choriambico c. De antispastico c. De ionico c. a minore. De ionico c. a maiore. De paeonico c. De molosso c. De cretico c. De antibacchico carmine. De speciebus carminum. De iambici carminis speciebus. De heroici carminis speciebus. De dactylici carminis speciebus. De anapaestici carminis speciebus. Und so alle oben angeführten genera carminum durch. De odis horatianis. De metris Boetii.

Nach der Widmung und dem Inhalt gelten Marschalks Ausführungen beiden Sprachen. Wenn auch auf das Lateinische der Hauptnachdruck gelegt ist, so sind doch die technischen Ausdrücke, sobald sie aus dem Griechischen stammen oder auf gemeinsame graeco-latinische Wurzeln zurückgehen, häufig zugleich griechisch gegeben oder griechisch etymologisch erklärt, und die Belegstellen für metrische Eigentümlichkeiten sind sowohl den lateinischen Dichtern wie den Griechen entnommen. Wir treffen auf Homer, Ilias, Odyssee, Batrachomyomachia; Hesiod; Thomas, Pindari interpres; Orpheus; Phocylides; Oppianus; Theocrit; Aristophanes; Archias, Epigrammata; Palladas, Epigrammata; Apollonius, Argonautica; Dionysius, Periegesis.

Als seine Quellen nennt Marschalk hauptsächlich Quintilian, dann Diomedes, Cicero, Gellius, Varro u. a. Nicht immer mag er wohl, wie in der Orthographia, seine Gewährsmänner direkt benutzt haben. Wie wir sahen, schloß das grammatische Werk auch zahlreiche litterargeschichtliche Abschnitte ein. Dies sind allerdings meist nur Aufzählungen der Autoren, bisweilen mit kleinen charakterisierenden Zusätzen, aber nicht gerade immer gut geordnet. Bei den Oratores zählt er, wie er selbst andeutet, alle ihm bekannten Prosaiker, nicht bloß die Redner, auf. In dem Abschnitte über die Komödie gibt er eine ganze Dramaturgie, eine Beschreibung des Theaters, der scenischen Ausstattung und selbst der typischen Kleidung bei den einzelnen Rollen. In die alten Bücher der Artistenfakultät fügt sich das Kapitel De metris Boetii ein[1]).

Für den Druck erwähnen wir noch, daß Hachenborch das Griechische mit neuen, kleineren, aber nicht ganz ebenmäßigen Minuskeln, wieder ohne Spiritus und Accente, druckte. Das ist innerhalb eines Jahres der zweite griechische Typensatz in Erfurt!

Eins ist wohl ohne weiteres klar, daß durch solche Bücher, wie Marschalk sie schrieb und herausgab, der Humanismus in Erfurt mit Riesenschritten vorwärts gehen mußte. Und diesen Einfluß zeigt auch ein Buch, daß selbst im Mittelalter schon und weiter seit der Begründung der Universität als eiserner Bestand wie Boetius die Kontinuität mit dem Altertum festgehalten hatte, zu dem wir gegen die litterarische Tradition erst jetzt gelangen, dem vielberufenen sogenannten ersten Drucke mit griechischen Typen in Deutschland, zu Priscians von Schenck am 7. September 1501 vollendeter Syntax oder dem Volumen minus[2]). Wir müssen hier, um alle Zweifel über unsere Einreihung zu zerstreuen, den schwülstigen Titel wie den anpreisenden Kolophon wiederholen: Prisciani Caesariensis Grammaticorum facile principis περὶ συντάξεως hoc est de Constructione libri. graecanica scriptura: vbi necessum est iampridem ab integro adornati: castigatique: vna cum phylluris postremis: quas ob nimiam Grecitatis admixturam hactenus inutiles ac vacuas plerique omnes reputantes: iniuria reiecerunt: hic amabilis puer habentur. Illos si in delicijs tenueris: fidelia: mihi crede: Co[n]structionis fundamenta iacies: ac demum in eiusdem varietate callidissime euades. Vale & salue. Habes en candide Lector Prisciani duo de Constructione volumina: Grecis litteris: id quod in Germania nunquam antea contigit: pro necessitate expressa Erphordiae per Lupambulum Gani-

[1]) Vergl. hierzu oben in Kapitel I, 15, 21, 22.
[2]) Vergl. hierzu oben in Kapitel I, 7, 8, 15, 19, 21.

medem: alias Schenck. 7. Idus Septembres Anno a natali Christiano M. D. i. τελοϛ. 4°. Aus dem Titel und dem Kolophon geht offenbar nur hervor, daß dieser Priscian die erste vollständige Ausgabe in Deutschland und ohne die üblichen Lücken an Stelle der griechischen Enklaven ist, nichts weiter.

Der Ruhmredigkeit des Titels entspricht der Druck keineswegs [1]), zuweilen ist die Wiedergabe der griechischen Zitate recht sonderbar, ja sie fehlen auf dem Bogen k stellenweise ganz. Für den nicht genannten Herausgeber möchten wir Marschalk nicht gern halten, denn dieser Herausgeber, oder mindestens der Korrektor, verstand nicht allzuviel Griechisch, wie schon aus der sinnlosen Brechung und Zusammenziehung einzelner Stellen, wie z. B. αυτοτελο-υϛ und ογαρηλ-θε, οδεοι, λεωϛυιαϛ und δουρενταλογοϛ, zu ersehen ist. Aber trotz alledem war diese wenig glückliche Ausgabe eine verdienstliche Leistung, denn es ist historisch unberechtigt, wenn auch schneidig, einen andern Maßstab als den der Zeit, in der sie entstand und der sie dienen sollte, anzulegen, während es sich von selbst versteht, daß bei dem Fortschreiten der Wissenschaften der Enkel mehr weiß als der Ahne. Für das Typographische ist hervorzuheben, daß Schencks griechischer Satz hier wiederum eine neue zierliche und klare Type, allerdings wieder nur Minuskeln ohne Spiritus und Accente, hat, die dritte in so kurzer Zeit in Erfurt!

Mit dieser Priscianausgabe kommen wir trotz ihrer sicheren Degradierung doch noch wieder zu einem Dilemma. Wenn der Drucker mit einem fehlerhaft ausgedruckten Datum recht hat, so bleibt es jetzt hier in kleinem Kreise immer wieder zweifelhaft, ob die ebenfalls 1501 gedruckte und ebenso zu degradierende Lesefibel Schencks oder sein Priscian eher ans Tageslicht getreten ist, sie wären nämlich als Zwillinge zu betrachten, Kinder desselben Vaters von einer Mutter am selben Tage geboren. Nach dem Druckvermerck müßte ebenfalls am 7. September aus Schencks Presse hervorgegangen sein: Εισαγωγη κροϛ των

---

[1]) Der Druck geht auf eine von den minderwertigen Handschriften zurück, die Krohl in seiner Ausgabe der Opera Prisciani, Leipzig 1820, in der Vorrede zum ersten Teil zitiert. Im zweiten Bande wird auch Schenks Ausgabe herangezogen.

208

γραμματων ελληνων: Elementale Introductorium in Ideoma Graecanicum [1]).

Wenn Marschalk schon die Anleitung des Aldus in der
Orthographia für seine Zwecke ansschrieb, so sehen wir hier mit
Ausnahme der Zusammenstellung: Predicte diuisiones breniter
patent in figura sequenti nnd des Abschnittes von den Accenten,
die sonst nicht verwandt werden, der vielleicht auf der Orthographia
beruht, im grunde nnr eine wörtliche Abschrift aus Aldus. Es
fehlt sonach auch hier die Formenlehre, geschweige die Syntax.
Wenn am Schlusse der vorgesetzten Verse steht: Vale lector:
Inclinationes graecarum nocum breni nisurus, so ist dieses Ver-
sprechen nicht eingelöst worden. Nicht von Aldus stammt auch
der auf der dritten Seite befindliche, christlich allegorisierende
Καταλογος των γραμματων ελληνων, bei dem der Hexameter für Κ fehlt.

Die Εισαγωγη ist bisweilen zweifelhaft durch die Hinzufügung
lateinischer Übersetzungen, zu denen das Crastonisch-Aldinische
Lexikon benutzt ist, bereichert. So ist z. B. αιγιτ mit scutum
Jouis, quo Libyes ntuntur [2]), und τετραφα gar mit de terra scriptura!
wiedergegeben. Eine wirkliche Bereicherung sind, aber nicht
durchweg gebrancht, teilweise durch Holzschnitt hergestellte
griechische Maiuskeln und Minuskeln in verschiedener Form und
Abbreviaturen und Kolligaturen. Die mit dem lateinischen
Alphabet zusammenfallenden Maiuskeln sind hierbei Schencks
Antiqna entnommen. Γ, Ζ, Λ, Σ sind aus abgefeilten F, N, A, M
gewonnen. Auffallenderweise fehlen Lesestücke fast gänzlich, am
Ende stehen nur vielfach im Texte mangelhaft gesetzte Ευλογι
πρατιζιο (!) und diese ohne lateinische Übertragung.

_____

[1]) Εισαγωγη προσ των γραμματων ελληνων: Elementale Introductorium in
Ideoma Graecanicum. Alphabetum graecnm et cins lcetura. De diuisione
litterarum graccarum. De diphthongis graecis proprijs et improprijs. De
potestate litterarum graecarum. De potestate diphthongorum propriarum et
impropriarum. Quemadmodum diphthongi graeco et litteré grece in latini
litteris transferuntur. Quonamodo diphthongi graece ad latinos nenere.
Abbreulature frequentario graecanicarum litterarum.

Expressum Erphordiae per Lupambulum οινογοον alias Schencksa.
Anno Christi. M. CCCCC. I. ad xxv. Calendas Octobres. 4°. C. f. B.
XII, 359 No. 12.

[2]) Bei Crastonus steht: αιγις, θεος, ἡ, aegis, scutum Jouis et tegmen,
quo Libyes utuntur.

Auch bei diesem Drucke würden wir Anstand nehmen, zu
behaupten, daß Marschalk ihn besorgt habe. Wenn irgend ein
Anhalt vorläge, möchten wir hinter dem Priscian und der Εισαγωγη
als Urheber Maternus Pistoriensis suchen, der an Umfang der
humanistischen Bildung, wie es scheint, hinter Marschalk zu-
rückstand, doch recht wohl durch dessen Vorgehen angeregt sein
konnte. Daß Maternus sich ebenfalls die Rudimente des
Griechischen anzueignen versucht hat, das bezeugt ein Schenckscher
Druck, der um dieselbe Zeit entstand: Declamatio Lepidissima
Ebriosi: Scortatoris: Aleatoris: de viciositate Disceptantium
Condita a Philippo Beroaldo[1]).

Diese vielwiederholte humanistische Deklamation hatte
Philippus Beroaldus der Ältere in Bologna 1499 auf den
Wunsch von seinem und des Celtis Schüler, des Breslauer
Kanonikus Sigismund Gossinger (Fusilius) verfaßt und
diesem gewidmet[2]). Maternus, dem sie vor die Augen gekommen
war und der sie als supra modum lepidam gern besessen hätte
und sie mehrmals brieflich aus Bologna durch Thomas Wolf
Junior zu erlangen versucht hatte, erhielt sie durch einen
glücklichen Zufall mit Hilfe Schencks oder οινοχοος, den er
als seinen „sodalis lepidus" bezeichnet, der sie, wie Maternus
enthusiastisch sagt, „singulari Dei optimi maximi prouidentia pro
auro, quod conquisitum in vestris fodinis montanis (den sächsisch-
erzgebirgischen Gruben) exierat, nobis tandem detulit." Auf An-
suchen Schencks, der das Buch nicht für Erfurt allein, sondern
auch für den Leipziger Markt drucken wollte, versah er es mit
einem Dedikationsbriefe (vom 26. September 1501) an Andreas
Archegus Delicensis, d. i. Andreas Propst oder Epistates
Delicianus in Leipzig, der wie Maternus neben Marschalk
neben Hermann von dem Busche und Johannes Rhagius

---

[1]) Impressum Erphordie ab Lupambulo Pocillatore alias Schenck
diligenter et emendate. Anno Salutis Millesimo quingentesimo primo: dum
Bacchi munera Passim Mortales Lecturirent. C. f. B., XII No. 14.

[2]) Die erste Ausgabe: Impressum a Benedicto Hectoris diligenter
et emendato. Anno salutis Millesimo vndequinquagesimo. Illus. Jo, Ben.
Reipu. Bononiensis habenas feliciter moderante. 4°. Zu Gossinger oder
Fusilius vergl. G. Bauch in der Schles. Zeitschrift, XVII, 241, 255, und
Deutsche Scholaren in Krakau, 30 No. 11.

Aesticampianus ein Vertreter des gemäßigten, älteren, noch scholastisch gefärbten, seßhaften Humanismus war[1]) und es als „Enarrator poetarum in gymnasio vestro famatissimo apprime nobilis" auch seinen älteren Schülern erklären sollte. Die griechischen Zitate dieser Vorrede sind mehrfach noch kindlich fehlerhaft. Maternus taxierte aber dabei Propst als noch etwas unter sich, indem er schrieb: „Mox ipse memor adagij illius greci ανϑρωπος ανϑρωπου δαιμονιον: quod est, ut latine dicam, Homini homo deus."

Aus Schencks Presse ging, soweit wir sehen, nur noch ein undatierter Druck mit griechischen Stellen hervor: Marci Tullii Ciceronis Paradoxa[2]). Dieser Druck gab zum ersten Male in Deutschland die einzelnen Paradoxen auch Griechisch. Ein Herausgeber ist wieder nicht genannt, die poetischen Beigaben sind gleichfalls anonym. Ohne Nennung eines Herausgebers erschienen 1501 auch bei Schenck die Aeglogae Vergilij Neoterici: hoc est Baptistae Mantuani Carmelitae[3]), den auch Marschalk in der von allen Zeitgenossen geteilten hohen Verehrung und Überschätzung in seinen Werken stets nur als Vergilius neotericus zitiert hatte. In seinem Enchiridion poetarum[4]) sagt er: el synchronismi nostri immortale decus Baptista Vergilius neotericus." Paul von Hachenborg druckte 1501 ebenfalls ein humanistisches Buch, das Beziehungen zu Erfurt hatte, die Schulhumoreske des Deventerer Lehrers Bartholomaeus Coloniensis[5]), die unter den Titeln Epistola mythologica oder Dialogus mytho-

---

[1]) G. Bauch, Geschichte des Leipziger Frühhumanismus, 29, 50, 72, 77, 100, 150, 155, 170—173, 178, 183, 184.

[2]) Ciceroniana Paradoxa hic finiunt: Actorni dei Gloriς. Erphordiς in Aedibus Wolphgangi Schencken. 4°. C. f. B., XII, 364 No. 24.

[3]) Erphordie impressum per Lupambulum Pocillatorem alias Schencken Anno M. CCCCC. I. ad sextum Kal. Norbr. 4°.

[4]) S. hier weiter unten.

[5]) Bartholomei Coloniensis Epistola Mythologica cum quorundam difficilium vocabulorum in ea positorum luculenta interpretatione.

Impressum erphordie Anno domini Millesimo quingentesimo, primo per honorabilem dominum Paulum de Hachenborgk. 4°. C. f. B., XII, 358 No. 9. Diese Epistola ist deutsch und lateinisch abgedruckt v. D. Reichling in den Mitteilungen der Gesellschaft für deutsche Erziehungs- und Schulgeschichte, VII, 111 f. Über Bartholomaeus Coloniensis und seine Werke handelt in denselben Mitteilungen, VIII, 272 f., Karl Sönneckn ausführlich.

logicus bekannt und (ca. 1489) an einen Erfurter namens
Pancratius gerichtet ist.

Seit dem Erscheinen der Orthographia finden wir, wenigstens
nach unseren Quellen, Marschalk nicht mehr in Verbindung mit
Schenck. Er emanzipierte sich noch in dem Jahre 1501, wie es
scheint, um seinen Bestrebungen um so ungehinderter nachgehen
zu können, finanzielle Bedenken konnten einen Berufsdrucker recht
wohl von allzuweit ansschauenden Spekulationen abhalten, ganz abgesehen von den gewerbsmäßigen Typographen, indem er eine eigene
Privatdruckerei in seinem Hause einrichtete. Allerdings ist erst
das letzte der mit ihm in Beziehungen stehenden Druckwerke
direkt aus seinem Hause datiert, aber seine neue, schöne, schlanke
Antiqua erscheint eben nur in Drucken die in engem Zusammenhange mit ihm sind. Auch einen griechischen Satz nannte er
sein eigen, es sind Schencks letzte griechische Minuskeln ohne
Accente und Spiritus, und da Schenck fortan, ebenso wie sein
Besitznachfolger Matthäus Maler, nur noch sporadisch griechische
Typen anwendet, so liegt es nahe anzunehmen, daß er den Haupt-
bestand seiner griechischen Lettern an Marschalk abgetreten hat.

Der neue Satz Marschalks erschien zuerst am 1. Oktober
1501 mit: Laus musarum ex Hesiodi Ascraei Theogonia. Coelii
Lactantii Firmiani Carmen de anastasi Christi: hoc est Christi
resurrectione. Publii Ouidii Nasonis Carmen ex Metamorpho-
seon quintodecimo de phoenicis mortui reparatione. Decii Magni
Ausonii Poeonii carmen de festo pascatis. Claudii Claudiani
Carmen de saluatore Christo. Fratris Baptiste Mantuani Carme-
lite ad bestam uirginem uotum. Angeli Politiani hymni duo
de diua uirgine. Domici (!) Paladii Sorani carmina ad uirginem Mariam. Nicolai Marscalci Thurii Carmen de diua
Anna. Nicolai Marscalci Thurii Carmina de moribus archigrammatorum hoc est scribarum. Appendix Georgii Burchardi
Speltini pueri amanuensis N. M. T. interpretatio glossematon
horum carminum: hoc est nocnm difficilium explanatio ad Petrum
Erythrapolitanum suum symmathetam hoc est condiscipulum [1].

---

[1] Expressum Erphordio per Enricum Sertorium Blancopolitanum
Anno domini millesimo quingentesimo primo ad calendas octobres. 4°. C.
t. B., XII, 368 No. 30. Über Sertorius (Schappeler?) ist nichts bekannt.

14*

Der Mitherausgeber, Marschalks Schüler und Amanuensis
Georgius Burchardus Speltinus, ist Georg Spalatin[1]), der
im Sommersemester 1498 in Erfurt als Georius Borgardi de
Spaltz immatrikuliert und 1499 Baccalaureus der Künste geworden
war. Sein Mitschüler Petrus Erythrapolitanus ist wieder
Peter Eberbach. Die Appendix Spalatins ist mit griechischen
Vokabeln und gelegentlich (C b) mit einem solchen Zitate durch-
setzt. Marschalk erzog hiernach seine Schüler zur Mitarbeit und
dadurch zu selbständiger Arbeit. Die griechische Quelle Spalatins ist wieder Crastonus. Er schloß die Appendix mit einem
Distichon, das seinen ersten gedruckten Versuch bildet:

Eiusdem Georgii Distichon ad Petrum Erythrapolitauum.

Accipe iam pingui glossemata nostra Minerua
Posthac si vinam mox meliora dabo.

Das Schriftchen enthält auch noch eine von uns schon erwähnte[2])
Merkwürdigkeit, nämlich die Noten zu dem Marschalkschen Gedichte Mores amatoris, den ersten Notendruck in Erfurt. Marschalk war demnach auch darin Humanist, daß er selbst kompo-
nierte.

Diese kleine Anthologie war für Marschalk, man muß seinen
geschäftlichen Wagemut bewundern, nur ein Präludium zu einem
Prachtwerke, einem für einen Privatmann und eine Privatdruckerei
erstaunlich umfangreichen und groß angelegten Unternehmen
(462 Bl.), zu dem im April 1502 vollendeten Enchiridion Poetarum
Clarissimorum[3]).

Die in vier Bücher eingeteilte Sammlung griechischer und
lateinischer Dichter leitete Marschalk mit einem Carmen de laude
priscorum philosophorum et poetarum, einer Übersicht über alle
vier Bücher und einer Praefatio de poetarum officio et ordine
eorum ein und schloß sie mit eigenen Gedichten ab und einem
Index carminum et ad quid unumquodque possit allegari. Das

[1]) Zu Georg Spalatin s. o. Kapitel IV, 145—147.
[2]) S. o. in Kapitel 11, 37.
[3]) Impressum Erphordiae anno a natali christiano millesimo quingentesimo secundo ad sextum calendas Maias. Valeto candidi lectores et haec
interim amate: mox Enchiridia nostra alia ex graecis et latinis authoribus
uobis dabimus. 4°. C. f. B., XII, 369 No. 31.

Enchiridion sollte also nicht nur ein Lese- und Unterhaltungsbuch sein, sondern auch praktischer, schulmäßiger Verwendung dienen. Er geht im ersten Buche von Orpheus aus und beendet das vierte mit Versen aus den Epigrammen seines Zeitgenossen Hieronymus Balbus[1]). Uns interessieren hier die griechischen Exzerpte, da sie die erste planmäßige Einführung in die griechische poetische Litteratur in Deutschland darstellen.

Im ersten Buche finden wir zuerst, für uns unbekannter Herkunft, einen Abschnitt Ex Orpheo, neun auf Zeus bezügliche griechische Zeilen mit lateinischer Interlinearübersetzung machen den Anfang, das Weitere aus diesem Dichter ist nur in lateinischen Hexametern gegeben. Es folgen die sogenannten Carmina aurea des Pythagoras und das κομμα νουθετικον des Phocylides[2]), beides mit der lateinischen Interlinearübersetzung und aus der Leseanleitung des Aldus stammend. Hieran schließt sich, nur lateinisch, Porphyrius de oraculis Apollinis. Dann erst kommen Exzerpte Ex Homero, zuerst Beispiele des Homerischen Stiles, darauf meist kurze griechische Zitate mit lateinischen hinweisenden Überschriften, eine Quelle für viele humanistische Zitate, dann solche kurze, meist sententiöse Stellen aus der prosaischen lateinischen Übersetzung des Laurentius Valla und ein Abschnitt aus der metrischen Übersetzung des sogenannten Pindarus Thebanus. Nur lateinisch folgt hierauf Ex Hesiodi Ascraei Georgicis Liber Primus, Ex libro secundo, Ex Hesiodi Theogonia, Ex Theocriti Bucolicis, Ex Moscho de amore fugitivo, Ex eodem in elegia de violis. Griechisch kommt nun: καλλιμαχου εις λουτρα της παλλαδος mit angehängter lateinischer Version, und den Beschluß des ersten Buches bildet, erst griechisch, dann lateinisch, Ex Pulice poeta antiquo Politianus (Hermaphroditus).

Im zweiten Buche stehen lateinische metrische Übersetzungen Ex Arato philosopho et poeta, tralatore Festo Avienio[3]),

---

[1]) Zu Balbus vergl. G. Bauch, Die Reception des Humanismus in Wien, 39 f.

[2]) Eine in lateinischen Hexametern abgefaßte Übersetzung des Phocylides gab nach Aldus' prosaischer Übersetzung 1500 Jacobus Locher Philomusus. S. Lochers Biographie von Hehle, I, 34—37. Über den Pseudo-Phocylides handelt J. Bernays, Über das phokylideische Gedicht, ein Beitrag zur hellenischen Litteratur, Berlin 1856.

[3]) Lies: Festo Avieno.

Germanico Caesare, Marco Tullio Cicerone; Ex Dionysii
poete graeci perihegesi, tralatore Prisciano, Ex Oppiano philosopho et poeta, Halieuticon, hoc est de natura piscium tralatore Lippio. Griechisch kehrt dann noch einmal hier in
einzelnen Zeilen des Ausonius und im vierten Buche wieder,
wo einzelne Epigramme Politians lateinisch und griechisch
abgedruckt sind. Am Ende des vierten Buches stehen, weil sie
in der kleinen Sammlung Laus musarum etc. nicht glücklich gedruckt waren, Marschalks eigene Dichtungen, um eine
vermehrt. Wir führen sie auf, weil es sich doch gehören wird,
dem Herausgeber selbst als Poeten gerecht zu werden: De diua
Anna (Elegie), Eiusdem de moribus archigrammatorum (Distichon),
De moribus amatoris (Elegie), Mores aleatoris et ebriosi carmine
Sapphico Adonico, Mores arrogantis scribae carmine asclepiadeo,
Eiusdem de morte ingeniosissimi magistri Joannis Volggener
ciuis Erphordiensis qui faber fuit armorum celeberrimus Epitaphium
et carmen funebre.

Marschalk beabsichtigte, wie wir aus dem Kolophon ersehen,
noch mehr griechische und lateinische Dichtungen herauszugeben;
er ist dazu in Erfurt und auch später nicht mehr gekommen.

Das Enchiridion ist im ganzen und jedes Buch einzeln seinem
Schüler Heinrich Eberbach[1]) gewidmet, der kurz vorher mit
seinem Bruder Petrus das Baccalaureat der Künste erlangt hatte.
Es zeigt übrigens noch einen Zug von Marschalks Neigungen,
der ihn auch als Kind der Renaissance kennzeichnet, es ist durch
Holzschnitte, die die Porträts der Dichter, allerdings recht naiv,
darstellen, reichlich geziert, nur das erste Buch entbehrt dieses
Schmuckes. Auf den Vorsatzblättern ist Pallas abgebildet als
züchtiges Jungfräulein mit niedergeschlagenen Augen, das Magister-
barett kokett auf den langen, aufgelösten Haaren, in der Linken
eine riesige Nelke. Mehrfach findet sich auch das Porträt von
Marschalk selbst in zwei Auffassungen, als Magister und in
bürgerlicher Stutzertracht[2]), sein Wappen, das zweigeschwänzte,
gekrönte Meerweibchen, zur Seite, so auf der vierten Seite mit

---

[1]) Zu Heinrich Eberbach vergl. o. Kapitel IV, 142.

[2]) Diese Holzschnitte und einige von den andern sind beschrieben im
C. f. B., XII, 369 f. Das Wappen mit dem Meerweibchen benutzte Marschall
in Rostock als Druckersignet.

dem untergesetzten Motto: Utcunque ferent ea facta minores | Vincet amor patriae.

Ist das Enchiridion schon durch seine Holzschnitte in gewisser Weise verschönt, so ist die folgende zwiefache grammatische Publikation Marschalks, die wieder etwas Neues, einen Fortschritt auf seinem Wege zur Erweiterung des Kreises der humanistischen Studien, bringt, nicht nur durch zwei solcher Bilder[1]), sondern auch noch durch Doppeldruck, rot und schwarz, ausgezeichnet. Dieser Prachtdruck ist das Doppelwerk[2]): Introductio ad litteras hebraicas Vtilissima. Alphabetum hebraicum et eius lectura. Vocalium hebraicarum characteres. Vocalium cum consonantibus combinationes. Oratio dominica hebraice: et iuxta latine. Emendata quaedam quae leguntur deprauate[3]). Et alia. Titulus saluatoris nostri graece latine et hebraice. Εισαγωγη προς των γραμματων ελληνων. Elementale introductiorum In Idioma Graecanicum. Alphabetum graecum et eius lectura. De diuisione litterarum graecarum. De diphthongis graecis propriis et impropriis. Abbreuiationes et Colligaturae. De accentibus graecis. Oratio dominica graecae (!) et iuxta latine. Euangelium Joannis graece et iuxta latine. Salutatio angelica alia graece et iuxta latine. Benedictio mensae graece et iuxta latine. Gratiae post mensam graece et iuxta latine. Dicteria id est prouerbia septem sapientum metrice. 4°.

Daß diese beiden Leseanleitungen, die zuweilen einzeln erhalten sind[4]), untrennbar zu einander gehören, beweisen die Verse Marschalks auf der ersten Seite der hebräischen Introductio:

N. Marscalcus Thurius de Laude litterarum hebraicarum.

Ne contemne puer: sunt grammata prima: sacratae
Gentis Apelleae: nil nisi sacra docent.

Eiusdem epigramma graecum de laude litterarum graecarum.

ελληνων σιγλη του δειπνου λειψανα καδμου
ρωμαιοις πηγη δωρατα κλεια θεων.

---

[1]) Einer von diesen Holzschnitten, C. f. B., XII, 372, bot einen sichern Anhalt, die Geschicke des typographischen Apparates Marschalks genau festzustellen, der Mann mit dem unendlichen Spruchbande.

[2]) O. O. u. J. 4°. C. f. B., XII, 471 No. 32.

[3]) Ein solcher Abschnitt fehlt im Druck.

[4]) Die hebräische allein in Berlin, Kgl. Bibliothek, die griechische allein in Halle, Universitätsbibliothek.

Conuersio epigrammatos einsdem.

Graecorum splendor: Romanae gloria linguae:
Cadmea (!) proles: munera clara deum.

Beide Anleitungen führen uns wieder zu Aldus Manutius
zurück. Die älteste Ausgabe von Aldus griechischer Introductio
haben wir schon kennen gelernt, die griechische und die hebräische
vereint enthält zuerst Constantini Lascaris Byzantini de octo
partibus orationis Liber Primus. Eiusdem de Constructione Liber
secundus. Eiusdem de nomine & uerbo Liber tertius. Eiusdem de
pronomine secundum omnem linguam, et poeticum usum opusculum[1]).
Wir haben damit wohl die Aldine vor uns, die Aldus in dem
Briefe vom 3. Oktober 1497 an Konrad Celtis als soeben gedruckt erwähnt und diesem zuschickt[2]).

Marschalks Introductio utilissima ist eine wörtliche Wiederholung der Aldine einschließlich der Vorrede mit der unter-
gesetzten litteralen Aussprache und lateinischen Übersetzung, die
einzige Abweichung besteht darin, daß Marschalk sinngemäß
den Druck von der letzten Seite anfängt, während Aldus zwar
das Hebräische regelrecht von rechts nach links gesetzt, die Seiten
aber von vorn nach hinten zu gedruckt hat. Das Hebräische ist
bei Marschalk zeilenweise in Holz geschnitten, kein Typendruck,
und nicht arm an Fehlern, aber auch Aldus' Typen zeigen schon
manche von diesen Fehlern und Mißverständnissen. Wenn sonach
Marschalk selbst noch recht wenig Hebräisch verstand, so ist
doch seine Introductio der erste hebräische Druck in Nord-

---

[1]) Der Titel geht weiter: Haec omnia habent e regione latinam interpretationem ad uerbum fere propter rudes, ita tamen ut et amoueri et addi
possit pro cuiuscunque arbitrio. Cebetis tabula et graeca et latina, opus
morale, et· utile omnibus, et praecique adolescentibus. De literis graecis
ac diphthongis ut quemadmodum ad nos ueniant. Abbreuiationes, quibus
frequentissime graeci utuntur. Oratio dominica et duplex salutatio ad Beatiss.
Virginem. Symbolum Apostolorum. Euangelium diui Joannis Euangelistae.
Carmina Aurea Pythagorae. Phocylidis Poema ad bene, beateque
uiuendum. Omnia haec cum interpretatione latina. Introductio perbreuis
ad hebraicam linguam.
Venetiis apud Aldum non sine priuilegio ut et in aliis. O. J. 4°.

[2]) Der Brief ist abgedruckt bei J. Schück, Aldus Manutius, 120, 121,
aber mit dem Jahre 1498; wegen anderer Briefe des Celtis, worin von
seiner geplanten Reise nach Venedig die Rede ist, gehört er nach 1497.

deutschland [1]). In derselben Weise hat er auch später in Rostock [2])
die ersten Rudimente des Hebräischen und den ersten hebräischen
Druck eingeführt.

Das griechische Introductorium ist eine starke Verkürzung
des Aldus, wohl die elementarste aller erhaltenen Anleitungen,
Alphabet, Lautlehre, Abbreviaturen und Colligaturen, diese
Spezialitäten sind in Blockschnitt hergestellt, nehmen nur eine
Seite ein, bis zur vorletzten (achten) Seite folgen dann die Lese-
stücke mit der lateinischen Interlinearübersetzung. Diese Ver-
kürzung erklärt sich zwanglos aus der Voraussetzung der
Orthographia, zu der das Introductorium nur die Einleitung war.

Seine Buchdruckertätigkeit in Erfurt beschloß Marschalk
mit einer ebenfalls zierlich in Doppeldruck gesetzten kleinen
Inschriftensammlung [3]): Epitaphia quaedam mire uetustatis: que
uiri boni ac eruditi & antiquitatis amatores posteaquam in sancta
& religiosa pro litteris peregrinatione statuas monumenta ac urnas
adorauerunt in quibus erant inscripta inde fideliter colligerunt:
et ad amicos miserunt . INPRESSVM ERPHORDIE IN AEDIBVS
MARSCALCI. 4°. Wir erwähnen dieses seltene Werkchen als
ersten Versuch einer Inschriftensammlung in Deutschland. Die
Inschriften stammen aus Italien, Mainz und Bethlehem und sind
noch recht ungleichwertig. Eine schöne apokryphe ist: Epitaphium
Lucrecie In episcopatu Viterbiensi, von Tarquinius Collatinus
seiner Gemahlin gesetzt, VIXIT an. XXII. men. III. di. VI.! Als
Bilderschmuck findet man: Figurae urnarum in quibus Romani
defunctorum olim cinerem religiose adseruabant, einen verzierten

---

[1]) In Süddeutschland stellte Konrad Fyner in Eßlingen schon 1475
ein Werk Petrus Nigris mit hebräischen Blocktypen her. E. Nestle,
Nigri, Böhm und Pellican, 5 f., G. Hauch, Die Anfänge des Humanismus
in Ingolstadt, 10.

[2]) Rudimenta prima linguę hebraicę. Impressum foeliciter, Rostochii
in ędibus Thuriis, Calendis Aprilibus, anno M. D. XVI. 4°.

Compendium grammatices hebraicę. Impressum, foeliciter, Rhostochii
in ędibus Thuriis, Calendis Maiis. Anno M. D. XVI. 4°.

Orationes: hymni: nomina dei, et testamenti ueteris, ac alia quędam
non aspernanda hebraice. Impressum foeliciter, Rhostochii, in ędibus Thuriis,
Nonis Aprilibus Anno M. D. XVI. 4°.

[3]) C. f. B., XII, 372 No. 33.

bauchigen langhalsigen Henkelkrug und eine verzierte bauchige doppeltgehenkelte Stechurne.

Wir stehen mit den Epitaphien nicht bloß am Ende von Marschalks typographischer Beschäftigung in Erfurt, sondern auch am Abschlusse seiner Wirksamkeit als Lehrer der akademischen Jugend. Für sich selbst hatte er nebenbei noch das Baccalaureat in beiden Rechten erworben, das ihn nach menschlichem Ermessen allmählich auf den den Zeitgenossen nicht ungewöhnlichen Weg vom humanistischen Idealismus zum juristischen oder staatsmännischen Realismus führen mußte und als Doctor iuris utriusque auch geführt hat, ohne ihn jedoch der wissenschaftlichen, humanistischen Arbeit und der akademischen Lehrtätigkeit wie dem Drucke litterarischer Werke jemals ganz abwendig zu machen. Noch 1502 verließ er Erfurt und wurde als einer der ersten Universitätslehrer und Studenten der am 18. Oktober 1502 eröffneten Universität Wittenberg eingetragen[1]).

Es ist zu bedauern, daß so wenig Direktes von der Einwirkung seiner Bemühungen, und besonders für das Griechische, auf bestimmte Persönlichkeiten in Erfurt bekannt ist. Seine eifrige Tätigkeit muß einen geeigneten Resonanzboden gefunden haben, denn sonst dürfte es sich materiell wohl kaum verlohnt haben, daß Schenck, Hachenborg und er selbst soviel Arbeit und Kosten auf die Herstellung von Druckwerken verwendeten. Nur Petrus und Heinrich Eberbach und Georg Spalatin sind uns als seine Schüler begegnet. Ein Propagator des Griechischen in Wittenberg und Frankfurt a. O., der später in nahen Beziehungen zu Marschalk stand, Hermannus Trebelius[2]) aus Eisenach oder Nazza, war seit dem Wintersemester 1500 in Erfurt und also wohl dort schon sein Schüler. In demselben Semester

---

[1]) Seine Wirksamkeit in Wittenberg siehe bei G. Bauch, Die Anfänge des Studiums der griechischen Sprache und Litteratur in Norddeutschland. Mitteilungen der Gesellschaft für deutsche Erziehungs- und Schulgeschichte, VI, 76 f., und in Rostock, ebenda, 191 f. C. f. B., XII, 378 f., 401 f. O. Krabbe, Die Universität Rostock, 278 f., G. C. F. Lisch, Geschichte der Buchdruckerkunst in Mecklenburg, 92 f. G. Bauch in der Monatsschrift für Geschichte und Wissenschaft des Judentums, N. F. XII, 145, 146, und Index bibliographicus No. 42, 43, 44.

[2]) S. o. Kapitel IV, 155—157.

ist der nachmalige Augustiner Johann Lang[1]) aus Erfurt intituliert, auch dieser später ein Kenner des Griechischen, eine Zeit lang freiwilliger Lehrer dieser Sprache in Wittenberg und erster Lehrer darin des Eobanus Hessus und des Justus Jonas. Im Sommersemester 1500 ist Jacobus Ceratinus[2]) eingetreten, der sich später großer Anerkennung als Grieche bei Erasmus erfreute und Dozent der Sprache in Leipzig wurde. Seit 1498 studierte in Erfurt auch Johann Jäger aus Dornheim, berühmt als Crotus Rubianus[3]), Mutians, Huttens und Luthers Freund, frühzeitig im Besitz griechischer Kenntnisse. Auch der seit dem Wintersemester 1499 in Erfurt weilende Andreas Karlstadt[4]) zeigt später einiges Wissen und Vorliebe für das Griechische. Es ist wohl erlaubt, zu vermuten, daß diese Männer die Grundlagen im Griechischen Marschalk verdankten. Nach seinem Weggange hört man zunächst lange nichts von einer etwa üblichen und endlich eingehenderen Behandlung des Griechischen an der Universität, aber in dem Kreise der Erfurter Poeten wirkten seine Anregungen weiter.

Als offizieller Lehrgegenstand wurde die Sprache dann erst im Sommer 1519 eingeführt[5]), nachdem Wittenberg 1518 vorangegangen war, wo Marschalk als erster Anreger schon vom ersten Semester der Hochschule an wie später in Rostock privatim Griechisch gelehrt hatte. In Rostock nahm er 1516 schon auch das Hebräische wieder auf.

Marschalks kraftvolle von seinen hohen Zielen und seiner Begeisterung für die Sache immer weiter fortgeführte Tätigkeit hatte den Erfurter Humanismus mächtig vorwärts gebracht und ihm den Stempel der Hochrenaissance unvertilgbar aufgeprägt, ein Rückschritt war nun nicht mehr möglich. Dafür sorgte die Existenz seiner Druckwerke, die nicht wie ein Blatt vom Winde verweht werden konnten, und die vielseitigen Anregungen, die von ihm ausgegangen waren, und schaut man näher hin, so muß man erkennen, daß damit die Höhe des Humanismus fast schon

---

[1]) S. o. Kapitel IV, 158—160.
[2]) S. o. Kapitel IV, 153—155.
[3]) S. o. Kapitel IV, 145—149.
[4]) S. o. Kapitel IV, 152, 153.
[5]) S. hier unten am Ende.

erreicht war. In seinen philologischen Arbeiten hat er keinen
Nachfolger gehabt, nur die lateinische Poesie eines Eobanus
Hessus und eines Euricius Cordus sollte noch eine schöne
Blüte zeitigen, die den Erfurter Humanismus so verklärte, daß
man darüber den Baumeister der soliden Grundlagen fast vergessen hat. Mutianus, der eigentliche Weiterführer seiner Ideen,
wußte ihn gebührend zu schätzen [1].

Führer der Humanistenschar wurde jetzt Maternus Pistoris,
den Spuren seiner Wirksamkeit ist jedoch ziemlich schwer nach-
zugehen, weil er sich vom Druck von Werken nun gänzlich zu-
rückhielt, oder wenigstens sich als Herausgeber nicht nannte.
Wie wenig [2] ist doch über diesen interessanten Mann bekannt!
Seine trotz der treuen Neigung für den Humanismus den Anhängern des Alten gegenüber vollständig farblose Haltung hat
nicht den geringsten Mißton nach dieser Seite hin aufkommen
lassen, und da auch Marschalk Sache und Person geschieden
hatte und mit den Vertretern der Scholastik, die den Humanismus
wohlwollend duldeten und ihn als Schmückung selbst ihrer
Arbeiten durch Verse der Poeten oder eigene Zitate gern verwandten oder verwenden ließen, kollegialisch Frieden gehalten
hatte, so bildete sich in Erfurt die vierte Spielart der humanistischen Übergangszeit heraus, die Scholastiker mit humanistischen
Allüren, die man nicht mit solchen Männern wie Aquilonipolensis
verwechseln darf. Die Tätigkeit des Maternus und die An-
schmiegung der hervorragenderen Scholastiker an humanistische
Äußerlichkeiten bilden den letzten Ausläufer des Erfurter Frühhumanismus.

Es ist ein Zeichen von dem Umfange des Gebietes, das der
Humanismus in der Studentenschaft jetzt errungen hatte, daß
selbst die Scholastiker sich seinem Einflusse nicht mehr ganz

---

[1] Mutianus schickte 1505 Briefe an Urbanus und schrieb dazu:
„Quin ille nobilissimus Thurius sua te delectabit elegancia, cui Materni
l'istoriensis epistolam sodalitatis nomine copulaui." K. Gillert, Der
Briefwechsel des Conradus Mutianus, No. 8.

[2] Was Kampschulte, a. a. O., I, 56, 57, über den Schülerkreis des
Mutianus erzählt, ist freie Phantasie. Um das ganze Spinnengewebe ver-
muteter, aber als begründet dargestellter Verhältnisse bei Kampschulte
darzulegen, müßte man eine eigene Quellenuntersuchung schreiben.

entziehen konnten und dann auch nicht mehr wollten. Die in der Zeit von Marschalks Anwesenheit entstandenen logischen Werke des am meisten genannten Erfurter Scholastikers Jodocus Trutfetter aus Eisenach[1]), immatrikullert im Wintersemester 1476/77, Baccalar 1478, Magister 1482, Dr. theol. 1504, sein Breuiarium dialecticum 1500 und seine Summule totius logice 1501, tragen lobende Verse von Marschalk und von Maternus. Pistoris schrieb zu dem letzten Werke auch die anerkennende Vorrede[2]). Bei Trutfetter ausdauernd, gab Maternus auch ein Hexastichon zu seiner Compendiaria paruulorum logicorum Explanatio, c. 1502, Verse zu seiner Veteris artis expositio, zu seinem Analyticorum: Topicorum et Elenchorum Aristotelis succinctum et breniusculum Interpretamentum und ein Tetrastichon zu seiner Explanatio in nonnulla Petri Burdegalensis[3]): quem Hispanum dicunt volumina et Sophismatum Alberti Saxonis expeditione[4]).

Mag Marschalk sich der Gefälligkeitsleistung gegen Trutfetter nicht haben entziehen können, wie 1514 Johann Pistorius aus Kirchberg[5]), der allerdings Trutfetter an Richtung nahe stand, und 1517 noch der echte Poet Eobanus Hessus[6]), so spricht doch die unermüdliche poetische Mitwirkung des Maternus deutlich für seine Stellung zu der Scholastik. Die Werke Trutfetters zitieren wohl auch einmal einen Alten oder einen Humanisten, aber Inhalt und Form zeigen den unverfälschten Scholastiker. Prantl rechnet ihn[7]) unter der weitschweifigen Schule der Modernen zu den Weitschweifigsten, und das will nicht wenig sagen. Sein Verhalten zu Trutfetter ist also für Maternus

---

[1]) G. Plitt, Jodokus Trutfetter von Eisenach, der Lehrer Luthers in seinem Wirken geschildert, Erlangen 1876.

[2]) G. Plitt, a. a. O., 9, 10, 12.

[3]) Burdegalensis heißt hier nicht aus Bordeaux, sondern Portugiese.

[4]) G. Plitt, a. a. O., 16 f., 19 f., 21 f., 22 f. Zu Albertus de Saxonia oder von Riggensdorf vergl. C. Prantl, Geschichte der Logik, IV, 60 f.

[5]) S. o. in Kapitel IV, 168, bei Pistorius.

[6]) Bei Quam Judocus Eysennacensis Philosophus et Theologus tacius Philosophie naturalis Summam nuper elucubrauit etc. Erfurt, Matthäus Maler, 1514. 4°. Centralblatt für Bibliothekswesen, XII, 366 No. 28. G. Plitt, a. a. O., 44.

[7]) C. Prantl, Geschichte der Logik, IV, 241 f. Er nennt ihn peinlich ausführlich.

bezeichnend. Er war selbst als Magister actu regens selbstverständlich auch ordentlicher Lehrer der scholastischen Philosophie
und es ist ein vollständiger Irrtum bei Kampschulte[1], wenn er
von ihm sagt: er machte ausschließlich die Werke der Alten zum
Gegenstande seiner Vorträge. Er mußte eben pflichtmäßig über
vorgeschriebene Bücher lesen und nur nebenbei und aus Neigung
unterrichtete er Humaniora. Und wenn ihn, den Dekan der Artisten,
der Rektor des Wintersemesters 1504/5 Magister Johann Werner
aus Tettelbach[2] in der Matrikel „artium et philosophie interpres
excellentis doctrine et bonitatis" oder „totius encyclopediae cele-
berrimum interpretem" nennt, so dachte er dabei an den Kreis
der scholastischen philosophischen Disziplinen zuerst, weil er doch
den geschätzten Dekan der Artisten loben wollte. Daß er die
„bonitas" hervorhebt, war gewiß begründet, Maternus selbst
legte sich im Sommersemester 1516 als Rektor, um sein Ideal
anzugeben, die Epitheta „humanus et pius" bei.

Als von dem ersten Rückhalt der humanen Studien unter den
Universitätslehrern singt[3] der junge Eobanus Hessus von ihm:

. . . . . —. . Mereris
Ferre prior palmas parte hac, Materne, priores
Orator vatesque simul, Pistorie, ...

Als Eoban Koch im Wintersemester 1504 die Universität
bezog, studierte er unter Leitung seines Landsmannes Ludwig
Christiani aus Frankenberg[4], der 1504 Magister wurde, die
scholastischen Fächer, in die Poesie führte ihn, nachdem er die
ersten Grundlagen dafür vorher von seinem tüchtigen Lehrer
Jakob Horlaeus in Frankenberg[5] auf der Trivialschule empfangen hatte, Maternus Pistoris ein[6]. Und dieses Verdienst,
einen der hervorragendsten lateinischen Dichter der deutschen

---

[1] F. W. Kampschulte, a. a. O., I, 50.

[2] Immatrikuliert im 8. 8. 1473, Baccalar 1476, Magister 1486. Warum
Kampschulte gerade diesen Mann als einen Förderer des Humanismus
betrachtet, a. a. O., 36, ist ganz unerfindlich.

[3] In De Laudib. Et Praeconiis Incliti Atque Tocius Germaniae cele-
bratiss. Gymnasii litteratorii apud Erphordiam. etc. Erfurt 1507, Aiiii b.

[4] Zu Christiani vergl. o. in Kapitel IV, 161, 162.

[5] Zu Hörle vergl. o. in Kapitel IV, 151, 152.

[6] K. Krause, Helius Eobanus Hessus, I, 16, 27.

Renaissance der Poesie ganz gewonnen und ihm die Wege dazu
gewiesen zu haben, setzt Maternus ein unvergängliches Denkmal
in der Geschichte des deutschen Humanismus. Hessus schildert[1])
die liebenswürdige Art seines verehrten Lehrers in den Versen:

> Sic ego diuinae cupidus, licet inscius, artis
> Non potui sancti tetigisse palatia regni,
> Ecce sed egressus sacras Pistorius aedes
> Affuit et cupidum manibus Maternus amicis
> Duxit ad ignotae sacrata cubilia syluae
> Et, quid has, dixit, trepidas, Eobane, puellas?
> Quem metuis? Tuus hic amor est, tuus ignis in illis.
> Neu mihi finge metus! . . . . .

Aus der Ferne spendete ihm 1506 Ulrich Zasius[2]), der ihn
wohl durch Thomas Wolf Junior und Peter Eberbach kannte,
das Lob „homo ex asse formatus". Auch Mutianus Rufus, der
bald so großen Einfluß auf die Erfurter Verhältnisse gewinnen
sollte, hielt mit Maternus Freundschaft[3]) und bewunderte seinen
Aufwand für wertvolle Bücher[4]). 1505 besuchte ihn Maternus
während der Pest in Gotha und bis 1514 tauschten sie Briefe aus.
Das Verhältnis bekam jedoch einen Riß, als 1513 der sonderbare
ungeberdige sesquipedale Poet Thiloninus Philymnus in hefti-
ger Weise mit den Scholastikern zusammengeriet. Mutianus,
der den Gegner Thiloninus Johannes Femelius als Poeten noch
nicht kannte und daher zuerst in dem Streite[5]) nicht eine Eifer-
süchtelei zweier Poeten, bei der die Scholastiker nur als Mitlei-
dende beteiligt waren, sondern einen prinzipiellen Kampf gegen
die Scholastiker sah, war schwer aufgebracht, daß ein anerkannter
Poet, Euricius Cordus, gegen ihn auftrat, und glaubte diesen
alten Widerpart des Thiloninus durch die Sophisten angereizt,
„sophorum vafricia subornatum", die Scholastiker Johann Kirch-

---

[1]) In De Laudib. Et Praeconiis etc., Avb.

[2]) J. A. Riegger, Udalrici Zasii Epistolae, 391. Die Widmung von
C. Peutingers Sermones conuiuales, Straßburg 1506. 4", an Thomas Wolf
Junior.

[3]) K. Gillert, a. a. O., No. 8, 28.

[4]) K. Gillert, a. a. O., No. 43.

[5]) Zu diesem Streite s. o. in Kapitel IV, 163—167.

berg und Trutfetter hielt er für die Verführer[1]), aber am
schwersten zürnte er Maternus, der ihm gesagt hatte, der einflußreiche Dr. Henning Goede wolle ihnen helfen, er sprach
von „incredibilis malicia" und meinte damit, daß Maternus, den
soeben Philymnus, 1513, in seiner Batrachomyomachia[2]) unter
Wiederholung der lobenden Worte des Zasius als „Flavius
Maternus facundissimus musarum patronus" gefeiert hatte, den
ausgezeichneten Juristen für den Zweck, zur Unterstützung der
Sophisten, geworben hätte. Kampschulte deutete[3]), infolge eines
Mißverständnisses, die für Maternus und Goede so hart miß-
billigenden Worte Mutians für beide in das Gegenteil um.
Maternus hielt also doch fester zu den Scholastikern wie zu dem
Humanismus, wenn dieser friedliche Bahnen verlassen wollte.

Mit seiner Führerschaft bei den Humanisten war es wegen
seines Überganges zur Theologie schon damals vorbei, sie sahen
in Mutian ihr Haupt, auch wenn er nicht in Erfurt, sondern in
Gotha residierte. Und doch blieb Maternus bei der humanistischen
Sache, obgleich er schon 1514 Doctor theol. geworden war, be-
günstigte er noch 1518, als Joachimus Camerarius nach Erfurt
kam, diese Studien. Der im Ausdrucke so vorsichtige Camerarius, der das erwähnt[4]), läßt aber doch zugleich das Sinken des
Ansehens des Maternus in seinem Urteil über ihn erkennen,
wenn er ihn auch in den Gegensatz zu den andern Scholastikern
stellt, „quibus solis ea res", nämlich die Besetzung der Lehrstühle,
„tum in manibus erat. At Maternus quidem, insignis illa tem-
pestate Erphordie theologus, nonnihil contulit ad culturam harum",
nämlich der humanen Wissenschaften[5]). Bei dem Pfaffensturm 1521
wurde er von Studenten und Pöbel als Geistlicher, 1523 wird
er Kanonikus zu St. Mariae genannt, auf das gröbste gemiß-

---

[1]) K. Gillert, a. a. O., No. 280.

[2]) S. o. bei Thilonimus Philymnus in Kapitel IV, 165.

[3]) F. W. Kampschulte, a. a. O., I, 41, 42: „Er (Goede) erbietet
sich zur Hilfe, als Maternus Gefahr für die junge von ihm geleitete Poeten-
schar besorgte." Dagegen hat Kampschulte, a. a. O., I, 161, die Stelle
ganz richtig verstanden und dem entsprechend benutzt.

[4]) Narratio de H. Eobano Hesso etc., Nürnberg 1553, Cijb.

[5]) F. W. Kampschulte, a. a. O., I, 251, liest aus dieser halben Anerkennung des Maternus heraus, daß dieser jetzt von neuem wieder zu
Ansehen gelangte, nämlich bei der Reform der Universität 1519.

handelt[1]). Im Sommer 1527 bekleidete er noch einmal das Rektorat, Ostern 1530 fungierte er als Dekan der Theologen und Scholastikus zu St. Mariae bei der Rektorwahl und nochmals Ostern 1533, aber für die Litteratur war er damals schon verschollen. 1534 starb er als das Haupt der Erfurter Altkirchlichen[2]). Kein Poet setzte ihm ein Epitaph.

Die zahlreichen dialektischen Werke Trutfetters haben unsern Blick auf die Erfurter Scholastik gerichtet, der artistische Lehrplan der alten Universitäten hatte aber außer der stark überwiegenden Pflege der logischen Fächer auch für Grammatik und Rhetorik als für die Anfangsdisziplinen vorgesorgt. Der Grammatik Priscians, dessen Syntax immer noch in Gebrauch war, ist 1501 schon gedacht worden. Donat und Alexander Gallus wurden trotz der Marschalkschen Werke, die nur im Privatunterricht gebraucht werden konnten, an der Universität als offizielle Lehrbücher immer noch beibehalten. Selbst Eberhards Laborintus wird von Mutian als rhetorisches Lehrbuch 1513 und 1515 noch erwähnt[3]). 1509 nennt Eobanus Hessus[4]), der soeben Magister geworden war, neben den dialektischen Lektionen, die er nun mit großer Freude losgeworden ist, den Laborintus: „Diis gratia, percurrimus laboriosum Labyrinthum atque ita aditus interiores omnes perlustrauimus, ut vel principem vel principi proxi-

---

[1]) F. W. Kampschulte, a. a. O., II, 128. Man warf ihn aus dem Fenster, daß er wie tot liegen blieb.

[2]) K. Krause, a. a. O., II, 156. Das Epigramm des Cordus gegen ihn, V, 170 ist schwer verständlich:

De Materno.

Quisquis conceptum Mariae celebrauerit Abbas,
Perpes in officio permanet illo suo.
Quid subsannantes me deridetis amici?
Forte quod haec leuis ut fabula verba sonent?
Sic docuit plena nuper Maternus in aede.
Creditis hunc tantum dicere vana virum?

Kampschulte, II, 164, leitet daraus ein öffentliches Auftreten des Maternus für die Marienverehrung (1522) her. Sollte es nicht etwa Cordus nur um eine obscoene Bemerkung über die noch offene immaculata conceptio zu tun gewesen sein? Die Zeit der Abfassung des Epigramms ist ganz unbekannt.

[3]) K. Gillert, Der Briefwechsel des Conradus Mutianus, No. 277, 478.

[4]) K. Gillert, a. a. O., No. 643.

Bauch, Die Universität Erfurt   15

mum honorem confidenter speremus". Durch dieses Joch mußte wie durch das der scholastischen Logik jeder gehen, der die aus praktischen Gründen immer noch wünschenswerten akademischen Grade erwerben wollte. Mutianus hatte deshalb 1506 nicht die Besorgnis unterdrücken können[1]), daß die Scholastiker Hessus bei seinem Baccalaureat aus Chicane Schwierigkeiten machen würden. Nicht anders war es mit der Grammatik. Allein hierin hat sich doch nach und nach eine gewisse Connivenz auch bei scholastisch gebildeten Dozenten gegen die Strömung des Humanismus eingestellt. Der erste Vertreter dieser Richtung war der neben Trutfetter angesehenste Logiker Bartholomäus Usingen[2]), immatrikuliert im Wintersemester 1484/85 als Bartholomeus Textoris de Osyngen und in Wirklichkeit Bartholomäus Arnoldi geheißen, Baccalar 1486, Magister 1491, 1512 Baccalaureus formatus und 1514 Doctor theol., dem Prantl als Logiker das ihn vor Trutfetter auszeichnende Lob spendet[3]), daß er sich in seinen Schriften als verständig zeige[4]).

Zu nicht genau festzustellender Zeit, da der Drucker 1499 seine Tätigkeit aufnahm, nach diesem Jahre, erschien bei Wolfgang Schenck ein Hilfsbuch, wie das Fehlen logischer Argumentationen verrät, für die Resumptionen der Grammatik: Regule congruitatum Regimina constructiones (!) Ordo bonus, anonym, ein auch anderwärts für die „pueri" gebrauchtes Buch[5]). Es ist zur Unterstützung des Doctrinale des Alexander Gallus geschrieben und daher ganz auf ihm beruhend, die gegebenen Regeln führen bisweilen geradewegs auf seine Verse zurück, die dann als Abschluß gelten. Die Sprache ist von keinem humanistischen Hauche berührt, die Beispiele sind auf die „communis latinitas", das scholastische Schullatein, berechnet oder daraus entnommen. Den Humanisten muß schon der Apparat der Beispiele, die der öden Behandlung

---

[1]) K. Gillert, a. a. O., No. 47.

[2]) Zu Usingen vergl. N. Paulus, Der Augustiner Bartholomäus Arnoldi von Usingen, Freiburg i. B., 1893.

[3]) C. Prantl, Geschichte der Logik, IV, 243 f.

[4]) Der Leipziger Drucker, der so viele Werke Usingens druckte. Wolfgangus (Stöckel) Molitoris de Monaco, war Erfurter Baccalar und ist im S. S. 1489 in Erfurt immatrikuliert.

[5]) G. Bauch im Centralblatt für Bibliothekswesen, XII, 361 No. 26. Die Universitätsbibliothek in Breslau besitzt verschiedene Drucke davon.

der Logik entstammten, ein Greuel gewesen sein. So, wenn sie
z. B. lesen oder lernen sollten: Cappa Sortis, tunica Platonis;
Sortes et Plato currunt; Sortes currit, qui mouetur; Sortes scribit
taliter, qualiter scribit Plato; u. s. w. So ist das Buch ein
Zeichen von der noch gänzlich ungestörten Herrschaft der Scholastik auf dem Gebiete der offiziellen Grammatik in dem Kursus an
der Universität.

Als Ersatz für dieses Kompendium schrieb Bartholomäus
Usingen als Privatunternehmen und gab zuerst ohne Nennung
seines Namens heraus [1]): Regule congruitatis et figure constructionis
cum vitijs grammaticalibus et figuris talia excusantibus [2]). Das
uns vorliegende Exemplar hat Wolfgang Schencks Geschäfts-
nachfolger Matthäus Maler gedruckt und leider auch kein Jahr
(c. 1509) angegeben. Dieses Buch ist eine Verfeinerung, aber
damit zugleich stofflich eine sehr umfangreiche Erweiterung der
vorstehenden alten Anweisungen, die auch sehr ausführlich die
Figuren und Tropen gibt und so vom dritten (vierten) Teile
Alexauders in die Rhetorik übergreift. Autoren, auf die Bezug
genommen wird, sind: Sulpitius (Verulanus), Gellius, Georg
Valla, Quintilianus, Laurentius Valla, Priscianus, Diomedes, Tullius (Cicero) in secunda rhetoricorum, Donatus bar-
barismus, Franciscus Niger und, mit diesen als ganz gleich-
wertig behandelt, Alexander Gallus, von dem gelegentlich auch
Verse zitiert werden. Die Beispiele sind meistens aus Dichtern
entnommen: aus Vergilius, Persius, Ovidius, Terentius,
Statius, Prudentius, Lucanus, Boetius, doch auch aus
Alexander Gallus, Apuleins, Caesar in commentariis, Cicero
in epistolis, Sallustius, sehr zahlreich, stellenweise weit über-
wiegend, aus der Scriptura, d. h. der Vulgata, und außerdem
werden auch viele eigene, meist biblischen, legendarischen und
gottesdienstlichen Inhalts oder aus dem täglichen und Schulgebrauch
gegeben. Es fehlt auch nicht an Argumentationen, die die Stelle
von Erklärungen ersetzen, und diese gerade deuten, schon durch
ihren technischen Jargon, wenn auch ziemlich einfach gehalten,
trotz aller klassischen und humanistischen Zitate die Grund-

---

[1]) N, Paulus, a. a. O., 128 No. 5. Unser Druck fehlt dort.
[2]) Impressum Erphordie per Matheum Maler. O. J. 4°.

15*

anffassung des Autors und seine Stellung zum Humanismus, sowie den Zweck, dem er dienen will, an. Im übrigen gibt, daß Alexander und die Scriptura als grammatische Autoritäten den klassischen gleichgestellt sind, dem Buche, das doch eben schon dem XVI. Jahrhundert angehört, sein Gepräge, es ist ein irenischer Versuch eines Scholastikers, der die scholastische Behandlung der lateinischen Sprache durch humanistische Mittel[1] einigermaßen glätten will, ohne sie anfzngeben, und damit eben Scholastiker bleibt. Und dieses Werk ist, eine Signatura temporis, noch 1517 in Erfurt wiederholt worden, also noch länger im Gebrauch gewesen.

Auch dem Donatus minor hat Usingen seine Aufmerksamkeit zugewendet und er hat eine Bearbeitung der Octo partes, deren erste datierte Ausgabe in das Jahr 1511 fällt[2]), unter dem Titel ausgehen lassen: Interpretatio Donati Minoris scolastice exponens diffinitiones octo partium orationis cum accidentibus earundem in studio Erphordiensi per m. Bartholomeum de vsingen collecta et reuisa ad dei laudem et reipublice litterarie profectum[3]). Das Werk ist gleichfalls ziemlich ausführlich und von dem Bestreben geleitet, alles möglichst übersichtlich zu gestalten. Allerdings ist diese Übersichtlichkeit sehr schematisch oder mechanisch ansgefallen. Der Kreis der benutzten Autoren ist vielleicht noch etwas größer als bei den Regule, außer den erwähnten und Marschalk, der nicht genannt wird, sieht man z. B. noch Mancinellus, Plinius, Servius, Martianus Capella, Martialis, Perottus, Baptista Mantuanus, Remigius, anch anf griechische grammatische technische Bezeichnungen wird, wenn auch nicht immer mit richtigen Herleitungen, Rücksicht genommen, aber trotzdem ist an den wissenschaftlichen Grundlagen nichts geändert, die Scriptura erscheint anch hier und Alexanders

---

[1]) Die Beschäftigung Usingens mit humanistischen Studien fand Anerkennung. Am 31. März 1517 schrieb Christoph Scheurl aus Nürnberg an ihn: „Nam, ut vides, inter medios Augustinianos educatus sum, unde tuae quoque amicitiae insinuari cupio, quem vicarius noster (Staupitz) et plerique alii praedicant virum bonum cum bonitate etiam coniunxisse ingenuas litteras." Ch. Scheurls Briefbuch, ed. F. v. Soden und J. K. F. Knaake No. 120.

[2]) N. Paulus, a. a. O., 13, 128 No. 6.

[3]) O. O. J. u. (Erfurt) 4⁰.

Verse werden mehrmals herangezogen. Charakteristisch für seinen Standpunkt und zugleich an die alten Regule erinnernd sind z. B. die nebeneinander stehenden Sätze: Si Sortes currit, Sortes monetur und Socrates currit, ergo Socrates monetur: die Sprache bleibt barbarisch. Angehängt sind der uns vorliegenden Ansgabe Electe sententie mira elegantia referte cum dicterijs paremijs Baptiste Mantnani litterarum candidatis non minus ad morum profectum vtiles qnam ad elegantioris sermonis studium conferentes [1], ans den poetischen Werken des „Poetarum omnium princeps" ausgewählte Ausschnitte moralischer und religiöser Art, die auch von der Liebe nnd dem Lobe der Gedichte, von den poete boni et casti und den poete inpndici handeln. Die Paremie sind einzelne sententiöse Verse. Gegen alle diese nntadeligen Verse mußte der im Text der Interpretatio zitierte Martialis arg abstechen; zum Lesen wird ihn Usingen nicht empfohlen haben. —

So führten nns die Werke Usingens bis zu dem Jahre 1517, bis zur Pforte der kirchlichen Reformation, die in dem Hnmanismns wegen seiner sprachlichen Studien ihren Helfer nnd wegen seines Gegensatzes zur Scholastik ihren Bundesgenossen sah nnd ihm deshalb zuerst freundlich gesinnt war, um ihn dann zu ihrem Diener und Handlanger herunterzudrücken und ihn selbst zuweilen, wie in Erfurt, der alten Scholastik darin ähnlich, als weltliches Streben feindlich zu behandeln [2]). In Erfurt vollzog sich die Peripetie des Humanismus auch, ehe Luther mit seiner Verbrennung des kanonischen Rechts und der Bannbulle und seinem Auftreten vor Kaiser und Reich in Worms den dramatischen Höhepunkt seiner Entwicklung erreichte. Die endlich 1517 (oder 1518?) erfolgte Anstellung des Eobanus Hessus als Poeta nnd Orator war der, wie wir schon früher nachgewiesen haben [3]), hier sehr spät getane erste Schritt, die humanen Disziplinen wenigstens als außerordentliches Fach an den scholastischen Kursus anzngliedern. Wittenberg, wo das Doctrinale des Alexander schon seit c. 1506 beseitigt war, ging in dem Wintersemester 1517, als der mit Mntian und den Erfurtern,

---

[1]) Diese Beigabe ist wohl nur ein Nachdruck von Sententiosa dicta Baptiste Mantuani etc. Leipzig, Jakob Thanner, 1507. 4⁰.

[2]) K. Krause, Helius Eobanus Hessus, I, 342, 358, 375, 877.

[3]) S. o. Kapitel I gegen das Ende u. hier w. n., 333 N. 2.

wie Peter Eberbach, lange nnd eng befreundete[1]) M. Balthasar
Fabricius Phacchus als utriusque humanitatis Professor, der
begünstigtere Kollege Eobans, Rektor der Universität war, mit
Reformen vor[2]), außer der Einrichtung von Lektionen über Plinius,
Quintilianus und Priscianus und der Bestellung von zwei
Pädagogen für jüngere Studenten wurden in den scholastischen
physischen und logischen Disziplinen die Texte des Aristoteles
selbst, die durch die scholastischen Kommentare vollkommen über-
wuchert und fast ganz verdrängt waren, eingeführt. Im Sommersemester 1518 folgte die Berufung Melanchthons für Griechisch
und auch die neue Lektur für Hebräisch kam im Wintersemester
1518 zur Besetzung. Der von Luther und Melanchthon auf-
genommene Kampf gegen die Scholastik richtete sich bald radikal
gegen die ganze scholastische Methode wie gegen alle drei in
Wittenberg vertretenen scholastischen Sekten, die Occamisten, die
Thomisten und die Scotisten. Wir haben gehört[3]), wie Lang
schon 1514 und 1515 in Wittenberg scharf gegen diese Richtungen
geschrieben hatte, er war seit 1516 wieder in Erfurt, wo ihn 1519
vor seiner theologischen Doktorpromotion Jonas als Gegner der
Scholastik schildert[4]), und mit Wittenberg in steter Verbindung[5]),
die Wittenberger Vorgänge mußten in Erfurt bald bekannt werden.
Luther teilte 1518 seine und Karlstadts Bemühungen für die
vollständige Reform der Universität Lang brieflich mit[6]), und zu

---

[1]) München, Hof- und Staatsbibliothek, Camerariana, XVI, fol. 62:
Petrelus Eberbach an Johann Lang, viii Eid. Mail 1512: „Nostin
Phacchum? Illum qui iam inde Vuitenburgi ab initio et ante secula docet
rhetoricam, elucidat poetas, profitetur grammaticen summo nemine? Eum,
inquam, hortaberis, ut redamet amantom se Aperbacchum. Cum germa-
nauerit, edam nasturtium salutaboque maximum rhapsoderum." Auch mit
Mutian war Phacchus befreundet, K. Gillert, a. a. O., No. 155, 157, 344.
[2]) Für das Folgende O. Bauch, Wittenberg und die Scholastik, a. a.
O., 308, 309, 330 f.
[3]) S. o. in Kapitel IV, 159, 160.
[4]) G. Kawerau, Der Briefwechsel des Justus Jonas, I, 20.
[5]) Kampschulte, a. a. O., I, 248, glaubt der im S. S. 1517 immatrikulierte Jominus Otto Beckmann de Warburg magister et licentiatus
studii Wittenbergensis gratis propter honorem sue uniuersitatis sei Studien
halber nach Erfurt gekommen, er war aber nur besuchsweise da.
[6]) Enders, Luthers Briefwechsel, I, 170. O. Bauch, Wittenberg
und die Scholastik, a. a. O., 335, 336.

ähnlichen Maßregeln anregen. Luther schickte am 13. April 1519 Johann Lang auf dessen Wunsch die hebräische Grammatik des Moses Kimchi, „donec aliam tu obtineas." also auf seinen Wunsch, die er selbst von dem Drucker Thomas Anshelm aus Hagenau als Geschenk erhalten hatte[1]). Leider entziehen sich die treibenden Persönlichkeiten und ihre Bemühungen unserer Kenntnis, und so scheint es fast[2]), als ob Erasmus der Heros gewesen wäre, dessen Kultus die Erfurter Reformen in Fluß gebracht habe, Jonas wird als der Führende betrachtet, an Lang als Mitarbeiter hat man noch nicht gedacht; die Saat Marschalks und Mutians ging endlich auf, merkwürdigerweise hielt sich aber Mutianus jetzt ganz zurück[3]).

Für das Sommersemester 1519 wurde der Humanist und Jurist Justus Jonas abwesend zum Rektor gewählt, er befand sich gerade auf einer Wallfahrt in die Niederlande zu Erasmus; die Verehrung dieses großen Gelehrten hatte nach der Reuchlins um diese Zeit in Erfurt ihren Höhepunkt erreicht[4]). Als er nach anderthalbmonatlicher Frist zurückkehrte, fand er die Universität in voller Umänderung vor. „Nosti aliquando gymnasium illud vetus Erphordiense," schrieb er[5]) an seinen Freund Melchior von Aachen, „in quo sophistae usque adeo occupa[uera]nt omnia, ut tota litteraria respublica ad pauculas quasdam et frigidas argutias dialecticas contracta videretur, ubi praeter summularios, praeter exercitia et copulata paene nihil legebatur bonorum authorum! Absui ad sesquimensem. In tantulo tempore nouata sunt omnia. Longe aliam inuenio scholam, quam reliqui[6]).

---

[1]) Enders, II, 10, 15 N. 30, 31. G. Bauch in der Monatsschrift etc., 153.

[2]) Ein Beweis dafür liegt jedoch nicht vor, und das Beispiel Wittenbergs hatte man vor Augen.

[3]) Codex Gothanus chart. A 399, fol. 202 b. Jonas an Lang, Erfurt 19. Juli 1519. Kawerau, Der Briefwechsel des Justus Jonas, I, 27.

[4]) K. Krause, Helius Eobanus Hessus, I, 299.

[5]) G. Kawerau, Der Briefwechsel des Justus Jonas, I, 25: Jonas an Melchior von Aachen, Erfurt, 24. Juni 1519. Melchior von Aachen ist im S. S. 1517 als Canonicus Nordhusensis in Erfurt immatrikuliert.

[6]) K. Krause, Helius Eobanus Hessus, I, 302, stellt den Gang der Reform falsch dar, weil er diesen Brief nicht kannte. Er macht Jonas zum Reformator der Universität. Er folgt darin Kampschulte, a. a. O., I, 251, der auch von der Reform vor Jonas' Heimkehr nichts wußte und diese nach

Raptim et semel sublata est haec lerna et delectis octouiris iam id unum agitur, ut trium linguarum, verae philosophiae et germanae theologiae studium hic conductis professoribus instituatur." Am Ende setzte er noch hinzu: „Unßer uniuersitet ist in hundert jaren, oder dyweil sy gestanden, also nytt reformirt gewest."

So sah er, der von 1511 bis 1515 in Wittenberg gewesen war [1]), enthusiastisch die Verhältnisse im Juni an, im Juli bat er Lang um seinen wachsamen Beistand bei dem Dekan der Artisten und dem Theologen Bartholomäus Usingen, damit die Reform vorrücke, und in dem sehr ausführlichen Vorwort zu seinem Rektorat in der Matrikel mußte er sich, da sich nicht alle Hoffnungen sogleich erfüllten, die Geldfrage und die Rücksicht auf die Theologen hängten ihr Bleigewicht daran, in dem Bericht über das, was wirklich geschehen war, dann schon etwas bescheidener als in seiner ersten Freude ausdrücken. Dort sagt er: „creati sunt octumuiri, qui studium utriusque linguae, graecae pariter et latinae, cum vera philosophia coniunctum Erphordiae dedicarent." Die vielen Promotionsprandia wurden abgeschafft und auf ein „catholicum et generale" beschränkt: „sumptibus his in minerual professorum utriusque linguae conuersis." Auf den Dozenten für Hebräisch mußte also vorläufig ganz verzichtet werden [2]), und da in kurzem sich ein rapider Niedergang der Universität einstellte, mit dem die Promotionen, die unter den Stürmen der Reformation außerdem auch noch in Verachtung gerieten, gleichfalls zusammenschmolzen, muß die Stellung der Inhaber der humanistischen Lehrstühle, die wegen mangelnder sicherer

---

Jonas' Rückkauft ansetzte und deshalb ganz unter den Einfluß des Erasmus stellte.

[1]) Im S. S. 1511 sind die Erfurter Johann Räuber aus Bockenheim, Jodocus Jonas, Ludwig Laudergut und Johann Lang in Wittenberg immatrikuliert.

[2]) Ein Hebraist hatte sich im S. S. 1518 schon eingefunden und war von Trutfetter protegiert worden: Wernerus (Einhorn) de Bacharach Hebreus baptizatus gratis ad peticionem doctoris Isenach. Zu diesem vergl. G. Bauch in der schlesischen Zeitschrift, XXXVII, 188, 142; Monatsschrift für Geschichte und Wissenschaft des Judentums, a. a. O., 298 f.

Fundierung immer noch nur wie ein Anhängsel zu den anderen ordentlichen Lekturen erschienen, auch immer noch den Charakter des Provisorischen getragen haben[1]).

Neuerdings hat der um Erfurt als Historiker wohlverdiente Pastor G. Oergel den letzten Rest des die Reformation von 1519 betreffenden Schreibwerks, ihren speziellen statuarischen Niederschlag, wiederaufgefunden[2]), und dieses Schriftstück gibt trotz der Kürze seiner Fassung und obgleich die darin vorgesehene neue Redaktion der Universitäts- und Fakultätsstatuten nicht vorhanden ist, doch genugsam Auskunft über die von uns schon aus den Äußerungen des Justus Jonas geschlossene Geringfügigkeit des für den Humanismus durch die Reform tatsächlich Erreichten. Es ist die „Ordinatio facultatis artium, wie man lesen, repetiren vndt promoviren soll". Darin heißt es: „1. Baccalaureanden sollen schuldig sein zu compliren Priscianum, der je vmb 12 Schläge soll gelesen werden . . . 4. Zu 2 Schlägen soll man lesen in studiis humanioribus Quinctilianum de institutionibus. Die Lection sollen auch compliren Baccalaureanden . . . 6. Vndt vff ein Stunde, denen Magistris auß der Fakultet gelegen, soll man

---

[1]) Wenn Kampschulte, a. a. O., I, 252. sehr energisch eine Lanze für die Erfurter Reformen gegen die Wittenberger bricht, so hatte er eben von den Wittenberger Universitätsverhältnissen in dieser Beziehung noch weniger Kenntnis als von denen in Erfurt, und seine Darstellung ist deshalb vollständig verfehlt.

[2]) G. Oergel in den Jahrbüchern der königlichen Akademie gemeinnütziger Wissenschaften zu Erfurt N. F. Heft XXV. Die Ordinatio ist dort ganz abgedruckt. Nach G. Oergels Beiträgen zur Geschichte des Erfurter Humanismus (Mitteilungen des Vereins für die Geschichte und Altertumskunde von Erfurt, XV, 41, 42), die wir leider zu spät zugänglich geworden sind, sei hier noch nachgetragen, daß Loneysen, Series Rectorum, nicht wie Hessus selbst das Jahr 1517 sondern 1518 pridie Nonas Julii als Datum seiner Anstellung als Professor poeseos angibt. Londergut war nicht schon von 1504 ab, wie die Falkensteinsche Chronik angibt, sondern erst von 1520 ab mainzischer Vicedominus. Er war auch 1511 nicht bloß gastweise in Wittenberg, er ist vielmehr dort am 16. August 1512 durch Dr. Kaspar Schicker zum Doktor beider Rechte promoviert worden (als Ludouicus Paynen?) Er heiratete 1512 die Witwe Dr. Georg Eberbachs Wunne und wurde dadurch Stiefvater seiner Altersgenossen Heinrich und Peter Eberbach. A. a. O., 51 f., ist das Rektorat des Crotus ausführlich behandelt.

lesen in Graecis litteris, die soll einem jeglichen frey sein zu
hören. 7. Zu obgeschriebenen Lectionibus sollen verordnet werden
VII. Lectores. Der erste soll lesen Grammaticam Latinam, . . .
der sechste Litteras humaniores als Quintilianum, der siebente
Litteras graecas. Vndt diesen Lectoribus soll die Facultas Artium
wie folget lohnen: denen ersten fünfen soll man jährlich jeglichem
40 fl. geben, den letzten zweyen, alß Lectori humanitatis et Graecarum litterarum, derer jeglichem soll man jährlich geben 30 fl."
Es war also, abgesehen davon, daß die Lekturen persönliche, fest-
gelegte Professuren wurden und damit eine Durchbrechung der
mittelalterlichen Auffassung, daß jeder Magister der Artistenfakultät jederzeit über jede philosophische Disziplin lesen können
und gegebonenfalls lesen müsse, erfolgte, nur für Grammatik und
Rhetorik in humanistischem Sinne wirklich gesorgt. Alexander
Gallus fiel endlich ganz, aber er wurde doch nur durch Priscian,
den alten grammatischen Paten der Universität, nicht durch eine
moderne, humanistische Grammatik ersetzt. In der Rhetorik trat
für den Laborintus Eberhards die Institutio oratoria Quinti-
lians ein. Diese Vorlesungen wurden obligatorisch für die Baccalaureanden. Schweigen herrscht in den Bestimmungen über Poetik,
diese fiel als selbständiges ordentliches Lehrfach aus und hatte
also ihre Existenz nur als Schwanz der Grammatik. Dement-
sprechend erfährt man nichts von poetischen Autoren, aber auch
ebensowenig von prosaischen, die der Rhetorik zugehörten. Klassische
Autoren blieben also der persönlichen Neigung der Scholaren und
der außerordentlichen unbesoldeten Lehrtätigkeit geeigneter und
williger Dozenten überlassen. In ähnlicher Lage befand sich das
Griechische, da es auch kein obligatorischer Lehrgegenstand wurde,
nur daß bei diesem Fache ein besoldeter ordentlicher Dozent
vorgesehen war. Die Gehälter der humanistischen Dozenten waren
zudem sehr niedrig angesetzt, und auch darin lag eine geringere
Schätzung der Humanoria ausgedrückt: Die scholastisch-philosophischen Fächer blieben sonst in vollem Umfange bestehen.
Die Reform war Wittenberg gegenüber nur Flickwerk, ein Kom-
promiß zwischen Neuem und Altem etwa nach dem Sinne des
Maternus und daher nur ein erster Versuch, der aber unter den
Stürmen der Zeit ohne entscheidende Fortschritte blieb und deshalb
keine lebendige Weiterentwicklung einleitete.

Trotzdem nun doch endlich die „Barbarei“ besiegt schien, schrieb dennoch der Rektor des Sommers 1520 Lic. theol. Ludwig Platz aus Melsungen, die Lage überseheud und wie warnend und die traurigen Zeiten, die noch kommen sollten, vorahnend, die milden Worte eines Briefes, den er von Erasmus erhalten hatte [1]), an die Spitze seines Rektoratsberichts: „Bone littere sic debent irrepere in academias, non, ut hostes omnia depopulaturi videantur, sed hospites potius paulatim in ciuilem consuetudinem coalituri.“

Bevor der ganz unerwartete unaufhaltsame Verfall der Universität wie der des Humanismus eintrat, fiel mit Luthers feierlichem Empfange bei seiner Durchreise nach Worms durch den humanistischen Rektor Crotus noch einmal ein verklärender Schein auf den Erfurter Humanismus. Wer hätte damals geglaubt, daß dieses Aufleuchten ein letztes Abendrot für ihn und das große Wappenbild des Crotus in der Matrikel sein Epitaphium sein würde!

---

[1]) Kampschulte, a. a. O., I, 258 Anm. 2.

Namenverzeichnis.

Die Hauptstellen sind **fett** gedruckt.

A. Favorke, vorm. Eduard Trewendt's Buchdruckerei, Breslau.

कहानी

Druck:
Customized Business Services GmbH
im Auftrag der KNV-Gruppe
Ferdinand-Jühlke-Str. 7
99095 Erfurt